시야 Siya —— 著

契約皇后的女兒 ②

엄마가 계약결혼 했다

MOTHER'S CONTRACT MARRIAGE

目錄
CONTENTS

6. 狼、烏鴉和花 II 005
7. 中毒風波 033
8. 十歲生日 073
9. 狩獵節 135
10. 覆盆子同盟 209
11. 秋日節慶 277
12. 七鐘 349
13. 乘船出海的父親遭冬日風暴吹走 I 389

CHAPTER. 6
狼、烏鴉和花 II

星點灑落。

當我低頭望向地面時,滿是金黃色的沙粒。無論望向哪個方向,映入眼簾的都是沙子在月光下閃著白光的景象。

頭髮輕柔地隨風飄揚。

抬起頭,再度眺望天空。

在月光的照耀下,我看到了一個緩慢游動的美麗生物。牠巨大的身體緩慢且優雅地移動,身上反射著星光。

我伸出雙手。

由空氣和火焰構成的那個生命體飛得太高了,看起來觸不可及。

淚水掉出眼眶。

『嗚⋯⋯』

莉莉卡的淚水順著太陽穴滑落。她慢慢閉上眼睛,回味著剛才夢見的一切。

『但是很悲傷。』

那真的是一個既清晰又美麗的夢。

夢中的自己非常悲傷,又想起了那條劃過夜空、發著白光的龍。

牠飛得那麼高卻依然那麼巨大,真是驚人。

莉莉卡再次驚嘆,並輕輕地嘆了口氣。

『我竟然會夢見龍，是因為我是塔卡爾，所以會作這種夢嗎？感覺就像真的變成塔卡爾族一樣呢。』

莉莉卡輕輕地笑了出來。一想到阿提爾或是皇帝陛下會變成龍，她就覺得更加開心。

接著，莉莉卡慢慢地坐起來，伸出手摸索，搖了搖床邊矮櫃上的陶瓷鈴鐺，布琳就走進房裡。

「您今天起得很早呢。要起床了嗎？」

「嗯。」

莉莉卡點了點頭，侍女們隨即進來。

她們手中拿著衣物和盥洗的水進來，並一把拉開窗簾。天氣非常好。

莉莉卡一邊洗漱一邊換衣服，問道：

「布琳，可以幫我問問媽媽，今天是否能見到商隊的領隊嗎？」

「是，當然可以。」

莉琳回答後，向莉莉卡彎下腰，小聲問道：「您是不是作了不好的夢？」

布琳注意到了莉莉卡哭過。

「不，那是一個非常美麗的夢。」

聽到莉莉卡搖搖頭這麼說，布琳似乎理解了她的意思，退出房間。

莉莉卡吃過早餐後，聽說媽媽要她在茶點時間過去一趟，一個上午都在學習。

『不管什麼事，先學起來都有利無弊。』

莉莉卡回想起擦鞋大叔說過的話，所以非常認真地學習。記在腦袋裡的知識和身體學會的技能，都將伴隨終生。

這句話說得對極了。

媽媽寄了招聘信給印露家族，但她面帶失望地說還沒有收到回信。

儘管大家都露出了「果然如此」的表情，但媽媽似乎沒有放棄。

當莉莉卡從書房出來時，拉烏布與她目光相對，稍稍露出微笑。莉莉卡很快就注意到他頸項上掛著的項鍊。那是將她送給拉烏布的寶石當成吊墜，串在皮繩上的項鍊。設計雖然簡單，卻可以很快就做出來。

那顆寶石竟然被加工成這種項鍊。

莉莉卡這麼說，布琳卻露出「難以置信」的表情。

「這很適合你。」

莉莉卡看了布琳一眼，布琳就笑著說：

「我的寶石交給匠人製作了，完成後會給您看看。」

「我很期待，感覺會很漂亮。那個銀色的胸針也非常美。」

「呵呵，您可以期待一下。」

儘管布琳的表情如此，拉烏布毫不介意。主人說「很適合他」就足夠了。

——完全沒有美感。

布琳笑著回應，幫莉莉卡換上衣服。

換上新衣服的莉莉卡前往銀龍室。她一進入起居室，一眼就看到了站在那裡的人。因為來者的穿著非常獨特，所以格外引人注目，而且那個人的膚色比阿爾泰爾斯還要深。

「莉莉，快過來。」

露迪婭從座位上站起來迎接莉莉卡。莉莉卡迅速地行了屈膝禮，然後撲進媽媽的懷抱。

「我家莉莉今天也非常可愛呢，真討人喜歡。」

莉莉卡很喜歡媽媽總是如此不顧禮儀地緊緊擁抱她。今天，媽媽身上散發著清爽甜美的香味。

媽媽不厭其煩地連連稱讚，莉莉卡聽得臉頰都染上了紅暈。

這些話不管怎麼聽，都令人心情愉悅。

露迪婭就像往常一樣，經過許久的歡迎問候，才向莉莉卡介紹了商隊首領。

「這位是金沙商隊的首領，查查蘭達。查查，這是我的女兒。」

「卑微的商人查查蘭達，有幸見到至高者之女。」

查查蘭達跪下行禮。

這是莉莉卡第一次聽到這種問候方式，但她仍點了點頭。

「很高興見到妳。」

當她回以問候，查查蘭達的頭又更低了一些。

「為了皇女殿下，我準備了一些簡單的禮物，希望您能收下。」

在後面待命的侍從們迅速打開盒子展示。

莉莉卡睜大了眼。盒子裡放著璀璨閃耀的飾品。

她不知道該怎麼辦才好時，瞄了媽媽一眼，媽媽點了點頭。

莉莉卡這才放心地說：「這些飾品真漂亮。謝謝妳。」

「這是我的榮幸。」

侍從們關上盒子並退下，換露迪婭開口：「起來吧。」

「是的，皇后殿下。」

查查蘭達站起來後，莉莉卡這才得以看清她的外貌。她是一位五官立體清晰的美人。黑髮編成了幾縷，後面綁著用長布製成的髮飾。她穿著蓬鬆寬大的褲子，獨特的服裝引人注目。

露迪婭和莉莉卡坐下後，查查蘭達也坐了下來。莉莉卡的面前擺著一個玻璃杯。

莉莉卡品嘗了一口散發著桃香的冰茶後，對露迪婭說：

「媽媽，很多南方貴族因為糖的事情鬧得很凶吧？」

露迪婭點了點頭後，馬上警覺地問：「是不是那些傢伙對妳說了什麼？」

「說了一點。」

「是誰？」

「嗯，我不知道名字。」

「是嗎？」

露迪婭用指尖敲了敲椅子扶手。女兒也許不知道，但作為侍女的布琳一定知道。

「原來如此。嗯，真的是典型南方鄉巴佬的卑鄙行徑呢。」

聽到這句話，查查蘭達露出了苦笑。露迪婭微微一笑：

「聽起來像是侮辱嗎？」

「不，畢竟南部邊疆一片混亂是事實。我能有這樣的機會，十分受驚若寵。」

「我會讓您滿意的。」

「我喜歡有能力的人。」

聽到查查蘭達的話，露迪婭點了點頭。

莉莉卡向查查蘭達問道：「查查真的是沙漠民族的人嗎？」

「不，我是混血兒，但是我的一生中有一半時間是在沙漠中度過的，所以也可以說是沙漠民族吧。」

「這樣啊。」

莉莉卡點了點頭，詢問：「不過，種植甜菜需要很長一段時間吧？」

突然談起正事，查查蘭達眨了眨眼。

通常人們看到她的外表後，會詢問她的背景故事，查查蘭達因此也準備了幾個像樣的故事，但這位皇女殿下完全沒有打算探詢這部分的意圖。

『這點與皇后殿下一樣呢。』

莉莉卡的態度就像在說「妳的出身、血統和家族史都沒那麼重要」。對查查蘭達來說，這種態度是非常罕見的。

母女果然很相似，查查蘭達一邊心想一邊回答：

「我們打算透過鍊金術士獲得培養液，這樣可以大幅縮短時間。從明年開始，我們就可以讓糖在北部流通了。」

「那真的很快呢。」

莉莉卡似乎大致明白南方人們為何會大鬧了。

露迪婭一揮手，房裡的其他人都離開房間。現在起居室裡只剩下露迪婭、查查蘭達和莉莉卡三人。

露迪婭說：「我要瓦解南方貴族的聯盟。」

莉莉卡驚訝地看向媽媽。

露迪婭悠然地舉起玻璃杯說：「要破壞因為利益聚在一起的組織很容易。」

查查蘭達點了點頭說：「那邊的商隊曾連絡我們，希望我們加入聯盟，但我們拒絕了。因為加入聯盟的話，糖的價格會下跌。對於北部領地的人來說，沒有額外的收入無所謂，但這和那些收入減少是兩碼子事。不僅如此，穀物價格會維持不變。」

「穀物價格和這有什麼關係？」

聽到莉莉卡的問題，查查蘭達回答說：

「南部有些領地只種植甘蔗，不種植糧食，因此這些地方必須向外界購買所需糧食。到目前為止，他們都受到了貴族聯盟的保護。」她冷笑一聲，「但如果不再有利益，會怎樣呢？」

莉莉卡的表情嚴肅起來，說：「那會是個大問題呢。」

「是的。」

「是啊。」

露迪婭和查蘭達用愉快的語氣回答。

莉莉卡疑惑地問媽媽：「但是為什麼要破壞南方貴族的聯盟呢？拉特在裡面，派伊應該也是⋯⋯」

「貴族團結起來，對皇權來說沒有任何好處。他們越分裂越好。」

露迪婭笑著回答。她沒想到自己會說出這樣的話。

過去她努力想推翻塔卡爾，現在卻為了鞏固塔卡爾而攻擊其他貴族。

「此外，如果有一天桑達爾會背叛，我就不能放任他們與他人結盟。」

當然，聯盟對於桑達爾族加入巴拉特一事保持沉默，但沉默等同於默許，露迪婭不想留下任何可能在局勢變化時投靠對方的人。

「但我不知道桑達爾為什麼會背叛。聽說是家主的女兒生病了⋯⋯」

露迪婭看著正在向查查提出各種問題的女兒，嘆了口氣。

「看來我得去見情報販子了。」

地下世界的情報公會會在暗巷裡收集各種資訊。

「沒想到那個人會是公會長。」

一開始，露迪婭沒有認出來，是聽到一個陌生人問起莉莉卡的安危，她才覺得很奇怪。直到看到那個人不耐煩地抓起自己的頭髮，露迪婭至今仍清楚記得那個輕蔑的眼神。

「現在我懂了。」

「但再次回想起那種表情，仍然讓人很不愉快。」

「但沒有其他辦法了。」

無論如何，為了和莉莉卡一起安全地離開這裡，過上安穩的生活，她會不擇手段。

莉莉卡一臉認真地看向她。

「但是媽媽，樹立太多敵人不是件好事。」

雖然莉莉卡不太清楚，但她聽說媽媽在各處都有一番作為。世界上最美麗的媽媽很有能力，讓莉莉卡感到很驕傲。但同時，她也感到擔憂。

聽到莉莉卡的話，露迪婭笑了。

「不用擔心。」她舉起一根手指，「我打算同時拋出一個好機會。」

「好機會嗎？」

查查蘭達露出微笑。

「如果只是奪走他們的東西，他們會團結起來。所以我們也要同時提供利益，這樣他們才會瓦解。」

「如果那份利益是選擇性提供的話，更是如此。」

看著兩人相視而笑，莉莉卡想起了媽媽正在收集魔擊槍的事情。

想到這裡，她就安心了。

『但我還是得再為媽媽製作一個護身符。』

當她下定決心時，露迪婭開口：

「對了，莉莉卡。記得上次我說的那件禮服嗎？已經完成了，妳試穿看看吧。」

「真的嗎？」

莉莉卡興奮地跳了起來。是公主殿下的禮服啊！

露迪婭搖響鈴鐺，呼喚侍從們。她命令侍女們帶來莉莉卡的禮服，幾名侍女隨即拿了盒子進來。

露迪婭自信滿滿地指示侍女們打開盒子。

打開第一個盒子時，莉莉卡發出了驚呼，查查蘭達的眼睛也閃閃發亮。

「這是什麼？」

侍女馬上將潔白蓬鬆的襯裙拿給莉莉卡看。裙子放在扁平的盒子裡時看不出來，但一拿起來就瞬間蓬鬆了起來。莉莉卡摸了摸，是硬挺的材質，似乎能單獨立在地上。

「克里諾林裙襯不是很不方便行動嗎？所以我用這種硬質的布料，疊加了數十層，讓它澎起來。穿上它，妳也可以舒服地坐下。」

「這種裙子叫什麼呢？」

查查蘭達問道，露迪婭就揮了揮手：「就叫它巴尼爾裙襯吧。這種布料因為太堅硬，所以不常使用，但現在被我拿來這樣用了。不過製作過程很複雜，製作一件巴尼爾裙襯需要龐大的人力和時間。與克里諾林裙襯相比，這是無法比擬的奢侈。」

「試穿看看吧。」

「好的！」

莉莉卡迅速走到隔板後面，布琳和管家則上前去協助。

莉莉卡換上收到的新衣服，站在鏡子前發出了讚嘆。

「太漂亮了！」

不像克里諾林裙襯那麼蓬鬆，但裙襬仍非常可愛地往外展開。禮服上也綴有蕾絲和緞帶，十分討喜。而且與克里諾林裙襯不同，當她移動時，裙襬會自然輕盈地擺動。

莉莉卡的臉上充滿了喜悅，這比她想像的美麗得多。

「媽媽，您看！」

莉莉卡踮起腳尖轉了一圈，做了一個屈膝禮，然後她跑過去抱住了媽媽。

「真的真的很漂亮，謝謝您！」

「太好了，莉莉。雖然妳穿什麼都很可愛，但這件衣服真的太可愛、太漂亮了。」

露迪婭看到莉莉卡第一次因為收到禮物這麼高興，覺得自己與設計師一起煩惱的努力都值得了。

女兒開心的模樣是她最大的快樂。

媽媽開心的模樣也是莉莉卡的快樂。此刻，她們都快樂極了。

莉莉卡一次又一次地轉圈，穿著由許多布料製成的禮服讓她很高興。

查查蘭達說道：「這又會成為新的流行趨勢吧。」

這種裙襯既舒適又可愛，再加上價格不菲，足以誇耀自己的財富。

「我第一次見到這種布料呢。」

「這是新開發的布。」

查查蘭達的眼睛閃閃發光，「我們商隊很想販售這個。」

「需要我介紹給妳嗎？」

「拜託您了。」

「真可愛。」

露迪婭微笑地看著她的女兒。莉莉卡在鏡子前站著，與布琳閒聊。布琳拿來一頂有蝴蝶結的小禮帽，輕輕放在莉莉卡的頭上。莉莉卡點頭後，布琳幫她戴好小禮帽。

「莉莉卡怎麼那麼可愛呢？露迪婭不敢相信她是自己的孩子。

『希望她永遠保持這個模樣。』

希望她能一直不懂政治或鬥爭，但露迪婭很快就意識到這是不可能的。在這座宮殿中無知地走動，無異於在敵人面前毫無防備。

『但我似乎不應該讓莉莉知道這些。』

露迪婭皺起眉，想到了前夫。

無知就是弱點。

不知情對莉莉卡來說或許是最好的，讓莉莉卡覺得爸爸已經去世應該是對的。畢竟，文件上他確實死了。

「媽媽，您覺得怎麼樣？」

聽完媽媽大力讚美，莉莉卡輕輕踏了踏小巧的腳，興奮地說：「媽媽，我可以穿去給阿提爾看嗎？」

看到戴著小禮帽的女兒轉過身來，露迪婭露出了燦爛的笑容：「真的非常適合妳，太美了。」

莉莉卡穿著公主的裙子，向媽媽優雅地道別後離開了起居室。她剛走到走廊上，就遇到了一位壯漢。

莉莉卡轉向查查蘭達，查查蘭達於是低頭道：「只要皇女殿下有需要，我隨時都會進宮的。」

「當然可以。」

「好，那我們下次見。」

「坦恩！」

「天啊，皇女殿下。」坦恩燦爛地笑了。

莉莉卡馬上轉了一圈給他看，坦恩摸著下巴說：「您平時也很美，但今天更加美麗呢。」

「皇后殿下不愧是皇女殿下的媽媽，眼光真是出色。」

坦恩單膝跪下，在莉莉卡的手背上輕吻。

莉莉卡感覺自己成了真正的淑女，迅速抬起腳跟。坦恩原本就高，即使跪下也比莉莉卡高。

「你是來找媽媽的嗎？」

「是的。」

應該是來談甜菜的事吧？莉莉卡這麼猜想，點了點頭。

「抱歉，耽誤你了。」

「不，和皇女殿下聊天是件令人愉快的事。」

坦恩站起身，戲弄地輕彈了一下她的小禮帽帽沿。

在他側身行禮時，莉莉卡揮手道別，加快了步伐。

拉烏布走過坦恩身邊時行了注目禮。坦恩驚訝得差點抓住拉烏布。他似乎注意到了。拉烏布勾起淡淡的微笑。

看著他們的背影，坦恩搖了搖頭，心想「晚點再說吧」。就算其他人不曉得，至少作為沃爾夫家主的坦恩知道拉烏布穩定下來了。

『先處理眼前的事吧。』

坦恩在銀龍室門前告知自己的到來。

莉莉卡也向阿提爾展示了她的禮服，阿提爾呵呵笑著說：「我只看得到衣服呢。」

「對吧？衣服很漂亮吧？」

莉莉卡已經準備好接受任何讚美了，所以她也很樂於聽到這樣的話。

「嗯，很漂亮。」

聽到阿提爾的話，莉莉卡滿意地笑了。

「那接下來，我穿去給皇帝陛下看看。」

「什麼？喂！」

阿提爾很是慌張，但莉莉卡毫不在意，直接走向辦公室。不巧的是，辦公室空無一人。

『他會在哪裡呢？』

即使莉莉卡問了侍從，也只得到他們不知道的回答。最終，莉莉卡像在玩捉迷藏，找遍了太陽宮的各個角落。

「不在這裡⋯⋯是不是我們錯過了？或者，也許他在天空宮也說不定。」

莉莉卡靠著花園裡的樹，嘆了口氣。

布琳對莉莉卡說：「您要不要用用看擺錘？」

「擺錘？」

「是的，擺錘原本就是用來尋找東西的工具。」

「是這樣啊。」

莉莉卡從口袋裡拿出擺錘，緊閉雙眼，在心裡默默祈禱。

『請告訴我皇帝陛下在哪裡。』

咻！擺錘輕輕朝一個方向移動了。

「動了！」

莉莉卡高興地跟著擺錘變換方向。因為擺錘只指出方向，如果沒有路就必須繞路前進。在她們走到花園深處時，布琳說：「從這裡開始，我們就不能進去了。」

「嗯？」

「這是只有皇族才能進出的花園。」

「是嗎？啊！」

原來這裡就是皇帝陛下總是帶我來，並教我魔法的花園！

「那我就自己進去，待會就回來。你們等我一下。」

「皇女殿下。」

拉烏布露出擔憂的表情，莉莉卡微笑著說：「沒事的，我去讓陛下看看我的衣服，馬上就回來。」

聽到莉莉卡的話，拉烏布垂下目光。莉莉卡很快就走進了花園深處。

就像那時一樣，她感覺自己走進了比其他花園更加深邃的森林裡。走在無人的森林裡就是這種感覺嗎？

莉莉卡的心跳加速。

有句話叫「森林是最初的神殿」吧？莉莉卡想起在某處讀到的話。

莉莉卡抱著虔誠的心，壓低腳步聲走著。古老的石地板之間，長出了高高的草。

她走進裡頭，發現了正在睡覺的阿爾泰爾斯。他半靠在長椅上睡著了。

金色陽光透過茂密的樹葉縫隙，時不時地照亮阿爾泰爾斯。古老的石椅，和生存在異於人類時間軸的森林，與時間無關的這一切，都與皇帝陛下很相配。

莉莉卡想起了她在夢中見到的龍，那條在夜空中美麗優游的龍。那種生物一定與所有會流轉改變的事物沾不上邊。

「但是……」莉莉卡呆愣地看著閉著眼睛，面容端正的阿爾泰爾斯心想…『但是那樣的話，不會太孤單嗎？』

如果在一切都會流轉改變的人們中，只有自己不變的話……莉莉卡感到心疼。

她搖了搖頭。

『但皇帝陛下不是真正的龍。』

不過他擁有龍的血統，和人類可能有所不同。

莉莉卡打赤腳輕輕走向阿爾泰爾斯。她不想叫醒他，但感覺她一靠近，他就會醒來。不過她來到伸出手就能

觸碰到他的距離，他還是沒有醒來。

莉莉卡凝視著阿爾泰爾斯的臉，想起他曾經叫她稱呼自己為「父皇陛下」。

「嗯……」

『現在也一樣，因為有媽媽在，我就能振作起來。』

因為有媽媽在，所以莉莉卡不會孤單。

她那時候拒絕了，皇帝陛下是不是會感到失落呢？

『但我還是覺得很害羞。』

父皇陛下，父皇陛下。

爸爸，父親。

即使莉莉卡只是在心裡默念，仍感到很難為情，十分尷尬。

她輕聲呼喚，聲音小到幾乎被風帶起的樹葉摩擦聲掩蓋。

「陛下。」

「皇帝陛下。」她又喚了一聲。

阿爾泰爾斯依然沉睡著。莉莉卡嚥下一口口水…「啊……」

她緊閉上嘴巴，然後悄聲說：「父皇陛下。」

聽到這聲細微的呼喚，阿爾泰爾斯睜開眼睛。莉莉卡感到臉頰一下子發燙。

不，也許從一開始就已經發燙了。

阿爾泰爾斯慢慢坐起身，莉莉卡則緊張地僵在那裡。

她希望他聽見了自己鼓起勇氣說出口的那句話，不，其實她希望他沒有聽見。矛盾的心情相互碰撞。

阿爾泰爾斯輕笑了一聲。他對那個稱呼沒有多說什麼，反倒張開了雙臂。

「過來。」

莉莉卡為了讓自己發燙的臉頰冷卻下來，跑過去抱住了他，將臉頰埋在他的懷裡。

阿爾泰爾斯輕拍著她的背。比起第一次接觸時，他的動作變得自然多了。

他曾多次聽過拉特和坦恩說，小孩是容易受傷的存在。

比起第一次，她現在更有分量了，那種沉甸甸的感覺讓他很愉悅。

莉莉卡在他懷裡動了動，悄悄抬起頭，偷瞄他的反應。而阿爾泰爾斯沒有別開視線，與她對視。

她的臉頰明顯再度開始變燙。莉莉卡試圖從他的腿上下來，因此阿爾泰爾斯將她放到地面上。

「那、那個⋯⋯」

莉莉卡緊緊抓住裙襬。

阿爾泰爾斯說：「這件衣服很適合妳呢。」

她馬上抬起頭，臉上的緊張似乎消散了，變得容光煥發。

「這是媽媽幫我做的新衣服。像這樣轉圈圈時會散開來。」

她轉了一圈，像往常一樣可愛地行了一個屈膝禮。剛才抱住她時，裙子仍十分蓬軟，看來那蓬鬆的裙子底下塞了很多東西。

「您還好嗎？是不是最近太累了？」

他會在這裡休息，果然是因為工作很多吧？

莉莉卡擔憂地問完，阿爾泰爾斯站起來，將她抱起。

「！」

她現在不會大叫出聲了，但仍十分驚訝。阿爾泰爾斯估量著她的重量，露出滿意的表情。

「妳變得很重呢。」

「我很努力在長大。」莉莉卡得意地說，讓阿爾泰爾斯笑了出來。他坐下，讓莉莉卡坐到椅子上，看著半靠在扶手上的阿爾泰爾斯，莉莉卡又說：「在這裡睡覺會感冒的。」

「在這種天氣？」

「但布琳說要保持肚子暖和。」

「是嗎？」

他沒有特意否認，撫過莉莉卡的頭髮，稍微梳理好。莉莉卡的棕色頭髮不再乾燥，像古董家具一樣光滑閃亮。

阿爾泰爾斯突如其來的問題讓莉莉卡很困惑，「想要的東西？」

「對，任何東西都可以。」

「呃，嗯……」

莉莉卡思考了一下，但沒有特別想要什麼。她搖搖頭，阿爾泰爾斯就露出失望的表情。

莉莉卡急忙說道：「但皇帝陛下已經給了我需要的一切，會抽空在晚上教我魔法，還承諾會保護媽媽，也安排了布琳陪伴我……」

一一細數下來，阿爾泰爾斯給予她的已經有過之而無不及，她還需要什麼呢？

阿爾泰爾斯握住了她的手。

「妳也是。」

「什麼？」

「妳也在我必須保護的名單上。」

莉莉卡瞪大了眼睛，阿爾泰爾斯則皺起眉，「妳以為妳不是嗎？」

「但是那個，那是因為……」

媽媽是簽訂了契約的對象，也是他的妻子，而自己不過是附帶的。他只要保護阿提爾和媽媽就夠了吧？

她總是下意識地認為自己必須保護自己。

因為沒有人會保護我，所以我只能自己保護自己。

即使現在媽媽說會保護莉莉卡，但她也擔心自己會造成太多負擔。

莉莉卡看著阿爾泰爾斯握住她的手。與他的相比，她的手太小了。

想到自己曾經緊握著這雙小手，勇敢地站在他面前，莉莉卡覺得自己很了不起。

『何不享受成為人類的美好之處呢？』

露迪婭的話再度閃過。阿爾泰爾斯在沙漠中經歷沙塵暴的時候，一直想著的只有背叛和憎恨，即使現在聽到「要看看人生的多彩光芒」這種話，他也根本無法理解。

阿爾泰爾斯捧起莉莉卡的臉頰，凝視著她。

「呃、呃啊啊！」

她驚訝得發出了奇怪的聲音，連自己都沒意識到。阿爾泰爾斯笑了出來。

「呃啊啊？」

他反問後，莉莉卡的臉頰立刻變得滾燙。

『他果然跟阿提爾一模一樣！』

莉莉卡在內心大喊，試圖掙扎，但她被抓住雙頰，動彈不得，眼淚在眼裡打轉。

阿爾泰爾斯終於忍住了笑意，「原來如此。」

原來他也能這樣笑。

「我會保護妳的。」

當他像在宣示般說出這句話時，莉莉卡呆愣地看著他，說：「我、我也會保護皇帝陛下的。」

阿爾泰爾斯挑起一邊的眉毛，莉莉卡就胡亂解釋道：「當然，我很弱，我的魔法也幫不上什麼忙，而皇帝陛下很強。即使如此，我還是想盡我所能地保護您。這聽起來也許很可笑⋯⋯」

阿爾泰爾斯笑了笑。

「嗯，但是⋯⋯」他放開抓住她臉頰的手，「妳好像已經在用自己的方式保護我了。」

用他做不到的方式。露迪婭也是，阿提爾也是，甚至他也是。

莉莉卡面露疑惑，隨後「啊！」了一聲。

「我想起來了，我想做一個新的護身符。如果做得很漂亮，我也會送給皇帝陛下您的。」

「寶石就由我來提供。」

「什麼？」

「好！」莉莉卡開心地點頭，接著說：「對了，我也幫拉烏布做了一件神器。因為怪物的血太強——」

聽完她的解釋後，阿爾泰爾斯說：「我不會奪走它，但妳要告訴拉烏布，絕對不能說出神器的來源。」

「！」莉莉卡驚訝地倒抽一口氣，「那、那如果——」

她驚訝地反問，阿爾泰爾斯低聲說：「妳以為只有沃爾夫家有那種不合格者嗎？拉烏布還能以人類的模樣四處走動，更嚴重的傢伙們可是連這都做不到。」

「妳打算製作無數個神器並分發給他們嗎？那是不可能的。如果塔卡爾因此被認為擁有能無限製造神器的道具卻沒公開，會引起大騷動。」

阿爾泰爾斯輕彈了一下她的小禮帽，「這樣的話，我們就必須公開妳的存在，那太危險了，人們會要求妳做妳無法做到的事。」

「……」莉莉卡堅定地點了點頭，之後小聲說道：「我一定會跟拉烏布說的。」

「嗯。」

「但是，皇帝陛下。」

「說吧。」

「以皇帝陛下的能力，無法治好他嗎？」

「不可能。」

「這樣啊……」

莉莉卡努力思考，「那，製作十個左右不行嗎？」

阿爾泰爾斯用寫著「妳有聽懂我說的話嗎？」的表情看著她。

莉莉卡搖了搖頭說：「啊，我不是那個意思。如果由皇家保管——送給有那種症狀的人，等他們去世後再收回來……」

「不行。」

「為什麼？」

「如果讓那些人活下來並傳宗接代，下一代的情況可能會更糟。」

看到莉莉卡的表情沉了下來，阿爾泰爾斯嘆了口氣後說：

「那就製作能緩解症狀的東西吧。照妳說的，做十個左右。」

「這樣不是能提高他們對皇家的忠誠度嗎？」

被淘汰是對的。這句話冷靜得殘酷。

畢竟，無論會不會用到，擁有越多武器越好。如果這能減輕莉莉卡的心理負擔，那這個方法好多了。

莉莉卡的表情亮起,「好的,我會偷偷交給他們的。」

她悄聲說完,微微一笑。

他點了點頭說:「妳走吧。」

「皇帝陛下不回去嗎?」

雖然對莉莉卡的稱呼感到可惜,但阿爾泰爾斯沒有強求。他不認為自己有對她盡到父親的責任,如此強求是很愚蠢的行為。

「我晚點再回去。」

「那我去拿毯子給您!」

「什麼?」

「這個給您。睡覺時一定要讓肚子保暖喔。」

他從沒聽過這樣的話,對這新鮮的說法點了點頭。

「那我先告辭了。」

「再轉一圈給我看看。」

莉莉卡開心地笑了,轉了兩圈後拉開裙襬,行了屈膝禮就離開。

阿爾泰爾斯拿起毛毯看著,笑了出來。

「是真的。」

他決定認同露迪婭的話。

「她是世界上最可愛的人。」

在他感到困惑時,莉莉卡就跑進花園的灌木叢中消失了。阿爾泰爾斯還一頭霧水時,她帶著一條夏季毛毯回來。這條毯子肯定是布琳帶來的,由此可見,索爾族的人不論到哪裡都那麼能幹。

露迪婭穿著舒適的睡衣，正在品茶。

涼爽的夏夜空氣從敞開的陽臺吹進來。日夜溫差逐漸變大，似乎預示著夏天即將結束。

午夜早已過去，現在已經是深夜了，但阿爾泰爾斯還沒有回來。

換作平時，她應該不會在意，然後若無其事地去休息，但莉莉卡傍晚來問候時說的話讓她有點在意。

莉莉卡笑著說自己到處炫耀了新衣服，之後皺著眉說：「不過媽媽，皇帝陛下好像很寂寞。」

莉莉卡緊緊抱著一隻幾乎有她一半大的泰迪熊玩偶，如此說道，讓露迪婭很疑惑。

「皇帝陛下嗎？為什麼？」

那個人——不，那條龍為什麼會感到寂寞？

「我今天看到他在花園睡著了，感覺他工作很忙⋯⋯他不會因為這樣感冒吧？」

「這種天氣，不會有人因為在外面睡覺而感冒的。」

聽到露迪婭的回答，莉莉卡彷彿聽到了無情的話，又沮喪起來，讓露迪婭很不安。

「媽媽，就算你們是契約夫妻，皇帝陛下還是妳的丈夫吧。」

還意外地受到莉莉卡這樣指責！露迪婭因此更加困惑。

「沒有任何人能理解皇帝陛下？」

這句話聽起來就像她知道阿爾泰爾斯的真實身分。

莉莉卡擔憂地說：「難道阿爾泰爾斯跟她坦承了自己的真實身分？不會吧？如果他把這麼危險的祕密告訴我的女兒⋯⋯！』

我不會放過他。

露迪婭吞了口口水,偷偷看了莉莉卡一眼。

「能夠理解的人?」

「皇帝陛下是龍吧。啊,我是說塔卡爾族。您好像不太喜歡那個稱呼。」莉莉卡迅速改口,把臉頰貼在泰迪熊玩偶的頭上,「皇帝陛下擁有神祕的強大力量,但因為出身背景,一直獨自生活在沙漠中,所以我覺得他應該很寂寞。」

『我從來沒那樣想過耶。』

她實在無法說出這種話,而且莉莉卡的話確實有道理。

『也許是吧。』

即使是龍,但他現在畢竟是人類。露迪婭認為人類可以獨自生活的傲慢想法已經被燒毀了,加上莉莉卡的話是對的,即使他們是契約夫妻,她畢竟是皇后,照顧皇帝是理所當然的。

她如此心想,意識到自己從未等待過阿爾泰爾斯。

因為這段對話,她才像這樣到深夜了還醒著,並喝茶等著他。

露迪婭叫侍女們先去休息,自己泡茶也有一番寧靜之美。

「沒想到妳還醒著。」

阿爾泰爾斯從陽臺進來,露迪婭問:「為什麼不走房門進來?」

「妳開著陽臺的窗戶,不就是為了讓我進來的嗎?」

他嘻嘻一笑。

「我是為了讓風吹進來才開的。」

聞言,阿爾泰爾斯慢慢走近而來,撫著空蕩蕩的茶杯。除了露迪婭的,桌上還擺著另一個茶杯。

「那至少妳是想和我一起喝茶的吧?除非除了我之外,還有其他人會在半夜進妳的臥室。」

「在契約期間，只有您能解開我的衣繩。」

阿爾泰爾斯低聲喃念：「契約啊。」

露迪婭仔細地看著他。他剛才撫過茶杯的手捧著她的臉頰，大手同時撫過她的頸項。

那隻手十分炙熱。

『好燙！』

露迪婭猛地站起來，阿爾泰爾斯向她傾身時，她伸手摸了摸他的額頭。

阿爾泰爾斯不明所以地站在原地，不悅地說：「如果妳想停下來，就直接跟我說，不用推開我。」

「不是那樣的，您發燒了。」

阿爾泰爾斯眨了眨眼，似乎無法理解。

露迪婭再次清楚地說：「我說您發燒了。」

「發燒？」阿爾泰爾斯歪了歪頭，笑了起來，「那當然，因為妳在我身邊──」

「別胡說了。我比您更清楚您的體溫。」

阿爾泰爾斯無話可說。

不對，是啊，那當然。嗯。

露迪婭拉著他，阿爾泰爾斯就乖乖地被拉過去。他在床邊被按下肩膀，一屁股坐到床上。

『我還是第一次看到她這樣誘惑我呢。』

這句話差點脫口而出，但他忍住了，因為露迪婭看起來很認真。

「休息一會就會好了。」

露迪婭點頭同意，「那當然，我也不打算因為這種小事就去請御醫，把這件事鬧大。」

阿爾泰爾斯的非人類面貌使他作為皇帝的地位更加穩固。發燒這種極為人性化的模樣，只會讓敵人更加得意。

露迪婭拿著溼毛巾回來，「躺下吧。」

阿爾泰爾斯背靠著枕頭，露迪婭把溼毛巾放在他的額頭和眼睛之間。

「有舒服一點嗎？」

「我不曉得。」

「我也不太懂得照顧人，雖然莉莉照顧過我……」

「妳的女兒很可愛。」

「是啊，莉莉是世界上最可愛的。」

怎麼現在才這麼說？露迪婭如此喃喃自語。

阿爾泰爾斯拿起溼毛巾說：「水像這樣不停滴下來是正常的嗎？」

「我也不知道。莉莉幫我敷的時候好像是這樣。」

「那是因為她只是個孩子，力氣不夠吧。」

「……可能吧。」

阿爾泰爾斯輕笑了笑，擰乾毛巾。能看到滴落的水珠在空中蒸發。

露迪婭看著阿爾泰爾斯將隨便擰乾的毛巾，再次放到額頭上並躺下，一股奇妙的情緒襲來。

她以前見過阿爾泰爾斯使用力量的場面，毫無任何限制和極限。那力量過於龐大，無法稱之為人類。

正因為見過他的那副模樣，又知道他的真實身分是龍，所以她不曾將他視為人類。

阿爾泰爾斯看著溼毛巾，擰乾毛巾。地面龜裂，大地驟升，空氣震顫。

『但他是人類。』

他不是堅不可摧的堡壘。被割傷會痛，受重傷也可能會死，還會像現在這樣發燒。

她現在才意識到這一點。

『真奇怪。』

總是完美又強大的人，現在露出了脆弱的一面。她不知不覺間感到心軟。

或許是感覺到她的目光，阿爾泰爾斯又輕輕拿起毛巾，「怎麼了？」

面對他的提問，露迪婭答道：「最近工作是不是很辛苦？」

阿爾泰爾斯細細思考後伸出手。他用手指捲著纖細的金色頭髮，低聲說：

「我的體力和精力用到其他地方了。」

露迪婭瞇起眼睛。看到她的表情，阿爾泰爾斯又笑了。

『啊。』露迪婭再次意識到，『他最近很常笑呢。』

以前只會冷笑，現在卻能這樣自然地露出笑容。

他撫著她頭髮的手移到頸項上，輕輕摩娑著，並輕輕坐起來，吻了她的唇。

因此變成半躺在床上的姿勢。

阿爾泰爾斯說道：「偶爾生病也不錯呢。」

露迪婭直看著他，緩緩地說：「以後……」

她開口後猶豫了。

阿爾泰爾斯等著她說完。

露迪婭認為這是個愚蠢的問題，但是不知從何而來的衝動湧上，讓她張開口。

「以後，如果真的有那麼一天，您會不會跟我說您的故事？」

阿爾泰爾斯的藍眼瞇起，像在審視般看著她，「妳想用我的弱點來威脅我嗎？」

露迪婭噗哧一笑。

「如果您就這樣扭斷我的脖子，我應該會死。我不會威脅您的。」

「真不知道妳是厚顏無恥還是天真。」

他輕輕一笑,一把地將她拉過來。

「擁有許多祕密的人本來就充滿了魅力啊。」

「!」

兩人的位置瞬間上下顛倒。露迪婭躺在床上,仰望著阿爾泰爾斯。

他跨坐在她的身上,說:「當然,我偶爾會有股衝動,想用其他方式殺了妳,就像現在這樣。」

他脫下身上的上衣後扔掉,露迪婭慌張地掙扎起來。

「你在生病,還在發燒──」

「嗯,正因為如此⋯⋯」他俯身欺近,「妳不想測測看我的嘴巴裡有多熱嗎?」

CHAPTER. 7
中毒風波

「您說，皇后殿下感冒了嗎？」

聽到莉莉卡說「媽媽有點發燒，好像也會咳嗽。」，菲約爾德說：「送一些對感冒有益的草本植物過去怎麼樣？夏天感冒會很嚴重，所以我很擔心。晒乾的也可以，但花園裡新鮮的植物效果會更好。」

「對耶，我去看看。」

莉莉卡笑了。

兩人來到湖邊。自從阿提爾暗殺未遂事件之後，湖中小島曾禁止進入，最近才解除禁令。

莉莉卡赤腳踩在水邊的鵝卵石上，不停濺起水花，她抬頭看著菲約爾德問：

「菲約爾德，你的身體還好嗎？」

「對。」

隨行人員離得很遠，聽不到他們說話的聲音，但他們的聲音自然而然地壓低了。

菲約爾德點頭說：「我很好。」

「來見我也沒關係嗎？」

他歪著頭，「您說要和我做朋友，對吧？」

「嗯。」

「那我們就做朋友。」

他說得理所當然，莉莉卡仔細地打量他一番，點點頭說：「好。」

莉莉卡往湖水的深處走去，菲約爾德急忙抓住她的手。

「那邊很危險。」

「有菲約抓著我就沒問題了啊。」

菲約爾德瞬間頓了一下，莉莉卡回頭對他說：「因為是菲約爾德，所以稱為菲約，不行嗎？菲約爾德也可以

叫我莉莉，因為我們是朋友嘛。」

「皇女殿下……」

他為難地喚了她一聲。

『但那只是稱呼而已，而且你看起來明明沒有真的很為難。』

「那只有我們兩個人在一起的時候才這樣叫呢？」

莉莉卡提出折衷方案後，他小聲地叫了一聲：「莉莉。」

莉莉卡思考著現在是不是只有他們兩個，之後笑了出來。

水已經淹至小腿中間了，再往前走，水似乎會更深。

「真的變深了。」

「因為原本的淺處被挖深了。」

「真的嗎？」

「是的，用挖出來的泥土創造出來的，就是這座島。」

「原來如此。」

怪不得湖中央有一座這麼像樣的小島，原來是人工島。

「好厲害……」

莉莉卡喃喃自語後，菲約爾德回答：「是啊。」

兩人握著的手感覺很熱。

「菲約，你又發燒了嗎？」

「不是的。」

菲約爾德靜靜地搖了搖頭。他也感覺得到自己的手很熱。

莉莉卡一臉疑惑地看過來的臉龐，和湖面泛起漣漪、不停反射照耀的閃閃陽光十分耀眼。得知他的傷口和過去的疤痕完全消失之後，巴拉特公爵非常興奮，菲約爾德則感到很不安。這件事讓公爵注意到了莉莉卡。

他也有想問的事情。

「莉莉。」

「嗯？」

妳要小心我媽媽。

這句話他怎麼樣也說不出口。他也可以冷笑著說出口，但莉莉卡會怎麼想呢？

想到這邊，他就無法說出口了。

「請您要小心。」

聽到他的話，莉莉卡點了點頭，「因為南方貴族，我已經在小心戒備了。」

「啊。」

「對了，菲約，你知道魔擊槍嗎？」

「知道。」菲約爾德歪了歪頭，解釋道：「要用來自衛的話，單發的槍太難用了，會很麻煩。而且，不太會有那麼大規模的『狩獵』，讓您必須拿槍保護自己。」

聽到「狩獵」這個詞，莉莉卡很是疑惑，但她發現那是指「狩獵」暗殺目標的行為。

莉莉卡嚥下一口水，又將話題帶回槍上。

「也對，說不定是那樣。那菲約，你也沒帶槍嗎？」

「不，我有一把。」

「現在帶著嗎？」

「不,來見您時,我不會帶著它。」

「但是聽說它的自衛用途不怎麼樣。」

「我不是用來自衛的。」

菲約爾德微微一笑,讓莉莉卡感到好奇。

「如果不是用來自衛的,那為什麼要隨身帶著?啊,難道是用來暗殺?」

她裝作驚訝地問,菲約爾德回答:「差不多吧。」

這反倒讓莉莉卡驚慌起來,「真的嗎?」

「是的,是這個用途。」

他用大拇指、食指和中指比出槍,抵上自己的下巴下方。

「砰。」

「!」

莉莉卡猛地抓住他的手,菲約爾德驚訝地看著她。

莉莉卡的手在顫抖,「不要那樣做。」

聽到她說的話,菲約爾德安撫道:「對不起,我只是模仿而已。這不是真槍——」

「不,不行。」

「不行。」

「不可以嗎?」

「為什麼?」

「我會哭的。」

莉莉卡凝望著他。她的目光彷彿能射穿他的內心,使菲約爾德低下視線。

「哈哈。」

他好像認為她在開玩笑,笑著回應:「我明白了。」

莉莉卡放開他的手。

菲約爾德露出尷尬的表情說:「我們去陰涼處吧?陽光太刺眼了。」

他幫莉莉卡壓低帽子並這麼說,莉莉卡就點了點頭。菲約爾德罕見地轉身背對她,走在前方。

她凝視著他的背影,突然想起來。

『巴拉特的傑作。』

她再次了解到那句話為什麼會讓人感到不舒服了。物品可以隨意被摔碎、摧毀,所以當菲約爾德那麼說的時候,就好像……

「菲約。」

他慢慢轉頭看向她。

「不要破碎。」

菲約爾德又向她走來,露出茫然的表情。莉莉卡再度開口:「不要碎掉,別變得支離破碎。」

她吐露出壓抑到極限的感情。雖然沒有直接露骨地說出「不要死」這句話,但意思是一樣的。

他露出苦笑,握住莉莉卡的手並彎下腰。他的唇碰上莉莉卡的手背。

「您總會說些讓我高興的話。」他握著她的手說,「我們出去吧。」

雖然沒有得到回應,但感覺就像聽到了答覆一樣,莉莉卡乖順地點了點頭。

「嗯。」

走近岸邊時,布琳鋪了一塊柔軟的毛巾在地上,遮陽傘的陰影處很是涼快,湖邊微風吹拂,聽著湖水輕拍湖畔的聲音,兩人聊著無關緊要的話題。

在巴拉特和塔卡爾之間，這是段溫馨的時光。

直到日落時分，莉莉卡才送菲約爾德回家。正要走回房間，她驚嘆著比以往還紅的夕陽之際，遇到了一個人。

莉莉卡倒抽了一口氣。不用問也知道那是誰。

巴拉特公爵。

「啊。」

黑色蕾絲眼罩遮住了眼睛，但仍能感受到她的目光。

黑色，應該是喪服，但以喪服來說太華麗了。最顯眼的是，她的眼睛上戴著眼罩。

華麗的銀髮被細心地盤起，她的身材高挑，穿著簡潔卻奢華的裙子。

莉莉卡迎上那熟悉的目光。她也不是第一次或第二次看到蔑視的眼光了。

無論莉莉卡多努力工作，用自己的雙手賺錢，對外面的人來說都無關緊要。

骯髒的小女孩。

冷列的蔑視。

她就靜靜地站著，俯視著莉莉卡。沒有讓路，也沒有低頭。

她很熟悉那副能讓全身凍結的表情。因此，她挺起胸膛，勇敢地面對對方。

那又如何？怎麼了？

時間過了很久，周圍的目光甚至開始動搖，莉莉卡都沒有躲避公爵的視線，也沒有忽視她。

此時竊竊私語的人們都沉默著，尷尬感充斥於周圍。

「擋路很有趣嗎？」

聽到從身後傳來的聲音，莉莉卡迅速轉頭看去，阿提爾滿臉不悅。

巴拉特公爵輕輕彎腰致意，聲音溫柔甜蜜到令人吃驚。

「皇太子殿下。」

「好久不見了，巴拉特公爵。」

「因為我也很忙。」

「但妳還有空站在走廊上？」

「我剛才在沉思，暫時忘了周遭的一切。」

「看來是到了該退休的年紀。」

「皇帝陛下仍然硬朗，我也得盡力而為。」

巴拉特公爵緩緩開口：「那我告辭了。」

「去吧。」

巴拉特公爵無表情地道別，然後離開了。莉莉卡深吐出一口氣。

阿提爾轉過身來，緊抓著她的肩膀說：

「妳為什麼在跟她對峙？她給了妳什麼食物嗎？糖果或餅乾之類的。」

「沒有。就算給我，我也不會收下。」

「她有沒有碰妳或者——」

「沒有，我們都沒有說過話。」

阿提爾搖了搖她被抓住的肩膀。

「妳這個柔弱的小不點膽子真大。無視她就好啦，為什麼要那麼做？如果巴拉特有什麼計謀，妳該怎麼辦？」

公爵溫和地回應。阿提爾握住莉莉卡的肩膀，把她拉到自己身後。

她的視線從阿提爾移向莉莉卡，宛如正在細細分析莉莉卡。雖然可以知道她正看著自己，但因為戴著眼罩，莉莉卡看不到對方的眼睛，令莉莉卡感到不太舒服。

布蘭一臉為難地說：「殿下，周圍有很多人在看。」

「反正大家都會有同樣的想法，有什麼關係。」

莉莉卡自信十足地拍拍自己的胸口說：「請您別擔心，我也有我的絕招。」

「絕招？是什麼？」

莉莉卡清了清嗓子說：「殿下，周圍有很多人在看。」

聽到她模仿布蘭的語氣，阿提爾眉頭一挑，嘆了口氣說：「好吧，我知道了。」

阿提爾抓起莉莉卡的手腕邁步。莉莉卡吐了吐舌頭，差點被拖著走，阿提爾就咂舌一聲，像平常一樣把她抱起來。

阿提爾對懷裡的她說：「巴拉特很了解藥物，所以無論做什麼都要小心一點。」

「藥物嗎？」

「她擁有一個巨大的植物園，不知道是不是因為巴拉特本來是花。」阿提爾冷淡地說。

聽到這句話，莉莉卡用雙手環抱住阿提爾的脖子道：「我會小心的。」

阿提爾喊了一句「好熱」，莉莉卡更毫無來由地緊緊抱住他。

「嘿！」

「喂，真是的，別黏著我。」

阿提爾嘟囔著，但他完全不打算推開莉莉卡或放她下來，進入黑龍室後，阿提爾才讓她下來。

兩人一坐下，布蘭就端來冰淇淋。

阿提爾說：「聽說孋孋感冒了。但廚師做了冰淇淋，讓我帶過來給妳。妳吃吧。」

當時阿提爾說「時機剛好」，他想順便叫莉莉卡來，就發現莉莉卡正在和巴拉特公爵對峙。

『幸好發現得早。』

阿提爾茫茫然地看著莉莉卡，不知道是不是察覺到了他的擔憂，莉莉卡嘿嘿笑著拿起了湯匙。

吃了一口冰淇淋，莉莉卡的表情變得有些微妙。

阿提爾問：「味道怪怪的嗎？」

莉莉卡伸出舌頭：「看來廚師是想做給媽媽吃，用藥草做了冰淇淋。」

她又吃了一口，看著冰淇淋「嗯……」地低吟。

「是藥草茶加了蜂蜜的味道。」

「不然還要吃嗎？」

「別吃了。」

他把玻璃碗搶走，看她不打算討回去，看來味道確實不怎麼樣。

莉莉卡嘆了口氣：「我的舌頭變得好奢侈了，以前什麼都很喜歡吃，現在卻變成高級的口味了。」

「什麼變奢侈了，一點也不好笑，誰會喜歡藥草味的冰淇淋啊？」

阿提爾無奈地說，莉莉卡也覺得無言以對。

『他果然是皇太子殿下啊。』

每到這時，她就會感受到出身的差異。

阿提爾把碗推到一旁，布蘭隨即收走，並放下冷茶。莉莉卡一臉擔心地看著阿提爾。

「但是，應該是御醫說吃太多也不好吧。」

「不是，媽媽的病情糟到連冰淇淋都不能吃嗎？妳在意的話，可以去看看啊。」

「我怕打擾到媽媽休息。」莉莉卡喝了一口布蘭端來代替冰淇淋的冷茶，「所以我想帶對感冒有益的草藥過去……」

突然感覺到鼻水不停流下來，莉莉卡慌張地低下頭。

『哦?』

滴在裙子上的是一滴紅色的汙漬。

「鼻血!」

莉莉卡慌張地用一隻手摀住口鼻,另一隻手尋找著手帕。

「怎麼了?」

阿提爾察覺到異常,但莉莉卡搖了搖頭。

喉嚨有點刺痛又發癢,感覺有東西卡在喉嚨裡,隨時都會咳出來,所以莉莉卡從座位上跳起來。

不行在這裡,不能在阿提爾面前——

「皇女殿下?」

驚訝的布蘭走過來。阿提爾從座位上跳起來,一把抓住想要逃跑的莉莉卡的手。

「妳怎麼了——」

阿提爾的話頓時停下,莉莉卡忍不住咳了出來。

「咳、咳、咳咳!」

鮮紅的血液流出嘴裡。

「皇女殿下!」

拉烏布和布琳的口中發出了尖叫般的聲音。阿提爾拉過莉莉卡,將她的臉埋在自己懷裡,低聲吼道:

「都退開!布蘭,叫御醫。拿急救藥來。」

「是的,殿下。」

布蘭迅速行動。阿提爾撫摸著莉莉卡的背,取出手帕。

「沒事的,沒事的。不需要勉強自己咳嗽,但也不需要制止它流出來。慢慢來——」

在阿提爾冷靜的處置下，莉莉卡立刻感覺到身體的緊張放鬆下來。她抓住他的衣襟，喘著氣。

阿提爾之前會慌張，是因為莉莉卡「被自己打到」而掉了牙齒，不是因為看到血或其他狀況。他自出生起就接受訓練，面對過無數次毒殺的威脅，已經習以為常了。

雖然覺得習慣這種事令人討厭到渾身顫抖，但身體依舊會依據習慣做出反應。

每次對著手帕咳嗽，她小小的身軀都會劇烈顫抖。阿提爾咬緊了牙。

『是毒？在哪裡？什麼時候？』

「不要碰剩下的食物。布琳‧索爾，記下你們去過的地方、吃過的食物和遇到的所有人。」

布蘭在這時拿來一杯倒滿的液體。阿提爾說：

「莉莉，雖然很難，但妳要把這個全部喝下去。妳做得到嗎？」

莉莉卡輕咳了幾聲，點了點頭，嘴裡充滿了血腥味。

阿提爾遞給她杯子，莉莉卡就把味道噁心的黏稠液體都喝了下去。

喝完之後，她覺得胃裡在翻騰。布蘭拿來一個桶子。

「全部吐出來。」

阿提爾抓著莉莉卡的頭髮。莉莉卡則忍不住把喝下去的東西都吐了出來。

「做得好。」

喉嚨的搔癢感比剛才減輕了很多。阿提爾把她抱起來，讓她的臉埋進自己的肩窩，在他的懷裡，莉莉卡又咳了好幾聲。

「很、很髒⋯⋯」

話還沒說完，莉莉卡就吃了一驚。她的聲音變得像癩蝦蟆一樣。

「我衣服很多。」

對於衣服被弄髒的事，阿提爾回答得很冷淡。隨後，御醫急匆匆地趕來。

阿提爾把她放到床上，御醫檢查了一遍她的口腔、眼睛，然後摸了摸她的脈搏。

「喉嚨、胃和粘膜受損了。幸好，體內沒有滲入更多毒素。不過，內傷恢復前必須充分休養。」

御醫簡短地向莉莉卡解釋完情況，也對阿提爾鞠躬，「因為處理及時，毒素沒有流到腸胃裡面，實屬萬幸。」

阿提爾皺著眉，沒有說話。為了隱藏手的顫抖，他緊握成拳。

過了一會兒，阿爾泰爾斯猛地推開門進來。

「拜見皇帝陛下。」

侍從們驚慌地跪下，但阿爾泰爾斯無視他們所有人，走向莉莉卡。

『瞳孔……像火焰一樣。』

本應是黑色的瞳孔，彷彿從內部燃起熊熊火焰，泛著紅光。

「情況如何？」

「受了內傷，但幸好毒素沒有對內臟造成太大的傷害。」

阿爾泰爾斯緊咬著牙。他說過要保護她了。他承諾過了，在那之後才過沒幾天……

然而，竟然有人敢傷害她？

阿爾泰爾斯將湧上心頭的怒火壓到最深處，移動視線。

「你呢？」

阿提爾搖了搖頭，「我沒事。」

「那就好。」

手輕輕撫過阿提爾的頭，阿爾泰爾斯轉向布琳和拉烏布。

「那麼，來聽聽發生過什麼吧？」

巴拉特公爵在首都的宅邸，比任何人的都龐大且華麗，不知情的人來到，甚至會以為是「皇宮」。如果牆上沒有刻著華麗的花卉徽紋的話。

巴拉特邸總是人滿為患，和皇宮無異。和皇帝抱持不同意見的人，總是充斥於巴拉特邸。

菲約爾德·巴拉特一邊接受問候，一邊穿行於宅邸。在這座宅邸內，巴拉特家族與皇族無異。他帶著優雅的微笑，向他們打招呼並走過。

就像花根深埋在土壤中，吸收著不知名的養分一樣，這座宅邸的地下室也非常深，只有巴拉特知道裡面有什麼。

看到只聳立於地面的華麗宅邸就發出讚嘆的人們，他只能勾起冷笑。

眾人三三兩兩地聚在一起，等著巴拉特公爵出現，同時一起暗中批評塔卡爾族。

這時，一個急匆匆進入宅邸的人一看到認識的人，稍微提高了聲音。

「聽說那個賤民喝了毒藥，暈倒了！」

「天啊，真的？」

「真的！」

當所有人的目光看向這邊時，那個男人顯得意洋洋。

大家曾悄聲地說「怎麼能稱她為皇女殿下？那個雜種皇太子看起來還好一些」，所以在巴拉特邸，提到雜種是指皇太子，提到賤民是指皇女。菲約爾德正要上樓時，腳步驟然停下。

賤民指的是莉莉卡。

他的手用力抓著欄杆，想立刻衝進皇宮。

但如果那樣做的話？

作為巴拉特的他，將連她的一根頭髮都無法見到。

他深吸了一口氣後轉身，向正高興地談話的男子走去。

「那個消息是真的嗎？」

菲約爾德一開口，人群就往後退開。

「喔喔，小公爵閣下。」

「讓閣下聽到關於賤民的事情，我們深感抱歉。」

爭先恐後地拋出奉承的話。菲約爾德舉起手打斷他們，並微微一笑。

「所以呢？她的狀況怎麼樣？」

那個男子尷尬地說：「我不太清楚她的狀況，但從氣氛來看，似乎沒有死。」

菲約爾德沉默了，但周圍反而更加吵鬧。

「啊呀，賤民的生命力真是頑強。」

「因為出身低微，吃什麼都能適應吧。」

小公爵看似陷入思考時，人們爭相開口，想要吸引他的注意。

「究竟是誰做的呢？」

「是那個雜種吧？他一定很焦急。」

「也對，那個女人那麼受寵，他可能覺得那個賤民會取代自己，登上皇位。」

「畢竟他脾氣太過暴躁，又是急性子。」

即使知道這些說法很荒謬，但大家仍只顧著笑。

「啊，也可能是桑達爾族幹的。最近南部很不平靜吧？誰抵擋得了蛇毒。」

「就是啊。不管是誰幹的，既然她沒死，他們失敗後的心情應該很複雜。」

大家笑著嘆氣，之後又譏諷地說：「希望皇帝不要冤枉我們。」

「怎麼可能。總是只挑我們這些好對付的下手，真是氣人。」

「巴拉特是誰？是血統比現在那個雜種還要純正的古老家族啊，他總是忽視我們，令人難以忍受。」

「就是啊。您說對吧，小公爵閣下？」

「對吧，小公爵閣下。」

菲約爾德面無表情地說：「但巴拉特就是巴拉特。」

聽到這句話，大家都點頭稱讚。

「對，巴拉特就是巴拉特。」

「不管他們那邊怎麼說，都是如此啊。」

「哈哈，真像小公爵閣下會說的話。」

聽著胡言亂語，菲約爾德努力不讓自己握緊拳頭。他的掌心都是汗。

——不要破碎。

就在這時，一位侍從走來，低聲說道：「小公爵閣下，公爵閣下召見您。」

跟隨著侍從，菲約爾德努力清空複雜的思緒。

對他說過的話浮現在腦海裡，他想要原封不動地還給她。雖然大家都很不捨，但還是讓菲約爾德離開了。

莉莉卡喝下了毒藥。

毒藥。

是誰？為什麼？

巴拉特公爵的辦公室華麗無比，為了隔音而設計的沉重大門無聲地打開又關上。

辦公室裡一片安靜。

巴拉特邸的辦公室也許是世上最寧靜的地方之一。

菲約爾德一邊想著，一邊走向擺在辦公室裡的巨大書桌。書桌上擺放著新的藥物。從右邊開始，按順序擺著。

一直都是這樣。

巴拉特公爵望著窗外，背對著菲約爾德站著。

「閣下，您聽到消息了嗎？莉莉卡皇女殿下⋯⋯」

巴拉特公爵舉起手打斷了他的話，轉身面對這邊。因為逆光，看不清她的表情。

她默默地指了指藥物。菲約爾德就坐下，按順序吞下了藥。

看著他的巴拉特公爵說：「不要去想那些沒用的事。」

她慢慢走到桌子的另一頭，「你現在擁有的一切，都是祖先們用血和痛苦換來的。你應該很清楚，為了得到這一切，有多少人在痛苦中受到折磨、死去。經過漫長的時光後，我們終於看到了第一個成果。」

藥效開始發作，他頓時感到頭腦昏沉。公爵戴著手套的手指，抬起了他的下巴。

「菲約爾德，我的第一件傑作。」

菲約爾德的視線扭曲，血液迅速流竄，耳朵裡嗡嗡作響。

想起即將到來的痛苦，身體開始顫抖。

「在無數個失敗品中得到你時，你不知道我有多開心。不要白費了我以你為傲的心。」

菲約爾德微微笑著。他想要笑，但不知道自己是否笑了。

他曾經想當一個讓人驕傲的兒子，做一個好孩子。

他為了得到認可而努力,直到他知道,自己只不過是巴拉特公爵的作品之前。

『我永遠無法成為您的孩子吧。』

巴拉特的傑作。

否則就毫無價值。

怦通——他的眼前一片黑暗又灼熱。他感覺到烈火燃燒血管的痛楚,彷彿有股熱度在身體裡流竄。他從椅子上滾落,在柔軟的地毯上蜷縮成一團,指尖刮著地毯。

他不由自主地彎下身體,儘管菲約爾德試圖忍耐,但還是發出了呻吟。

在閃爍的視野中有一雙鞋走來。那雙毫無灰塵的閃亮鞋子,他是不是看了很多次,甚至比媽媽的臉還常看到?

「忍著。和你至今經歷過的痛苦相比,這算不了什麼。想想塔卡爾,想想壓倒他們的那一刻。」

那一刻,即使身陷痛苦,菲約爾德也差點大笑出來。

媽媽能衡量自己從未經歷過的痛苦嗎?

但他咬緊了唇,因為一張口就會發出慘叫。

他閉上眼睛。即使閉上眼,眼皮底下依舊閃爍著光芒。他想起了莉莉卡。

閃耀的魯丁湖,還有那比湖水還美麗的藍綠色眼眸。

我那無私又甜蜜的皇女殿下。

想到她現在也這麼痛苦,心臟就感受到更甚於血管燃燒的痛苦。

『好想去見她。』

想握住她的手。想撫摸她的臉頰,實際感受她活著的現實。忍受著痛苦的身體癱軟下來。

痛苦像襲來時一樣突然,也在一瞬間消失。

冷汗滴滴答答地流下,連起身的力氣都沒有。而那雙鞋子轉身離開。

「去休息吧。」

坐在書桌前的巴拉特公爵說道。望著她不看向自己的側臉，菲約爾德一如既往地思考。

如果您的傑作破裂粉碎，您會是什麼表情？

但是。

『不要破碎。不要碎掉。』
『不要支離破碎。』

不論是在痛苦中，還是在悲傷中，這段話都讓人無比開心⋯⋯

菲約爾德閉上了眼睛。

壯碩的侍從走近過來，熟練地將他扶起。

莉莉卡張開了眼。

可能是因為很早睡，或者是藥物的作用，她的眼睛不自覺地睜開了。

布琳和拉烏布不在身邊。她知道皇帝召見他們，但之後發生了什麼，她不清楚。

『他們不能受到處罰啊。』

到底是在哪裡、發生了什麼事？莉莉卡也感到疑惑。

沒想到會突然中毒，喉嚨內側隱隱作痛。

連生病的媽媽都趕了過來，莉莉卡很驚訝。聽說媽媽感冒了，但她氣得連感冒都會被嚇跑。之後她差點因為發燒而昏倒時，被阿爾泰爾斯接住。

雖然露迪婭說要在身旁照顧莉莉卡，但阿爾泰爾斯堅決地說：「要是把感冒也傳染給她呢？」露迪婭不得不退讓。

『沒想到阿提爾這麼可靠。』

莉莉卡十分感謝在她吐血時，仍然冷靜陪伴的阿提爾。如果連他也慌了手腳，不知所措，她可能會更驚慌。

『好安靜。』

莉莉卡這麼想著，輕輕笑了笑。大家都很生氣，反倒是她自己沒有生氣。

『但如果是針對媽媽……』

她不自覺地用力抓住被子。

因為是吃了媽媽送來的冰淇淋才出事，所以莉莉卡很擔心，但晚上帶藥來的御醫說那不是問題所在。那個藥草冰淇淋真的只加了對感冒有益的藥草而已。因為無從得知毒的來源究竟是什麼，所以皇宮內為此鬧得沸沸揚揚的。

拉特和坦恩送來消息，表示「殿下今天應該累了，日後再來探病」。

『他們也很忙吧。』

不過，親身體驗過毒的危險後，媽媽、阿提爾還有皇帝……

皇帝。

『嗯……父、父皇陛下。』

莉莉卡在心中喚了一聲後，想著必須為他們三人製作神器。

『咦？』

這麼說來，每到晚上都會聽到的夜鳥叫聲也消失了。莉莉卡稍微坐起身。宛如城堡裡空無一物的寂靜流淌著。不應該是這樣，好奇怪。

不對勁。

莉莉卡走下床。身體仍殘留著熱度，有些暈眩。站了片刻後，莉莉卡走向陽臺。

打開陽臺窗戶，猛烈的熱氣伴隨著濃郁的花香撲面而來。

菲約爾德站在雪白的大理石欄杆上。在黑暗中，他的銀髮像星星一樣閃爍。

宛如流星的金紅色眼眸，因炎熱而增溫的白皙皮膚。

這一幕看起來非常不真實。莉莉卡踏入陽臺。

『大概是夢吧。』

她從剛才開始，肯定是在作夢。

「菲約。」

她沒有發出聲音，只動了動嘴唇。菲約爾德似乎聽見了，從欄杆輕巧地跳下來，著地時沒有發出聲音。

「是夢啊。」

她感到安心而笑出來時，他走近而來並伸出手。

「莉莉。」

輕喚她名字的聲音帶著幾分哀愁。伸向臉頰的手定在空中，沒有觸碰到。

莉莉卡歪過頭，將自己的臉頰靠到他的手上。她感受到他驚訝了一下。他熱呼呼的手很燙。他好像也發燒了，菲約爾德比自己還燙。

『因為這是發燒時作的夢嗎？』

因為在現實中她在發燒，在夢中才會感受到熱度嗎？

碰到一次後，菲約爾德似乎鼓起了勇氣，用雙手裹住她的臉頰，美麗無比。莉莉卡望著他凝視而來的金紅色眼眸，裡頭充滿了熱度，宛如在水面上閃爍的光芒碎片，莉莉卡像受到了吸引，直望著他，但他的手逐漸變得更加炙熱。

像是沸騰了一般，感覺也很真實。

即使是夢，感覺也很真實。

莉莉卡擔心地再次呼喚他，但沒有回應。就在那時，他驚訝地抬起頭，目光看向她的背後。

「菲約？」

就在這時，有人搗住她的眼睛。

『咦？』

「放開她，巴拉特。」

或許因為是夢，一聽到那個聲音，莉莉卡就帶著熱度笑出聲。遮住眼睛的手非常冰涼，卻讓人滿足。那股寒意讓熱度下降，令人高興。

原本裹住她雙頰的滾燙雙手放開了她。

「我今天就放過你。走吧。」

炙熱的空氣瞬間消失，涼爽的夜晚空氣充滿四周。遮住她眼睛的手這次將她抱起。

莉莉卡再次輕輕笑了。果然是皇帝。

阿爾泰爾斯的懷抱非常涼爽。沸騰的身體逐漸平靜下來，莉莉卡鑽進了他的懷抱。

父皇陛下。

輕聲呼喚後，她聽到一聲帶著嘆息的聲音。

「越是接近怪物，就越會受到吸引。」

莉莉卡閉上了眼睛。

「巴拉特還在做那種愚蠢的事嗎？愚蠢也該有個限度。」

嘟嚷聲很低沉。

這明明是場夢,但這是什麼夢呢?

『出現了我喜歡的人,所以是個好夢。』

她下了結論。

「如果露迪婭知道了,肯定會大吵大鬧吧。」

帶著笑聲的聲音響起,莉莉卡感覺到一隻大手撫著她的背。

莉莉卡再次沉入甜蜜的睡夢中。

當感覺到額頭上的毛巾滑下,莉莉卡睜開了眼睛。

「妳醒了嗎?」

她轉頭看去,阿提爾正靠在床頭堆滿的枕頭坐著。

「阿提爾?」

但她發不出聲音。阿提爾搖了搖頭。

「不要說話。御醫說接下來三四天不要說話。」阿提爾的手摸上她的額頭,歪了歪頭,「看來燒退了。」

正在床邊擰毛巾的布蘭走過來,碰了一下她的後頸,點點頭。

「您好像退燒了。您餓了嗎?得吃點東西才能吃藥。」

莉莉卡點了點頭。

「我去請人準備食物。」

布蘭這麼說完就離開了。莉莉卡往四周看了看,然後看向阿提爾。

『布琳和拉烏布呢？』

「他們正在接受審問。」

聽到阿提爾的話，莉莉卡驚訝地想要坐起來，但被他用手指按住了額頭攔住。

「如果他們沒有涉入其中，會被安全釋放的。不需要擔心。」

『媽媽怎麼樣了？』

「嬸嬸正在積極地努力康復。」

莉莉卡點了點頭，而阿提爾嘆了口氣。

「最好不要跟媽媽提及自己喝了那個很烈的藥。」

莉莉卡搖了搖頭。

「妳真的沒有從巴拉特那裡拿到什麼嗎？我覺得是那傢伙搞了什麼鬼。」

莉莉卡搖了搖頭。不論怎麼想，她們都只是對望了很久，周圍有許多人都是見證者，不是嗎？

「不可能只用眼神就能下毒。」

莉莉卡緊緊握住他的手，然後輕輕拍打自己的胸口。

沒事的，我很強壯。

莉莉卡的意思傳達出去了，但阿提爾明顯露出不滿的神情。

「為什麼偏偏是妳？太明目張膽了，氣死我了。」

從選擇這一點最弱小的目標攻擊來看，對方的卑鄙和惡意顯而易見。

「莉莉卡看到她那副表情，捏起她的臉頰。

「妳不能有這麼安逸的想法。總之，現在妳沒有護衛，這裡也沒有其他人，我會保護妳的。」

「阿提爾看到她那副表情，捏起她的臉頰。

「莉莉卡歪了歪頭。我真的成為目標了嗎？

他輕輕晃了晃另一隻手中的魔擊槍。

莉莉卡驚訝地睜大了眼睛。

『為什麼？』

他明明說過這拿來護身不太實用，而且如果阿提爾和阿爾泰爾斯擁有相同的力量，是不需要槍的。

莉莉卡想到了菲約爾德。

他使用槍時，分明是……

『我的情況其實很嚴重嗎？』

她的腦袋大受衝擊。難道現在是使用了大量的麻醉藥，我其實已經中了致命的毒嗎？

那麼，那麼，阿提爾是不是怕我受太多苦，打算給我一個了斷？

看到莉莉卡臉色驟變，阿提爾也驚慌起來。

「怎麼了？妳還好嗎？我馬上去叫御醫──」

莉莉卡急忙搖頭，眼淚撲簌簌地掉下來，同時阿提爾停了下來。她抓住了他。

「怎麼了？哪裡不舒服？」

莉莉卡張嘴說了什麼，但含淚的話語讓人難以讀懂她的唇語。

「什麼？不，如果妳不舒服，我就去叫御醫。」

莉莉卡指向魔擊槍，阿提爾就舉起手槍問：「魔擊槍？槍怎麼了？」

鬱悶的莉莉卡抓住他的手，抵上自己的頭。

「皇女殿下！」

那一刻，有人從後面用力將她拉開，阿提爾的手晚一拍收回，打到了她的頭。

「這是在做什麼！不知道槍很危險嗎！」

突如其來的情況讓她的淚水瞬間收了回去。莉莉卡僵硬地眨眨眼，回頭一瞥，看到布蘭一臉嚴肅地站在身後。

「這是怎麼回事，不，殿下，您為什麼帶魔擊槍來？即使現在很安全，也請不要開這種玩笑。」

阿提爾不甘心地大喊。布蘭將莉莉卡抱回床上，並遞給她一塊石板。

「您不能說話，用這個會比較方便。」

莉莉卡在石板上寫下了她的推理，阿提爾就露出傻眼的表情，布蘭則溫柔地笑了。

阿提爾說：「你還笑得出來？」

「不，我只是想起了以前的殿下。皇女殿下，雖然您說自己沒事，但您剛才受到了衝擊。所以，思緒可能會有所偏差，很容易往負面的方向想。」

布蘭用溫和的聲音說。莉莉卡抬頭看著他。

「在這裡，沒有人想害皇女殿下。我們還很擔心您看起來很冷靜，幸好現在知道不是那樣了。」

布蘭的話讓莉莉卡困惑地眨了眨眼。

『我有那麼驚慌嗎？』

她覺得自己很正常⋯⋯

『可能是這樣吧。』

阿提爾想起自己第一次遇到暗殺威脅時的情形。那時他也認為自己很冷靜，但完全不是如此。

現在想來，那是一段令人尷尬的記憶，既然他當時都那樣了，這個小傢伙應該更害怕。

「唉，真是的。」阿提爾嘟囔著，把魔擊槍扔給布蘭。

布蘭巧妙地接住後說：「槍不能亂扔。」

「不要緊啦。」阿提爾將手伸到她的腋窩，輕鬆將她抱起來，「來，抱住我。」

莉莉卡茫然地環抱住他的頸子，阿提爾與她緊緊相擁，輕拍她的背。

「乖，好乖。妳嚇壞了吧？放心吧，我在妳身旁。」

阿提爾曾想像過夜深人靜時，若自己受到暗殺威脅，縮在床上不停顫抖時，有人會來安慰他。

雖然不曾得到他人的安慰，但他笨拙地給了莉莉卡自己想要的事物。

阿提爾的聲音笨拙又生硬，莉莉卡卻感覺到淚水不自覺地湧入眼眶。

自從來到皇宮後，她很常哭。在這裡，即使她哭泣，也不會被人討厭，反而都會溫柔地擦掉她的淚水。

莉莉卡在阿提爾頸項上的手臂更加用力，小聲地哭了起來。

哭了一會兒之後，她不由得餓了。即使在這種情況下，布蘭也沒有讓他端來的湯撒出來。

莉莉卡對索爾族的能力感到佩服，喝起他帶來的湯。湯已經放涼到適溫，很容易入口。

莉莉卡頂著哭腫的眼睛點了點頭，慢慢地將湯送入嘴裡，濃郁的奶香味在嘴裡擴散開來。

阿提爾輕笑了一下。

「好吃嗎？眼睛能睜開嗎？看得見嗎？」

布蘭露出了滿意的微笑。有食欲代表身體狀況很好。

她舀湯的動作逐漸加快。

『布琳應該很生氣。』

原本準備茶水的布蘭也是調查對象，但由於阿提爾喝了茶也完全沒事，他因而被釋放了。

房內雖然寧靜，但外頭現在正一片狂風暴雨。最大的問題是找不到毒素是從哪裡來的。

『話說……』

對布琳來說，比起自己被當作嫌疑人接受審問的恥辱，現在她不在皇女殿下身邊一定更讓她憤怒。

布琳非常疼愛莉莉卡，肯定對這件事感到非常惱火，咬著手帕生著氣。

『拉烏布閣下也不會有事吧。』

考慮到是由皇帝陛下親自審問,布蘭有點擔心。

『他是想嚇唬人吧。』

按照皇帝陛下的性格,不看也知道。而且布蘭也經歷過一次,想到那時,手掌都會冒汗。

『不過,布琳會做得很好的。』

布琳搖搖晃晃地走出房間。她只能使勁咬著後牙,以免牙齒相撞。

雖然她以為自己了解塔卡爾族,但了解與親身經歷完全是兩回事。

她緊握著顫抖的雙手時,一道陰影落在她身上。抬頭一看,是拉烏布。

『他幹嘛像跟柱子一樣站在這裡?』

她想要嚴厲地斥責一番,但又覺得聲音會顫抖,也許會說不出話來,所以只瞪著他。

「您還好嗎?」

聽到拉烏布溫柔的聲音,布琳咳了一下,說:「不用你擔心。」

聲音沒有很尖銳,但也沒有顫抖,布琳驕傲地抬起頭來。

「狼似乎認為比自己弱小的存在都應該受到保護,但我沒事。你還是擔心自己吧?現在輪到你了。」

拉烏布點了點頭,「看來您沒事。」

「！」

拉烏布對射來銳利目光的布琳點了點頭、表示問候，然後走進房間。

「真是的。」

她握著的雙手就算放開也不會顫抖了。布琳嘟囔著，輕聲邁開步伐。

拉烏布在門即將關上前，聽到遠去的腳步聲。沉重的門關上後，所有聲音都消失了。這樣的空間對十分依賴五感的狼來說糟糕透頂。

完全沒有自然光照入的房間一角，阿爾泰爾斯站著，將襯衫袖子捲起，在肥皂香氣的背後，隱約可以聞到一些血腥味。在如此狹窄的空間中，嗅覺變得更加敏感。

當阿爾泰爾斯的視線緩緩轉向這邊時，壓迫感讓他渾身僵住。拉烏布咬緊牙關。

視線還未完全落在身上，冷汗卻開始流下。本能告訴他要逃跑，但這裡沒有逃脫的空間。

那麼，唯一的答案就是進攻。在雪白的眼中，紅色的瞳孔燃燒著。

『會死。』

恐懼讓求生本能湧上心頭。拉烏布瞬間差點向前衝，但仍抑制住了這股衝動。掛在項鍊上的寶石比冰塊還冰，讓他沸騰的血液熱度消散。

他顫抖著與阿爾泰爾斯面對面站著，壓迫感突然消失。拉烏布不自覺地腿軟，差點癱坐在地時，他反倒吐了口氣，背靠上牆壁。

「沒有衝過來，這點值得表揚。要不然他真的會倒下。」

「⋯⋯」

「我不需要會露出利牙的狗。」阿爾泰爾斯走過來，指尖敲了敲寶石，「是因為這條狗鍊嗎？」

拉烏布強忍住想要推開那隻手的衝動。看到他忍受著嘲諷，阿爾泰爾斯勾起邪笑，然後放開了手。

阿爾泰爾斯說：「用這個理由徹底搜查沃爾夫家，再藉此施壓，應該也很有趣。那麼我問你，你有策劃傷害莉莉卡的陰謀嗎？」

拉烏布不自覺地回問，阿爾泰爾斯冷淡地說：「怎麼？想要受到拷問嗎？」和長時間的等待、填寫文件相比，這場審訊太過簡潔了。

「什麼？」

「出去吧。」

「沒有。」

「那就好。」

看到他眼神堅定、帶著反抗的口吻，阿爾泰爾斯輕蔑地笑了。

感覺昏沉沉的拉烏布走了出來。坦恩正在外頭等他。坦恩的眼睛仔細地檢視了他一遍。即使用肉眼確認了沒有外傷，他仍然很不安。

「你沒事吧？沒受傷吧？」

面對家主的詢問，拉烏布低下頭，「對不起，讓您擔心了。」

「沒事，你心裡一定更難受，但你今天和明天要被關禁閉。」

拉烏布猛地抬起頭，但坦恩沒有改變主意的意思，接著說：「索爾也一樣。」

坦恩拍了拍他的肩膀。昨天和今天就已經不在身邊了，要是親信又兩天不在身邊，他擔心皇女殿下會感到困擾。

「皇女殿下有皇太子殿下照顧，你們不用擔心。陛下也正緊盯著呢。」

「陛下是真的眼中冒火。」

回想起那燃燒的瞳孔，拉烏布回答道。他看向家主，家主則露出「想問什麼就問」的表情。

『他真的是人類嗎？』

這個問題湧上了喉頭，但他終究說不出口。

「沒事，那我就先告退了。」

「回家後，你會被迪亞蕾大罵一頓喔。」

聽到這句警告的話，拉烏布垂下肩膀。

「我知道了。」

他回答完後向家主敬禮，然後漸行漸遠。

坦恩摸了摸頭，不由自主地嘆了口氣。一踏上通往地下審訊室的路，就會感受到巨大的壓力。

阿爾泰爾斯開門走出來。

「陛下。」

坦恩問候一聲後，阿爾泰爾斯問：「調查結果如何？」

「是毒沒錯，但無論我們怎麼調查，都找不到含有毒素的食物。因此，我們考慮過兩種或三種組合後⋯⋯」坦恩豎起兩根手指，「問題出在了藥草冰淇淋和茶上。」

「茶？」

阿爾泰爾斯問。坦恩點了點頭。

「那是商隊新出的產品，聞起來有甜甜的花香。但那個茶添加的配方與藥草冰淇淋中的藥草似乎無法相容。」

「然後呢？」

「商隊堅稱他們絕無此意。這些茶做好後是賣給了桑達爾族，再由桑達爾獻給皇室的。當然，提供冰淇淋的御廚也說了同樣的話。他們說這是巧合。」

「所以呢？嘗試過那個組合了嗎？」

這是在問是否實際讓人類試吃過了，坦恩點頭回答：「胃和食道有受損又吐血，但不足以致命。」

「不可能是巧合。」阿爾泰爾斯咧嘴一笑，伸出手來，「名單。」

坦恩臉色難看地從懷裡拿出相關人員的名單。這份名單記錄了每個人的詳細情報。

「陛下，您不必親自出馬⋯⋯」

「不用說了。」

一接過名單，阿爾泰爾斯就消失了。坦恩不由自主地嘆了口氣。

由於憤怒到無法入睡，露迪婭在黎明時分突然坐起來。

她大口大口地喝下冷水，將手放在額頭上。可能是因為吞服了藥物的關係，燒完全退了。

『竟敢⋯⋯』

竟敢盯上莉莉卡？

她不由自主地咬牙切齒，既憤怒又恐懼。

她可能又會失去女兒了。如果又失去了寶貴的莉莉的話？如果這次她無法返回呢？

她渾身發顫，從床上跳了起來，感覺只有立刻去見莉莉卡才能平息心中的焦躁。

『我差點就失去莉莉了。』

『竟敢⋯⋯』

『是巴拉特。』

只有巴拉特會做這種事。她的腦袋快速運轉。

這種複合毒素是巴拉特經常用的毒素。她知道，也不在乎，直到自己的女兒成了受害者。

面對自己的自私，她笑了出來，但對巴拉特的憤怒如洪水般湧上，釋懷果然是件很困難的事。

她悄悄進入莉莉卡的臥室。阿提爾向她問候一聲，她也回以問候。

「莉莉卡今天也喝了很多湯，剛剛才睡著。」

露迪婭已經聽過這些話了，但阿提爾還是再次用低沉的聲音，悄聲說著莉莉卡的日常。

「謝謝你照顧她。」

「不會。」

阿提爾搖了搖頭。露迪婭輕輕走過去，注視著女兒的睡臉，不自覺地笑了出來。

莉莉卡是如此可愛，令人疼惜。

露迪婭再次對她還活著的事實感到放心。她輕輕撫過莉莉卡圓潤的額頭。幸好，燒似乎已經退了，不會燙了。

『巴拉特公爵。』

她怎麼會不認識那張臉？那美麗的臉龐看過一眼就難以忘懷。

『到目前為止，我都放過妳了。』

『不過，我也曾經做錯事。』

她曾選擇了巴拉特公爵家，結果失敗了。對此，自己有什麼理由去責怪巴拉特公爵家呢？

即使巴拉特做了在道德上會被譴責的事，曾參與其中的露迪婭也一樣。但既然已經回來了，她也會反省過去，努力保持冷漠。

『但妳竟敢……』

竟敢對我世上最可愛的女兒出手？

她只致力於建立起皇后的地位，維護皇室的穩定，完全沒有想過——要與巴拉特公爵家為敵。

『我要毀了妳。』

如果可以，露迪婭想比以往更積極地摧毀巴拉特公爵家，甚至再也不能出現在貴族年鑑上。

『找不到證據的。』

巴拉特這個名號不是空喊的。他們多年來在帝國的每個角落紮根，沒有一處是沒有觸及的。有些根系甚至不知道自己供養的正是巴拉特。

『所以我才必須快點去找情報公會啊。』

即使連繫他們，也沒有任何消息。

就算是知道公會長是誰，刺探過了也沒有任何反應。但也不能公然逮捕公會長，真讓人頭痛。即使偷偷溜出皇宮去找公會長，以她現在的狀態，他們也不會理她。

『要用什麼來當誘餌呢？那個可惡的混蛋。』

看到莉莉卡熟睡的同時咂咂嘴，她又慢慢勾起了笑。

『真可愛……』

就算整夜看著她睡覺也不會厭煩。

『既然事已至此，不妨利用這個事件來瓦解南部貴族聯盟。桑達爾可能會暫時頭疼，但從長遠來看，對他們來說應該更好。』

做著各種計算的露迪婭俯身，在莉莉卡的額頭上輕吻。

「晚安。」她輕聲細語，按捺著留戀站起身，「阿提爾，莉莉拜託你了。」

「是，請交給我。」

「謝謝。你還好吧？」

「我很好。」

在美麗的嬤嬤面前，阿提爾總是表現得很拘謹。聽到輕鬆的笑聲，他不自覺地避開了目光。

「好吧，別太勉強自己，你也早點休息吧。」

露迪婭溫柔地拍了拍他的手臂，走出房間。

她有許多事需要立即開始計劃。

兩天後，拉烏布和布琳平安歸來。莉莉卡張開雙臂，抱住了他們。

莉莉卡又抱了一下阿提爾，然後又回到白龍室。

由於莉莉卡的聲音還沒恢復，當人們來探病時，她不得不使用石板來溝通。

拉特帶著疲倦的雙眼走進來，莉莉卡還以為得了重病的人是拉特，而不是自己。

他深深鞠躬，不斷道歉說：「桑達爾上繳的茶中含有那種成分，是我的疏失。」

他看起來心情非常沉重，莉莉卡寫下「希望一切都能妥善解決」給他看。這件事她無法介入。

拉特淡淡地勾起微笑，點了點頭。

接著來訪的坦恩送了她一瓶華麗又漂亮的糖果罐，裡面裝滿了像玻璃工藝品的美麗糖果。

儘管他看起來也很疲憊，但比拉特的狀況好得多。坦恩嘆了口氣。

「真希望陛下能更信任我們，信任騎士團。」

他哀嘆地說。莉莉卡伸出手想安慰他，輕摸了摸他的頭。坦恩像被雷電擊中一般顫了一大下，然後大笑起來。

他弄亂莉莉卡的頭髮後離開了。

不認識的人們也不斷送來探病卡片和禮物。

跟此事件有關的幾個人紛紛死於心臟病發，據傳他們都帶著極為恐懼的表情。

貴族們審慎地觀察著情勢，與此同時，南部貴族聯盟因利害關係而瓦解。

不久後，皇后支持的金沙商隊在首都開設了咖啡沙龍。雖然價格不菲，但吸引人的是點一杯就可以坐下來聊天，不限時間。配上昂貴的糖和鮮奶油。高雅的氛圍，加上從樹海帶回來、稱為「咖啡」的飲品，這將屬於貴族的沙龍文化下放了一個層級。

雖然名為咖啡沙龍，但也售賣茶飲。因此，這首先在沒有城鎮房產的低等貴族和宮廷貴族中流行開來。作為交流的場所，沒有比這裡更好的了，而且也有許多藝術家出現。

不飲酒，喝著使思緒更加清晰的咖啡暢談成了一大賣點，首次在首都亮相的咖啡沙龍成功穩定下來。

同時，也開始傳出對「差點被毒害的平民皇女殿下」很友善的故事和謠言。

就在露迪婭忙於策劃之際，莉莉卡完全康復了。

『但是更令人煩悶了。』

她可以走動的範圍縮小了，還有分別記錄她所有飲食的侍女跟著。

對於悶悶不樂的莉莉卡，阿爾泰爾斯說「等到妳十歲吧」，她便折著手指，期盼著十歲生日的到來。

越期待就過得越慢的時間仍以一樣的速度流逝。

「怎麼樣？」

阿爾泰爾斯在黑暗中注視著莉莉卡。莉莉卡現在拿著擺鎚，施展了魔法。

沒有聽到回答，莉莉卡就憂心忡忡地問道。

阿爾泰爾斯伸出手，「給我擺錘。」

莉莉卡毫不猶豫地將擺錘放到他的手上。

「這個先給我。」

「什麼？」

「生日那天再還給妳。」

「後天就是我的生日了。」

「我知道。」他微微一笑，「妳十歲了。」

「是，我要十歲了。」

莉莉卡勾起笑容。沉悶的太陽宮生活即將結束了，她還能到皇宮外，活動範圍會變得自由許多。她還可以與社交界的人士見面，甚至參加兒童的小型社交活動。

『雖然迪亞蕾和菲約爾德說可以不用去。』

但能去而不去和不能去完全是兩回事。

「我修改一下再還給妳。」

聽到阿爾泰爾斯的話，莉莉卡雖然有些疑惑，但還是點了點頭。阿爾泰爾斯輕輕一笑，輕推了一下她的額頭。

「現在妳變得很強壯了呢。」

「布琳說我強壯得像一匹小馬。」莉莉卡自豪地雙手扠腰說，「她還說我扔石頭的技術很不錯。」

「對，聽說技術不錯。」

阿爾泰爾斯笑著說。基於露迪婭堅決反對的意見，莉莉卡沒有學習使用刀子的技巧，拉烏布鍛鍊起她的基礎體能，教她逃跑的方法，還有如何扔石頭。

『但只有這樣還不夠。』

『所以，得找一種方法。』

他望著手中的擺錘。閃爍的月亮形狀吊墜美麗地發著光。

他將吊墜放入口袋，站起身，「來吧。」

莉莉卡牽起熟悉的手，回到了自己的臥室。

「晚安。」

莉莉卡換上睡衣，鑽進被窩。

「後天我就十歲了。」

這世上，似乎也有不會習慣的事。

阿爾泰爾斯微笑著消失了。儘管這是常有的事，但莉莉卡每次都覺得很神奇。

在帝國，人們相信十歲時，靈魂才總算穩定下來。因為是從不穩定的個位數年齡進入穩定的雙位數，所以十歲是要大肆慶祝的日子。

十歲會有各種權利，同時也賦予了義務。

『不管是權利還是義務都好。』

她將能參加皇家庭聚會、發表意見，也有資格參加會議了。

她也能進出沙龍，或是被邀請到其他人的宅邸作客。

十歲生日被稱為「帕爾塔」，這同樣是古語。若是粗糙地直譯，意味著「完成」，這代表了已經做好了準備，能執行某項任務或目標。

為了準備慶祝皇女殿下的帕爾塔，皇宮變得繁忙起來，深夜依然亮著燈火，侍從們忙碌地奔波。

露迪婭目光如炬,仔細監督一切。不僅她比操辦自己的生日還要用心,加上皇后對女兒的愛是出了名的,所以每個人都非常認真地工作。

首都也是一樣。

迎來皇室成員的帕爾塔時,會分發酒和麵包,因此大家都滿懷期待地等待著莉莉卡的帕爾塔。印有皇女可愛形象的印刷品也隨處可見。

到了前一天,宵禁解除,連晚上的街道也熱鬧非凡。

終於,到了生日當天。

CHAPTER. 8
十歲生日

莉莉卡從早上就忙得不可開交。

她穿上了新做的禮服，是比平時精緻許多的巴尼爾裙襯。盼望已久的生日終於到來，然而到了當天，時間就在恍惚中度過。儘管莉莉卡要求「裙襬盡量長一點」，但禮服的長度還是只到小腿。

『成為大人後，我要馬上穿上長長的禮服，裙尾延伸到後面……』

莉莉卡將這個小小的願望藏在心裡。

布琳格外有幹勁。原本的短髮已經長出許多，長髮像在透露著她的資歷。

莉莉卡穿上事先搭配過禮服的可愛絲質襪子，並穿上新做的鞋子，鞋面上有一排細細的鞋帶。

莉莉卡將手伸進口袋，因為沒抓到總是會握著的吊墜，感到十分空虛。

是以「家族」來求婚，真的很有貴族的風格。

布琳吐出炙熱的氣息，而莉莉卡笑了。

「是的，皇女殿下，您真的很可愛。想問您求婚的家族會大排長龍吧。」

「真的好漂亮。」

看到打扮完畢的莉莉卡，布琳臉上露出了陶醉的微笑。莉莉卡看到鏡中的自己也露出了燦爛的笑容。

從頭到腳的打扮，無論是設計師、露迪婭還是布琳，都不曉得付出了多少心血。

『皇帝陛下是想做什麼呢？』

她既好奇又期待。莉莉卡微微一笑，再次望向鏡子，踩著腳跟轉了一圈。布琳鼓起掌，莉莉卡就抓住裙襬行了個禮，然後笑了笑。

莉莉卡看了一眼拉烏布。奇怪的是，今天她的護衛看起來比平時還緊張。即使其他人沒有察覺，但莉莉卡看得出來。

「拉烏布，你還好嗎？」

「我很好。」拉烏布鄭重地回答。

莉莉卡不解地問：「是因為人多，你很擔心嗎？但是陛下也在，還有很多其他騎士，反倒很安全才對。」

在這種情況下，應該沒有蠢蛋敢發起攻擊。

布琳說：「或許只是因為衣服太緊了吧。」

聞言，莉莉卡笑了。的確，拉烏布今天的打扮比平常正式得多，彷彿今天要陪同莉莉卡出席活動的人不是阿提爾，而是他。

就在這時，一位侍從走過來通知阿提爾到了。莉莉卡瞬間緊張起來。明明是她期待已久的時刻，但當它一旦接近，她的心臟就怦然加速。

布琳似乎察覺到莉莉卡的心情，走過來輕輕握了握她的手，然後放開。

莉莉卡點了點頭，「讓他進來。」

她一說完，侍從迅速打開了門。莉莉卡瞪大了雙眼。

她雖然打扮過，但阿提爾的裝扮也不遑多讓，讓人自然地想起包裝華麗的糖果盒。

看到瞪大眼睛的莉莉卡，阿提爾笑了。

「人靠衣裝呢。」

「是啊。」阿提爾輕笑著，彎腰伸出手，「那麼，皇女殿下今日願意賜予我這個榮幸，陪同您出席嗎？」

「我允許。」

看著他遞來的手，莉莉卡伸出了自己的手，指尖微微顫抖。

「阿提爾也是。」

阿提爾笑了，吻了一下她的手背，然後將她的手放在他的手臂上。

「我們走吧。」

他說得輕巧，彷彿沒什麼大不了一般，緩解了莉莉卡的緊張感。她點了點頭。

天氣好得用錢也買不到。

帕爾塔在太陽宮中最大的「玻璃廳」舉行。這個巨大長方形的廳堂兩側全是高聳的窗戶，因此得名。窗戶上方掛著畫家們用心創作的畫作，燦爛的陽光落在大理石地板上，繪製著美麗的圖案。所有窗戶都反射著陽光，像銀色鏡子一樣閃閃發光，彩繪玻璃更是比寶石還閃耀。要獻給皇女殿下的帕爾塔贈禮已經由侍從傳遞，依序排列在臺上了。

廳內充滿了興奮的人群。陽光散滿了整個玻璃廳。

因為大家都希望得到莉莉卡的青睞而帶著孩子來，所以玻璃廳裡難得充滿了孩子們。接著音樂變換，告知皇室成員入場的音樂響起，所有人的目光都轉向樓梯上方。

交響樂團演奏著溫柔的音樂。

阿爾泰爾斯和露迪婭現身了。按照慣例，應該有侍從唱名，但今天是莉莉卡的帕爾塔，所以焦點全聚集在莉莉卡身上。

大家都低頭致敬。接著，大家以摻雜著各種情緒的目光等待接下來出場的人。

莉莉卡在樓梯上方緊張地站著，她小聲說道：「我好緊張。」

「應該緊張的是那些在樓梯下等待的人。」阿提爾這麼說著，緊握住了她的手，「我就在這裡啊。」

莉莉卡終於露出了笑容。就在這時，侍從大聲宣布：

「歡迎莉莉卡‧納拉‧塔卡爾皇女殿下！」

莉莉卡堅定地往前踏了一步。強烈的陽光讓她眼花繚亂。

她出現時，所有人都鼓起掌，樂團演奏起了歡快的樂曲。

莉莉卡緊緊握住阿提爾的手，一起走下樓梯。當她站到樓梯正中間時，掌聲停了下來。

莉莉卡按照練習的一樣，微微笑著說：

「感謝今天來參加我帕爾塔的所有人，希望大家都能度過愉快的時光。」

說完，她輕輕地行了一個屈膝禮，隨即傳出一陣祝賀聲。

「恭賀皇女殿下迎來帕爾塔！」

「希望您安然成年！」

「恭喜！」

莉莉卡笑著走下樓梯，站在媽媽旁邊，再次致意。

阿爾泰爾斯和露迪婭輪流發言祝賀。露迪婭緊緊抱著莉莉卡，然後在她的額頭上輕吻。

「祝妳帕爾塔快樂，我的女兒。」

「謝謝您。」

阿爾泰爾斯說：「那我們先來看看來祝賀的嘉賓們帶來的禮物吧？」

「好的。」

越往後是身分越高的人或親信送的禮物，這個順序也是經過幾天苦思後決定的。

帶著孩子來的家庭，每個孩子都會上前自我介紹，然後表達祝福。接著由莉莉卡拆開侍從拿來的禮物，嘉賓解釋禮物的含義。

莉莉卡身旁開過的禮物陸續增加。越往後，禮物就越華麗，使大家發出了驚嘆聲。

許多珠寶和飾品紛紛出現。

鑲嵌了貝殼的象牙梳子、做工精細的玩偶屋、鑲有寶石的髮帶、如霧氣一般細膩美麗的蕾絲……

這時，一張熟悉的臉孔出現了。

「迪亞蕾！」

莉莉卡滿面笑容地迎接，迪亞蕾充滿精神地問候：「祝您帕爾塔快樂，皇女殿下。」

「嗯,謝謝妳來。」

「身為您的談心朋友,我當然要來。」迪亞蕾拍著胸膛說完,害羞地看著侍從拿來的禮物盒說:「這是用我自己存的錢訂製的,沒有靠家族的幫助。」

禮物是銀製的梳子。與前面的禮物相比很樸素,但打中了莉莉卡的心。莉莉卡開心地笑了。

「我還記得我們經常一起去騎馬。謝謝妳,迪亞蕾。」

「不客氣,希望這把銀梳能保護您免受所有惡意攻擊。」

「嗯,謝謝妳。」

想到迪亞蕾一點一滴地存起零用錢的情景,莉莉卡不停道謝,緊緊抱了迪亞蕾一下。

迪亞蕾開心地笑著退下。接下來上前的人也是熟悉的面孔。

「菲約爾德。」

「皇女殿下。」

菲約爾德優雅地問候,他的一舉一動依舊吸引人。侍從拿來巴拉特公爵家的禮物。

「祝您帕爾塔快樂。希望您能平安無事地迎接下一個成年。」

他獻上典型的帕爾塔祝福。

拆開禮物,那是一個金製的鳥籠,裡面有一隻鳥,讓莉莉卡吃了一驚。

「這是活的⋯⋯啊,不是呢。」

「請轉動手柄看看。」

當莉莉卡轉動鳥籠旁的手把時,傳出了上發條的聲音。放開手把後,籠中的鳥開始拍打翅膀,發出鳴叫聲。

「太神奇了⋯⋯」

圓潤可愛的棕色鳥擁有湛藍色的眼睛和紅色的胸膛。莉莉卡認出它是一隻知更鳥，但沒有說出來，她只是滿臉笑意地看著菲約爾德，菲約爾德也以柔和的微笑回望著她。

隨著籠中鳥兒美麗的歌聲結束，莉莉卡說：「這個禮物我很喜歡，謝謝你。」

「不足為提。能夠第一個將自動機械師們傾心製作的作品獻給皇女殿下，我感到非常高興。」

兩人交換了意味深長的眼神。菲約爾德致意後走下臺階。

接著，意料之外的坦恩出現了。莉莉卡笑著說：「沒想到坦恩你會來。」

「我怎麼能缺席您的派對呢。再說，考慮到禮物的心意，更是如此。」

「禮物的心意？」

莉莉卡想著「禮物也有心意嗎？」時，拉烏布出現了。莉莉卡看著拉烏布，又看了看坦恩。

「這是你們兩個人一起送的嗎？」

「不，我要送的禮物正是這個傢伙。」

拉烏布靜靜地說：「我想將第一次收到的珍珠歸還，並將自己獻給您。請您將我納為您的人。」

沃爾夫拍了拍拉烏布的背。如果他這樣拍拍莉莉卡的背，她應該會像橡果一樣瞬間滾下去，但拉烏布紋風不動。他面帶緊張地上前一步，單膝跪在莉莉卡的面前，並從懷中取出一個小盒子，打開。裡面是一顆潔白的珍珠。

拉烏布靜靜地拍了拉烏布的背。如果他這樣拍拍莉莉卡的背，她應該會像橡果一樣瞬間滾下去，但拉烏布紋風不動。

在安靜的廳室中，他的聲音清晰地傳開。莉莉卡困惑地看向坦恩，他聳了聳肩，露出一絲笑容。

莉莉卡緊握起拳頭又鬆開，之後說：

「拉烏布，如果你只是想成為皇女殿下的人，現在反悔也沒關係。」

「因為她作為皇女殿下的時間只剩下六年了。」

拉烏布搖了搖頭。

「不，我的誓言屬於莉莉卡殿下。」

莉莉卡望著那顆珍珠。要在許多人面前拒絕是一件很困難的事，但要接受他也同樣困難。

對拉烏布來說也是如此。

莉莉卡十分苦惱，但她的目光沒有轉向媽媽或其他人。這是她必須決定的事情。

拉烏布的肩膀微微顫抖著。

塵埃在陽光下起舞，在寂靜之中，莉莉卡漫長的思考結束。

她接過拉烏布遞來的盒子，交給一旁的侍從，然後雙手緊緊抓住他的手。

拉烏布抬起頭來，莉莉卡認真地說：「從我第一次遇見拉烏布開始，就從未發生過輕鬆的事。之後也發生了很多事情，未來應該也會如此。」

那雙灰藍色的眼睛靜靜地注視著她。

那是魔法師的智慧。

這是魔法師的話。

然而，在場的人都不知道這件事。

莉莉卡溫柔地發揮智慧，說道：「但我相信，那些痛苦和逆境不會只是苦難，它們一定會在我們之間變成寶物。」

莉莉卡露出微笑，「就像一顆永遠閃耀的珍珠。」

悲傷和悲痛是一滴淚水，喜悅和快樂也是一滴淚水。

而珍珠是所有淚水的結晶。

她一隻手拿起珍珠，然後將它放回拉烏布的手中。

「所以，我將珍珠歸還給你，但我接受拉烏布。不過，我也有一個請求。」

「請您儘管吩咐。」

莉莉卡想起擠出笑容的拉烏布，她注視著自己騎士的眼睛。

「自由地活著吧。」

不是像隻狼，而是作為拉烏布。

現在他沒有其他束縛了。

因此，她也賦予他自由。

他們相互對視的目光震顫。拉烏布明白了那句話的意思，他們相對的眼神說了許多話。

拉烏布壓抑不住湧上心頭的情感，低下了視線。他俯望著手中的珍珠，吻了一下她的手背，

在陽光照耀的宏偉大廳中，騎士向小女孩單膝跪下宣誓，並輕吻她手背的場面就像從插畫中跳出來的一樣。

所有人屏息靜觀這一幕。這時，坦恩優雅地鞠了一躬，說道：「祝賀您，皇女殿下。」

隨後，下方的人群也像從夢中醒來，響起了掌聲和歡呼聲。

「祝賀兩位！」

「恭喜您，皇女殿下。」

騎士和小女孩的誓言感動了所有人。大家都歡呼喝采，熱烈地鼓掌。

這件被稱為「珍珠誓言」的事件，在此之後被人們傳頌許久。

拉烏布站起來時，露迪婭露出半是嘆息、半是笑意的表情。阿爾泰爾斯從座位上站起，說道：

「我賜予拉烏布·沃爾夫直屬莉莉卡·納拉·塔卡爾的永久騎士頭銜。」

拉烏布向阿爾泰爾斯鞠躬，表示感謝。莉莉卡也行了一個屈膝禮。

「謝謝您，陛下。」

阿爾泰爾斯微微一笑。

「拉烏布騎士的禮物固然了不起，但是先說一聲，我的禮物也不遑多讓。拿來吧。」

一位侍從迅速拿來一個小盒子，遞到莉莉卡面前。從盒子的大小來看，莉莉卡猜到了是什麼。

「打開看看。」

阿爾泰爾斯奴了奴下巴，莉莉卡就打開盒子。裡頭放著她熟悉的吊墜。

新月、心形，還有一個小王冠。

「我該露出驚訝的表情嗎？」

當她抬起頭，阿爾泰爾斯說：「這個和妳過去使用的擺錘一模一樣，應該讓妳很驚訝。這個神器的吊墜就是特意做成了那個擺錘的形狀。」

「什麼？不，這正是我的擺錘啊？」

這是她摸了兩年，僅憑觸感就能辨識的擺錘。

莉莉卡疑惑地歪過頭，阿爾泰爾斯對她眨了一下眼。

「我的禮物正是這個，神器魔法少女。這是一件能讓使用者完全感受到成為魔法師之感的一代法具。摸摸看。」

而且，一代法具是只能指定一個使用者的神器。因此，現存的一代法具極為稀少。

四周傳來細小的竊語聲。這是一個從未見過的神器，名字也相當獨特。

就在那時，吊墜爆發出耀眼的光芒。

莉莉卡小心翼翼地拿起了吊墜。

「呀？」

同時，某處傳來了輕快的音樂聲，讓莉莉卡很是驚訝。

『是吊墜發出的聲音嗎？』

她張開掌心，只見吊墜發出光芒，漂浮至半空中，旋轉著灑下光粉。

「好、好刺眼。」

她不自覺地用手背遮住額頭，手掌上清晰地印著新月形狀的光芒。

雖然莉莉卡自己看不到，但所有人都看到了，因此大家都發出了「哇！」的驚嘆聲。

吊墜中產生了一個小法陣，穿過莉莉卡的頭，在她腳下的地板上刻下了一個清晰而巨大的法陣。

叭——叭——叭叭——

歌曲正向高潮推進。

就在這時，吊墜停了下來。它慢慢下降，而莉莉卡伸出手。

當她抓住吊墜時，歌聲結束，光芒和法陣發出強烈的光芒後消失了。

莉莉卡疑惑地看著吊墜和阿爾泰爾斯，阿爾泰爾斯則點了點頭。

『我不知道這是什麼意思。』

莉莉卡再次低頭看著吊墜。現在它不再發光，也不發出奇怪的聲音了。

「這是神器認為妳為主人的過程。現在妳可以使用神器，享受成為魔法師的感覺了。說句『艾爾希』看看。」

這是她剛入門時學會的光之魔法。莉莉卡熟練地施放魔法。

吊墜開始發光，大家都發出驚嘆聲。

莉莉卡不自覺地露出了驚訝的表情。

『擺錘變得怪怪的。』

使用魔法時有種異樣感，魔力無法像以前一樣順暢地流動。

「這樣妳就可以使用各種魔法了。」

「謝謝您。」

莉莉卡嘴上道謝，心裡決定日後一定要詳細了解這件事。

『不過⋯⋯』

莉莉卡微微一笑。這樣她就能輕鬆使用魔法了，感到十分高興。

『雖然方法有點特別。』

莉莉卡小心翼翼地收好吊墜。

阿爾泰爾斯勾起微笑，瞥了一眼露迪婭。

『怎麼樣？不錯吧？』

他投以這樣的眼神，卻得到滿臉怒氣。

『你竟然送孩子這麼危險的東西？』

露迪婭是這麼想的，但阿爾泰爾斯不可能讀懂她的心思。

看到應該很高興的露迪婭似乎生氣了，他迅速別開視線。

『我哪裡做錯了？』

正當他苦惱時，露迪婭拍了拍手，吸引大家的注意後說：「那麼，大家一起開心地吃吃喝喝吧。來，一起來看看禮物。」

樂團迅速開始演奏輕快的音樂。與此同時，拿著托盤的侍從們接連走進來，各式各樣的飲料和食物都被切成一口的大小。大家拿起酒杯，慢慢品嘗食物，並三五成群地開始交談，也有些人走向禮物區，一一細看。

孩子們迅速圍繞在莉莉卡身旁。

「魔法少女好酷啊。」

「皇女殿下，請讓我們看看其他魔法。」

「哇⋯⋯！」

「真的好帥。」

雖然是第一次被同齡孩子包圍，但莉莉卡熟練地展示了一些小魔法。大家都發出驚嘆聲並鼓掌。就在她感到有些害羞的時候，迪亞蕾來對她說：

「我們去花園玩吧。那裡有鞦韆，還有套圈圈，有很多好玩的東西。」

這是一個逃離人群的好機會，莉莉卡毫不猶豫地握住迪亞蕾伸出來的手。

迪亞蕾興奮地把莉莉卡抱起來，說：「最後到達的人當鬼！」

說完就跑了出去。迪亞蕾跑得出乎意料得快，莉莉卡很是驚嘆。

剛才還在猶豫的孩子們開始爭先恐後地跑了起來。

花園裡搭建了遮陽棚，擺著為孩子們準備的遊樂設施。

這是露迪婭精心準備的活動。有放滿冰塊的檸檬水或橙汁可以無限暢飲，還準備了很多酥脆的餅乾。

套圈圈、拼圖、跑步和捉迷藏。

孩子們玩得不亦樂乎，大口喝著飲料。隨著孩子們之間的隔閡慢慢消失，女孩們開始談論莉莉卡的禮服。

「您的禮服真漂亮。」

「可以摸摸看嗎？」

「天啊！非常好耶。怎麼會那麼鼓呢？」

莉莉卡解釋完什麼是巴尼爾裙襯後，所有人的眼睛都閃閃發亮。

「我也想訂做一條。」

「對啊，看起來既漂亮又舒服。坐下來的時候也可以直接坐。」

孩子們正嘰嘰喳喳地說著時，一個聲音從頭頂傳來：「玩得開心嗎？」

「阿提爾！」

莉莉卡非常高興，孩子們則急忙退到左右兩側，行屈膝禮。

「拜見皇太子殿下。」

阿提爾露骨地四處張望,問道:「迪亞蕾在哪裡?」

「在那邊。」

迪亞蕾正在莉莉卡指去的地方,專注地踢著皮球。很明顯,她正值領先。

「她把妳一個人丟在這裡?」

「她被其他人挑釁了,所以就……」

聽到莉莉卡的話,阿提爾帶著笑意嘆了口氣:「她就是不會忍耐。」

「迪亞蕾從來都不會忍耐。」

莉莉卡呵呵笑著,阿提爾則將他拿來的柳橙汁遞給莉莉卡。

「請問您要不要吃點點心?」

「啊,謝謝。」

有人遞來點心。莉莉卡正好有點餓,回頭一看,是菲約爾德。

「菲約,你剛才去哪裡了?」

「我去看禮物了。」

「我的禮物會另外送給她。」

「總比空手來的人好。」

「會是什麼做工粗糙的木偶?」

「那個做工粗糙的木偶?」

「總比那無聊的鳥籠好一百倍,不關你的事。」

隨著兩人的對話,周圍的孩子們慢慢地後退,拉開距離,但又不想離太遠,因為他們對此很感興趣。

他們回去後，都必須將自己的所有見聞告訴家人，但他們也不想靠太近，以免被波及。

「你們兩個都別說了。」莉莉卡拿起菲約爾德帶來的洋芋片，一邊說：「今天是我的帕爾塔吧？」

阿提爾和菲約爾德互看了一眼，似乎達成了某種暫時的共識。

撒著恰到好處的鹽，炸得酥脆的洋芋片格外美味。搭配甜甜的柳橙汁，感覺可以無限制地吞下肚。

「我們去散散步吧？」

聽到莉莉卡的提議，兩人點了點頭。在一旁偷聽的孩子們都感到可惜。

這樣就不能跟著他們三個，繼續聽下去了。

三人一起走向花園的邊緣。

菲約爾德溫柔地說：「皇女殿下，恭喜您獲得了拉烏布。我還以為這種事只會英雄史詩中出現呢。」

莉莉卡垂下肩膀。

「我不知道自己能不能好好對拉烏布負責，也不清楚他為何選擇了我。但既然決定要負責了，我就得盡力而為。」

『等我將來離開皇宮，我和拉烏布應該能成為更輕鬆的關係吧？』

到那時，拉烏布或許仍是騎士。

皇帝賜予拉烏布永久騎士的頭銜是萬幸，雖然對莉莉卡和拉烏布來說不重要，但也有人很看重這些。

「皇女殿下會做得很好的。」

菲約爾德帶著羨慕嘆了口氣，這麼說道。

阿提爾聳了聳肩。

「應該是他現在很喜歡妳才選擇了妳，妳又何需做什麼特別的事。對了，妳有看上哪個孩子嗎？」

阿提爾的問題讓莉莉卡感到困惑。

「看上孩子？」

「這是妳第一次這樣近距離觀察同齡的孩子吧。好好看看,如果看中誰就問問名字,和對方交流。」

阿提爾回憶起自己尷尬的過去。在他的帕爾塔派對上,他選擇與其他孩子保持距離,獨自一人。

『都是些想要討好我的小人和敵人。』他這麼心想。

因此,他不曾與同齡的孩子交流。現在想來,那是孩子氣的行為,他希望自己的妹妹不要犯下同樣的錯誤。

莉莉卡的帕爾塔對阿提爾來說也是第二次機會。阿提爾會參加帕爾塔是眾所周知的事情,所以同齡的孩子也都來了。不僅可以引起皇女殿下的注意,也能引起皇太子的注意。這讓阿提爾建立起比當時更圓融的社交關係。

「這樣啊。這個嘛,看來大家都很不錯。」

聽到莉莉卡的話,阿提爾心想「那怎麼可能」,看似不以為然地嘆了口氣。

菲約爾德說:「不過,您還是要小心應該注意的人。」

阿提爾的話讓菲約爾德微微一笑。

「像是巴拉特。」

「......」

「是的,像是巴拉特。」

阿提爾覺得自己變成了一個小氣的人。他想說些什麼,但是忍住了。

『忍耐,忍耐。要寬容,保持鎮定。』

阿提爾深吸幾口氣,然後露出微笑。

「謝謝你的警告。」

「別客氣。」

「既然你提出了警告,那希望你再多給一些警告。」

「請問是什麼警告?」

「比如巴拉特公爵下一步會做什麼之類的。」

菲約爾德頓了一下,露出苦笑,「我也希望我知道。」

「藉口說得很順口呢。」

「阿提爾。」

莉莉拉了拉他的衣襬,鼓起臉頰皺著眉。那個表情感覺不到威脅,更讓人想笑。

「噗呵!」阿提爾忍著笑意說:「好好好,我知道了,我知道了。」

點了點頭後,他接著說:「今年起,狩獵節又要重新舉辦了。巴拉特小公爵也請務必參加。」

「狩獵節嗎?」

莉莉卡一問,阿提爾點點頭。

「會在皇家森林裡舉行。妳受傷後停辦了兩年,但現在終於又要舉行了。妳已經過了帕爾塔,所以也可以參加。」

「真的嗎?」莉莉卡高興地說完,又說:「但我完全不會狩獵。」

「皇家的狩獵節不一樣。」

聽到阿提爾的話,莉莉卡歪了歪頭。阿提爾咧嘴一笑。

「到時候妳就知道了,可以期待一下。」

莉莉卡感到內心激動。這是否意味著她也能參與呢?

她看著菲約爾德說:「希望菲約爾德也來。」

「如果收到邀請函,我會參加的。」菲約爾德這麼回答。

『原來如此。』

莉莉卡想起剛才的孩子們。在白龍室的小世界裡,她並未察覺,但和孩子們相處時,她明顯感受到了他們派系之間的分裂。

圍繞在她周圍的孩子們一見到菲約爾德出現，表情就變了。所以，想像這樣和這兩個人並肩散步，或許只是她的天真與貪心。

「怎麼了？」阿提爾問，莉莉卡輕輕搖頭，「不，沒什麼。」

「皇女殿下！」

這時，遠處的迪亞蕾以驚人的速度跑了過來。她在莉莉卡面前停下，輕巧地跳了一下。

「妳有看到我剛才踢進球嗎？」

「嗯？」莉莉卡轉過頭，露出疑惑的表情，迪亞蕾嘻嘻笑了起來，「為什麼大家都倒在地上？」

看到一起踢球的孩子們都倒在地上，迪亞蕾露出疑惑的表情。

「那是因為他們嘗到了我的『炙熱碎椒 Hot crush pepper』，就像太陽一樣耀眼，閃電一樣迅速！」

「是太陽閃光雷鳴吧。Sun flash thunder」

阿提爾小聲嘟嚷，菲約爾德則微微別開臉，嘴角抽動。

莉莉卡點了點頭。

「這樣啊，迪亞蕾，妳好厲害。」

「對吧？」

「皇女殿下也來踢踢看吧，我會幫您擋住球的。」

「好！」

迪亞蕾露出燦爛的笑容，拉起莉莉卡的手。阿提爾從莉莉卡被拉起的手中接過玻璃杯。

阿提爾豎起了大拇指，菲約爾德也給予掌聲。

莉莉卡用力踢出皮球，球非常像樣地飛了出去。她露出笑容，望著站著的兩人。

看到這一幕，莉莉卡決定今天就天真任性一回。

『畢竟是我的帕爾塔。』

繁華喧囂的日程結束，夜幕降臨。在露迪婭的提議下，大家聚集在起居室玩遊戲。

露迪婭以前曾因為忘記莉莉卡的生日大受打擊，從那之後，每年到莉莉卡的生日，她都會努力彌補，也是因為如此，今年的帕爾塔慶典才會如此盛大。莉莉卡在皇宮度過的第一個生日完全被遺忘，直到第二年慶祝露迪婭的生日時，她才驚訝地想起「莉莉卡的生日是在什麼時候？」。

在漫長的冬夜裡，這場因為莉莉卡和阿提爾之間開始的聚會，如今全家人都來參加了，非常罕見。

「今天是我的帕爾塔耶！」莉莉卡抗議道。

阿提爾笑著回答：「運氣不好也沒辦法啊。」

露迪婭一臉擔憂地說：「莉莉，妳不管去哪裡，最好都不要賭博。」

阿爾泰爾斯表示同意。這是一個簡單的擲骰子遊戲，只是莉莉卡運氣不太好。

阿提爾咧嘴一笑。

「那麼最後一名是妳呢，嘿！」

「啊，阿提爾！呀哈哈哈——」

他撲過來開始搔莉莉卡的側腹，她則笑著掙扎。折磨完倒在沙發上的妹妹後，阿提爾收回手。莉莉卡喘著氣坐起來，眼角噙著淚水。她委屈地說：「我不要

大家都同意了莉莉卡的提議。

從開著的陽臺窗戶吹進來的是清新的晚風。大家都穿得很輕鬆，食物堆放在一旁的托盤上。

莉莉卡一邊倒冷茶，一邊說：「這次我一定要贏。我們來玩比手畫腳遊戲。」

「好啊。」

阿提爾點了點頭，收拾骰子和棋盤，拿來沙漏。

幸好這場遊戲是莉莉卡贏了，最不擅長的是自尊心強的青春期少年阿提爾。

莉莉卡像要報復似地撲向阿提爾，搔他的側腹。

盡情報仇後，莉莉卡站了起來，露迪婭笑著說：「妳該去睡覺了，現在晚了，今天也很累了。」

「好的，媽媽。」莉莉卡乖巧地回答。

露迪婭看著她，笑了笑，「要不要一起睡？」

「真的嗎？」

「當然。」

「那我要和媽媽一起睡。」

雖然不是小孩子了，但想到能和媽媽一起睡，莉莉卡感到非常高興。她的臉頰因為害羞而變得通紅。

露迪婭握著莉莉卡的手說：「那麼，我們要享受女士們的夜晚了，男士們請自行回房休息。」

「晚安。」

「晚安。」

莉莉卡揮手道別時，阿提爾和阿爾泰爾斯也回應了她。

「祝妳帕爾塔快樂。」

莉莉卡笑著，馬上跟媽媽一起走進臥室。

這是一個到最後都非常幸福的帕爾塔。

帕爾塔過後，莉莉卡‧納拉‧塔卡爾皇女的知名度急速上升。

她在生日那天穿的衣服、飾品、鞋子、連襪子都流行起來。

莉莉卡和拉烏布被命名為「珍珠誓言」的故事被各地改編成歌曲和戲劇，聽到這個故事的人，無論男女老少都會眼睛發亮。

珍珠也忽然十分受歡迎，開始流行將珍珠戒指當成訂婚戒指。

當然，在孩子們之間最受歡迎的是「神器魔法少女」。這個故事不僅吸引孩子們，成人也很感興趣。

──能享受成為魔法師之感的神器。

大家都在討論這個神器。

它能讓人飛上天嗎？聽說它會發出光芒，能發出多耀眼的光芒？能使用攻擊魔法嗎？

出現魔法陣，音樂流淌的場景也是人們很感興趣的話題。

擁有樸素的棕髮，如湖水一般美麗的藍綠色眼睛，可愛皇女殿下的故事在各處都很受歡迎。

貴族家庭爭相訂製巴尼爾裙襯，女孩們都很喜歡蓬鬆輕盈的巴尼爾裙襯。

當然，因為價格非常昂貴，只有高等貴族能訂做像莉莉卡一樣紫實蓬鬆的巴尼爾裙襯。

莉莉卡也實際感受到了自己的人氣。因為帕爾塔過後，信件開始蜂擁而來。

「我可以去玩嗎？」

莉莉卡問阿爾泰爾斯。現在她可以以請教神器用法為藉口，大大方方地和皇帝在白天見面了。

白天的私人花園因為仍舊茂密的樹木，有著彷若進入森林深處的寧靜。

只有風吹過樹葉的聲音在耳邊響起。

阿爾泰爾斯回答：「去問妳媽媽。」

莉莉卡看了阿爾泰爾斯一眼。她手中的擺錘正在旋轉，反射出小小的光影碎片。

「如果陛下您能說幾句……」

「我已經因為那個神器被訓了一頓，她說我給了小孩子危險的東西。」

阿爾泰爾斯斜靠在椅子上，以不耐煩的語氣說：「惹露迪婭更生氣對我沒好處。」

莉莉卡無奈地點了點頭。因為媽媽非常保護她，應該會反對她外出，所以她原本希望借用皇帝陛下的力量，但看來是行不通了。

「唉。」

她不甘心地晃著擺錘。吊墜中出現小小的光團，像螢火一般消失在樹林之間。

她說：「但是我的吊墜感覺怪怪的，比以前重了許多。」

「因為我加了限制。」

「限制嗎？」

「對。」

阿爾泰爾斯伸手敲了一下她的吊墜。不知他是怎麼做的，但吊墜沒有動靜，一股奇怪的震動卻沿著手臂傳上來咻！一股搔癢感順著吊繩從手掌蔓延到全身，莉莉卡渾身發顫。

阿爾泰爾斯輕輕一笑，「對初學者來說太危險了。」

「什麼意思？」

阿爾泰爾斯站起來說：「我會從那邊跑過來攻擊妳，妳試著做些什麼吧。」

莉莉卡還沒反應過來，阿爾泰爾斯已經拉開了一定的距離。他一輕輕舉起手，示意開始，莉莉卡立刻全身起雞皮疙瘩，突然喘不過氣。

「——！」

她的腦袋中瘋狂響著警鐘。阿爾泰爾斯充滿殺氣的氣勢，讓她感覺全身被緊緊壓制著。

要、要做什麼？該怎麼辦——

阿爾泰爾斯瞬間拉近距離。他伸出手的瞬間，莉莉卡大喊⋯⋯「坎塔那！」_{鋼鐵護盾}

她結巴地說出這個詞。阿爾泰爾斯停下了腳步，殺氣瞬間消散。

但莉莉卡還是無法收起盾牌。她顫抖的手臂依舊舉著，面對著阿爾泰爾斯。

他好像明白了什麼，微微一笑，用手背輕輕敲了敲在眼前形成的半透明乳白色半球體。莉莉卡嚇了一跳，身體抖了一下。

阿爾泰爾斯問道：「妳剛才有計算過力量再使用嗎？」

莉莉卡搖搖頭，喘著氣。她只是因為害怕而盡全力使出了魔法，別說計算了，她其實連詞彙都想不起來。現在莉莉卡稍微平靜下來，收起了盾牌。一屁股坐到椅子上說⋯⋯「我很害怕。」

「能承受龍的氣場的人不多。」

阿爾泰爾斯緊緊握住顫抖的手又放開。

阿爾泰爾斯接著說：「即使我警告過會攻擊了，妳還是這樣，那在實戰中，妳認為妳能正確地想起咒語嗎？」

不用想也知道，莉莉卡無力地搖了搖頭。

「那如果妳毫不控制地使用力量，假如妳不是要防禦，而是要把人彈開，妳的魔力卻使人爆炸，妳在那之後還能正常使用魔法嗎？」

「！」

莉莉卡瞪大了眼睛,那是她從未想過的場景。阿爾泰爾斯像早就猜到似的點了點頭。

「應該有些人能做到這點,但妳做不到。看到那樣的場景,妳可能會再也無法使用魔法。」

「所以您為我設了限制。」

即使注入所有魔力,也不會產生超過一定強度的威力。這是一種安全措施。

「我明白了。」

她點了點頭,阿爾泰爾斯繼續說:「但在緊急時刻,如果妳的頭腦還能運轉,想使用更強大的魔法,很簡單,只要集中注意力,說出『解除束縛』就行了。」

「我記住了。」

莉莉卡緊握著吊墜。她從未想過要用這股力量傷害任何人,也希望以後不會有這樣的情況。

『但如果為了保護某人,可能還是得用到它。』

莉莉卡決定不斷練習咒語,直到身體真的記得。

『啊?對。』

她深思後小心翼翼地問:「阿提爾該不會就是那樣吧?」

她從未見過阿提爾使用力量。如果阿提爾擁有塔卡爾的力量,他不會隱藏,而是會洋洋得意地使用。但他沒有這麼做,莉莉卡一直覺得奇怪。雖然很疑惑,但她從未問過。

如果阿提爾沒有力量,那對他來說肯定是非常困難的事。

「對。」阿爾泰爾斯抱起雙臂,皺起眉頭,「他因為用了太強的力量,見到了不該見的事,從那以後就無法使用力量了。」

「原來是這樣啊。」

阿爾泰爾斯咧嘴一笑,「那傢伙就算撕爛嘴也不會說出這種事吧。」

莉莉卡點了點頭後,阿爾泰爾斯粗魯地摸了摸她的頭。

「所以這是一個安全的『玩具』。」

雖然露迪婭生氣地說過這很危險。

「我會好好使用它的。」

聽到莉莉卡的話,阿爾泰爾斯說了一句「很好」。

「那我們現在去展示給妳媽媽看吧。」

「嗯?」

「得讓她看看這是很安全的。只要讓她看見妳使出今天的招式就好了。」

「陛下……」

「我讓妳可以自由地使用魔法了,所以妳也得幫我這個忙。」

阿爾泰爾斯用手指輕推她的額頭並這麼說,逗得莉莉卡不禁笑了。

「瑟瑟堂斯。」

蝴蝶之舞

各種光芒的蝴蝶從吊墜中飛出來。

「坎塔那。」

銅鐵護盾

一個半透明的乳白色半球體形成後消失。莉莉卡展示了幾種魔法後,做了一個脫帽致意的動作。

露迪婭鼓掌。

「天啊,真的像個魔法師。我的可愛魔法少女,我的小公主。」

莉莉卡跑了過來。露迪婭滿臉開心地抱住女兒,從她背後對阿爾泰爾斯投去銳利的目光,但阿爾泰爾斯非常清楚她已經不生氣了。

「對吧?」

露迪婭鼓掌後,揮了揮手。隨著她的手勢,認真看著的侍女們迅速離開了。

露迪婭對莉莉卡露出溫柔的微笑,牽起她的手。

「阿爾泰爾斯,您能過來一下嗎?」

「嗯,怎麼了?」

當他走近時,露迪婭也抓起他的手,臉上帶著燦爛的笑容說:「你們兩個是不是有事瞞著我?」

「!」

莉莉卡吃驚地看向阿爾泰爾斯,阿爾泰爾斯則平靜地看著露迪婭。

「妳是指什麼事?」

他的問題讓露迪婭更加深了笑容。莉莉卡久違地覺得媽媽很可怕。

「您真的不打算說嗎?」

露迪婭的聲音變得冰冷。阿爾泰爾斯保持著冷靜,而莉莉卡感到手心出汗。

「我不明白妳在說什麼。」

他這麼說後,露迪婭忽然看向莉莉卡。

「莉莉也不知道媽媽在說什麼嗎?要繼續對媽媽說謊嗎?」

「那個,其實⋯⋯」

莉莉卡支支吾吾，偷看了阿爾泰爾斯一眼。阿爾泰爾斯咂嘴一聲。

「妳為什麼要欺負這孩子？」

露迪婭猛地站起身，戳上阿爾泰爾斯的胸膛說：「我欺負孩子？是你在欺負她！你利用莉莉做了什麼？」

露迪婭將莉莉卡拉到自己身後，咆哮道：「利用我可以，畢竟那是契約的一部分，你要怎麼利用我都無所謂，但是不准碰我的女兒！滾開。」

露迪婭的最後一句話語氣低沉，她的眼神就像一片冰湖。

莉莉卡不知所措地看著他們，感覺自己應該介入兩人之間，但不知道該如何進行調解。

「那個，就是──」

在莉莉卡慌張之際，阿爾泰爾斯看向她，低聲說：「莉莉卡，妳先出去。」

露迪婭深吸了一口氣，她知道自己不應該在這時對莉莉卡發火。

一想到他們瞞著自己私下串通，憤怒就湧上心頭。最讓她憤怒的是莉莉卡。

阿爾泰爾斯或許有可能這麼做，但莉莉卡，我的女兒⋯⋯欺騙了我。

換作平時，她早就一巴掌打過去，怒斥莉莉卡了，但露迪婭努力壓抑住情緒。因此，她需要將怒火轉移到其他人身上。

那個人正是阿爾泰爾斯。

應該是這個人威脅莉莉卡，欺騙自己，否則莉莉卡不可能會對她這麼做。

這個念頭讓她忍了下來。

「神器魔法少女」在帕爾塔上亮相時，其他人都不知道，但她能察覺到。

莉莉卡驚訝的表情不是因為興奮或快樂。

此外，這是她重生前未曾見過的神器。如果有這樣的東西，皇室不可能不拿出來使用。原本應該代替自己站在這個位置的黃鼠狼，曾將皇室的神器搜刮一空。

所以，所以……

露迪婭非常努力壓抑，沒有一把拉過莉莉卡或是對她說些刻薄的話。對某些人來說這可能是件很容易的事，但對露迪婭來說不是，所以露迪婭沒有看向莉莉卡。她感覺到女兒的猶豫。露迪婭無法開口要讓她離開，只能將視線固定在阿爾泰爾斯身上，揮了揮手。

莉莉卡小心翼翼離開會客室的聲音傳來。

喀嚓！

門一關上，露迪婭的聲音立刻一口氣提高：「你對莉莉做了什麼！」

「等一下。」

「等什麼等！你這個騙子！詐欺犯！」

露迪婭用力推開他。她的嘴唇顫抖著。

「叛徒。」

你明明說過愛我的。

「露迪婭。」

她並不相信那些話，從來沒有相信過。男人說的情話肯定都是謊言，所以——

「不要靠近我。」

阿爾泰爾斯眨了眨眼。他伸出手，她就猛然往後退。

露迪婭用雙手擦去淚水，深吐出一口氣。

有比哭著說這種話更傻的事情嗎？

「你對莉莉斯做了什麼？」

阿爾泰爾斯沉默了一會兒。他感到鬱悶至極，因為他沒有預料到她會有這麼激烈的反應。

「是我錯了，她明明是妳的孩子。是我讓莉莉保密的。」

「當然是這樣。」

「我能不能冷靜地坐下來談談？」

「我已經很冷靜了，所以您說吧。」

聽到她的話，阿爾泰爾斯深嘆了口氣，「莉莉卡是個魔法師。」

「這是什麼意思？」

「她是純血人類。」

「怎、怎麼可能……」

露迪婭皺了皺眉頭。下一刻，她的雙唇微微張開，震驚和理解掠過她的臉龐。

啊，是嗎？是這樣啊。震驚與理解在腦袋裡交錯碰撞。

露迪婭感到全身失去力氣，她腳步一晃，阿爾泰爾斯立刻上前抓住了她。

「妳還好嗎？」

「一點也不好。」

她呻吟般地輕聲說道，而阿爾泰爾斯輕輕地用大拇指按住她的嘴唇，防止她咬唇。

「不然妳以為會是什麼？」

「我以為您分了您的力量給她，或者是她從您身上學到了什麼才能。」

這件事比她預期的更讓人震驚，露迪婭不由自主地脫口而出。

魔法師。

純血人類。

露迪婭嘆了口氣，推開他，一屁股坐在沙發上。她的腦袋一片混亂。

她用雙手摸過自己的臉，問道：「但您為什麼要隱瞞著我？」

露迪婭的目光銳利地盯著阿爾泰爾斯。阿爾泰爾斯則堅定地回望著她。

露迪婭說道：「如果您想用某種方式利用莉莉……不對。」

露迪婭再次閉上眼睛。

「利用可以，但要讓我知情。如果您對莉莉造成哪怕一點點傷害，我不會原諒您。」

阿爾泰爾斯問：「利用是可以的嗎？」

「這樣啊。」

「付出正當的代價來利用叫『交易』。我說『要讓我知情』，代表不能單方面付出代價後利用她，要雙方都同意。」

阿爾泰爾斯輕笑了一聲。

露迪婭不悅地看著阿爾泰爾斯，低聲說道：「我知道了，我們稍後再談。現在我得和莉莉談談。他離開會客室後，換莉莉卡進來。」

阿爾泰爾斯帶著不安的表情看著露迪婭，然後點點頭。

露迪婭對一臉不安的女兒招招手，示意她靠近，然後問道：「聽說，妳是個魔法師？」

「是的。」

看著低頭回答的女兒，露迪婭抑制著即將爆發的情感，盡可能用溫柔的聲音慢慢說：

「妳打算一直對媽媽保密嗎？」

「……」

莉莉卡沒有回答。

即使是場面話，也不能回答一句「不是」嗎？

她的聲音變得更尖銳一些。

「為什麼無法回答？就算是阿爾泰爾斯叫妳不要說，妳也打算一直對媽媽隱瞞這件重要的事嗎？」

「對不起……」

「既然妳知道錯了，那是為什麼？因為妳不相信媽媽嗎？所以妳選擇那樣做？」

「不、不是的。」

露迪婭用雙手抓住莉莉卡的手臂，「莉莉，看著媽媽。看著我說，妳為什麼那樣做？」

女兒的嘴唇在微微顫抖，眼眶中積滿了淚水。

不要哭，好好告訴我。

露迪婭勉強忍住差點脫口而出的這句話。

她很努力地當一個值得信賴的媽媽，甚至覺得自己做得還不錯。但是，還是不夠嗎？事到如今，她還得做出

什麼努力？

是自己做錯了什麼嗎？

『不是嗎？所有媽媽在這種時候都會生氣吧？還是會理解孩子呢？』

『只有我覺得當媽媽這麼難嗎？只有我這麼辛苦嗎？』

「如果不遵守和陛下的約定，我、我怕會發生不好的事……」莉莉卡像是看透了她的心思，忍著眼淚說，「對不起，我錯了。」

對，她錯了。

不，這樣是對的嗎？

真希望有人告訴我正確答案。

露迪婭深吸了一口氣，冷靜地將莉莉卡抱進懷裡。

「媽媽是在擔心莉莉。如果不跟我說這種事，不知道將來會有哪些壞人對莉莉說什麼壞話。」

「是，我錯了。」

「妳想要遵守約定是很好，但陛下有沒有因此要求妳做什麼，或是吩咐妳什麼？」

「沒有，一點也沒有，他只教了我魔法。他說不能隨便使用，也絕對要對其他人保密。」

「這樣啊。」露迪婭更緊緊抱住莉莉卡，「媽媽希望莉莉多依賴、信任我一點。媽媽真的很努力，即使這樣還是不夠，也別隱瞞媽媽。好嗎？」

莉莉卡感覺到眼淚流出眼眶，小聲地說：「好的，我、我只希望媽媽能夠幸福。」

輕聲說出口的話讓露迪婭猛然流下眼淚。

「莉莉，因為有妳在，媽媽很幸福喔。」

「我也因為有媽媽在，感到很幸福。嗚……以後我會全部告訴您的。」

「嗯，媽媽也很抱歉，對妳生氣。」

母女倆相擁而泣。過了好一會兒，露迪婭先拿出手帕擦拭莉莉卡的臉，接著也擦去自己的淚水。

哭過之後還能相視微笑，是很幸福的事。

露迪婭這麼說，看著女兒閃著淚光的臉龐，有些難為情地說：「哭完後，媽媽的臉很難看吧？」

「不會！」莉莉卡大吃一驚後回答：「您是世界上最美麗的。」

露迪婭緊緊抱了女兒一下後放開她，說道：「陛下說得沒錯，妳最好把妳是魔法師的祕密藏好。而且我認為用神器來誤導別人是個不錯的主意。」

「莉莉也是世界上最可愛的。」

能夠用魔法來自衛是最好的。

『而且……』

而且自己會重生回來，肯定是因為莉莉卡。

莉莉卡在露迪婭死前就已經死了，因此，莉莉卡的願望肯定是針對露迪婭——針對她的願望。

即使走到最後，莉莉卡的願望也不是為了她自己。

站在絞刑臺前，與自己目光相對的莉莉卡。

她當時許下了什麼願望呢？

『心好痛。』

即使得到了第二次機會，露迪婭也不知道自己是否有做好媽媽的角色。

她露出苦笑。

「莉莉。」

「是，媽媽。」

「我愛妳。」

無論發生什麼事，遇到什麼困難，不管在什麼情況下。

她看到女兒的臉頰泛紅，眼裡裝滿了像星點一般閃耀的喜悅，然後她聽到女兒的輕聲細語：「我也愛您。」

『桑達爾侯爵？』

菲約爾德在走上樓梯的途中停下腳步。

雖然只看到身形，但他不可能認不出來。侯爵迅速消失在人群中，雖然他偽裝得十分嚴實，但菲約爾德的眼睛相當銳利。

『桑達爾為什麼會在這裡？發生了什麼事？』

菲約爾德一邊上樓進入房間，一邊整理思緒。隨著南部聯盟解散，桑達爾雖然遇到了麻煩，但從各方面來說，這也是一種解脫，因為無用的垃圾都被清理掉了。

也聽說桑達爾家族吞併了幾個四分五裂的領地。當然，多虧於此，南部現在在各方面都一片混亂……

『但是巴拉特和桑達爾？』

花與蛇。

應該更詳細地調查一番。菲約爾德走進房間，便看見一位侍從拿著銀托盤走過來，上面放著兩封信。而其他侍僕默不作聲地幫他脫下外衣。

巴拉特家的侍僕們十分沉默寡言。

菲約爾德瞥了一眼信件，露出淡淡的笑容。其中一封是來自皇室的，另一封則是來自莉莉卡。菲約爾德抽回準備穿上室內服的手，拿起信件。

『是狩獵節的邀請函吧。』

來自皇室的信，他甚至連看都沒看。他的手迅速伸向莉莉卡的信件。

《邀請您加入覆盆子同盟！》

看到信件的開頭，菲約爾德瞪大了眼，看到接下來的內容後笑了。

《我們正在尋找一起採摘、收穫並烹飪覆盆子的同盟成員

不怕親手採摘覆盆子的人。

能一起採摘覆盆子、烹飪的人。

願意一起分享烹飪過的覆盆子的人。

能夠認同並尊重同盟成員的人。

能夠對一切保密的人。

希望加入同盟的人，請回信。》

下方應該是她親手畫的，兩把鑰匙交叉加上覆盆子的圖案。菲約爾德覺得必須立刻回信，而且他大致上可以猜到同盟成員有誰。

即使阿提爾會不悅，也無法阻止他成為同盟成員。

「少爺。」一位悄悄接近的侍僕低聲說：「公爵召見您。」

菲約爾德放下信件，點了點頭。

辦公室裡一如既往的華麗。雖然窗外大雨滂沱，室內卻是一片寧靜。巴拉特公爵一如既往地背對他站著。菲約爾德等著她開口。

「皇女殿下寫信來了？」

「是。」

「你別再做這些無聊的事了，是時候關注在你眼前的事了。」

菲約爾德沉默不語。沒有得到回應的巴拉特公爵轉過身來。

「菲約爾德，別辜負媽媽對你的期望。」

菲約爾德依然沉默以對。公爵的嘴角勾起一抹笑。

「人家說養育孩子都會迎來叛逆期，我還以為我的孩子不會有這一天。好吧，跟我來。」

氣氛比預想得溫和，但菲約爾德沒有放鬆警戒。公爵喜歡用粉碎微小期望的方式來玩弄人。

她拉動一盞燭臺，書架旋轉開來，出現一條狹窄的通道。公爵帶頭走進去，菲約爾德跟在後面。他很清楚這條路通往何處。

冰冷的笑意從內心深處湧起。

華麗的巴拉特邸地下室裡有什麼，大家都知道嗎？

冰冷的鐵床、束縛用的器具和各種藥物。現在進入毫無光線的密閉空間，菲約爾德仍會感到窒息。但是，即使被帶到這裡，被綁在床上，他也過了會因恐懼瑟瑟發抖的年紀。

儘管如此，他還是不得不握起滿是汗水的手掌。從小就深有體會的恐懼動搖著他。

「這是你第一次來到這裡。」

聽到公爵的話，菲約爾德猛地抬頭。公爵在看似無盡的黑暗走廊前方操作了什麼，出現一條新的通道。

一條通往更深處的通道。

走進裡頭，痛苦無比的呻吟聲傳來。在密集的鐵欄裡頭，可以看到昏暗的輪廓。

在明白那是什麼的那一刻，菲約爾德頓時喘不過氣，全身發抖。

公爵沒有刻意用微弱的火光照亮鐵欄的另一邊，她說：「讓我向你介紹你的兄弟們。」

「！」

菲約爾德很是震驚。他勉強忍住湧上來的反胃感。

「他們都是失敗作，你是因為這些人的犧牲，才能在這裡。菲約爾德。」

聲音中帶著愉悅。菲約爾德感覺到地板在顫動。

「當你終於出現時，我不知道有多歡喜。叛逆期啊，很好，既然你想成為那種失敗作。」輕細的聲音在地下室裡迴盪，巴拉特公爵在痛苦不已的呻吟和啜泣聲中說：「如果你的皇女殿下知道了這個事實，會怎麼樣呢？那

公爵將菲約爾德推到鐵欄上。他無法反抗,因為全身無力。

「你仔細看好,你應該感謝我。如果你想知道停止服用那些藥物會變成什麼模樣,我的驕傲之作。」

她的手輕輕撫過菲約爾德的頭髮,「那種痛苦對你來說是必須的,我的驕傲之作。」

溫柔的聲音讓人泛起雞皮疙瘩,感到窒息。

「你仔細想一想吧。」

巴拉特公爵的腳步聲漸行漸遠,沉重的門關上了。在狹小的空間內,只剩下痛苦不已的聲音在狹窄的空間裡迴盪,逐漸攀高。

菲約爾德雙手緊握著鐵欄杆。如果不這麼做,他可能會倒下。

欄杆從他抓住的部分開始結凍,白色的氣息從口中吐出。

沿著臉頰流下的淚水,在接觸到地面前就被凍結成冰,落地後碎裂。

地下室一片寂靜。所有痛苦不已的聲音都消失了,連呼吸也凝固了。

寒冷的沉默飄盪。

『明明那麼冷。』

菲約爾德茫然地心想。

明明這麼冷,體內卻像在燃燒。血液沸騰,像要把自己的身體燃燒殆盡。

如果他張開嘴,也許吐出來的不會是氣息,而是炙熱的火焰。

但是,但是。

痛苦無法彌補罪過。

一個賤民會接受你嗎?菲約爾德,我的傑作,你的本質和他們一模一樣。」

——不要破碎。

鮮明的藍色眼瞳。

一想到這裡，地下監獄裡忽然空無一物，只剩下猶如雪花的事物在空中飄盪。

大雨如梅雨一般猛烈，莉莉卡坐在祕密花園的小屋門廊，享受難得的休息時光。她和媽媽的關係似乎變得更親密了，但因為下雨，邀請函也變少了，因此她才有時間寫下「覆盆子同盟」的信。

『不知道改寫了多少次呢。』

手指還是很痛。

她坐在門廊的搖椅上，聽著下雨的聲音，茫然地望著景色。從安全且溫暖的地方看著大雨傾瀉是一件愉快的事。

『因為下雨的話，屋頂會漏水。』

自己被雨淋溼是沒關係，但寢具或家具被淋溼就糟了。明明是很久以前的事，卻依然記憶猶新，這是為什麼呢？

「皇女殿下。」

布琳端來了溫暖的奶茶，莉莉卡接過了杯子，「謝謝妳，布琳。」

「不客氣。」

「拉烏布呢？」

她歪頭對在門口戒備的拉烏布問道，他搖了搖頭，「我沒事，主公。」

立下誓言之後，拉烏布就稱呼她為主公。這種尊稱讓她非常尷尬，但他說「那還是叫您主人呢？」，她只好同

意了「主公」的稱呼。

不協調的微笑、語調和動作都消失了。簡而言之,他變得比原來還要沉默寡言。他只說必要的話,也不會露出親切的笑容,所以和他在一起像在進行無言修行,但氣氛更加輕鬆沉靜。

莉莉卡很喜歡這樣的感覺。而且,當他和她在一起時,他也會露出相當自然的表情。

「如果大家可以一起喝就好了。」

畢竟今天是只有他們三個人的寧靜時光。

布琳點了點頭,「既然是皇女殿下的邀請,那我們也與您一起喝茶吧?」

聽到布琳柔和的話語,拉烏布面無表情地看向布琳。布琳知道那是在戒備自己,雙眼瞇起。

『咦?』

這一刻,莉莉卡感受到一種熟悉的既視感。

『似乎有人在呼喚我⋯⋯』

和當時的夢境感覺很相似。她將搖椅向前傾斜,腳尖觸地。

『啊,果然。』

感覺受到了什麼呼喚、牽引。她拿著杯子站起來,看了一眼拉烏布。他像是聽到鳥鳴的獵犬,凝視著某個方向。可以看到他的瞳孔像野獸一樣驟然擴大。

莉莉卡也看向他所看的方向。

「啊!」

一看到覆盆子叢後面閃過銀色光芒,她立刻就知道對方是誰了。

「拉烏布!」

莉莉卡叫住拉烏布,將杯子遞給他。

111

「主公。」

「皇女殿下!」

「沒關係,你們不要走近到能看到他!」

莉莉卡拿過傘,跑進了雨中。

她其實一開始就想叫他們不要來了,但他們不可能接受。

『但現在感覺只能我獨自過去。』

不知為何,她的直覺強烈地這麼告訴她。

菲約爾德不在覆盆子叢後面。她被吸引著跑過去,找到了站在一棵樹下的菲約爾德,他被雨淋得溼透了。

他從什麼時候開始在這裡的?他是怎麼進來的?

這些問題湧上心頭一會兒,然後又消失。

他的表情僵硬,被雨淋溼的樣子狼狽不堪。已經兩年沒有見這樣的他了。

自從他在她面前昏倒的那一天後,菲約爾德從未讓她見到不修邊幅的樣子,總是整潔華麗的模樣。

「菲約。」

她喚了一聲。他的金紅色眼睛像被釘住似地看著她。

「你這樣會感冒的。」

她急忙過去,替他撐傘。因為身高差距,她不得不盡全力踮起腳尖。

菲約爾德!竟然滑坐在泥濘的地面上!

這令人難以置信,莉莉卡更加驚慌了。

「菲約,你沒事吧?出了什麼事?」

他仍然沒有說話。雨繼續下著，當然沒有停止的跡象。

「菲約，我們先進去吧，好嗎？你真的會感冒的。洗完澡、換一身衣服，我們來談談。」

她說完後抓住他的肩膀，燙得驚人。

「菲約，你好燙，你發燒了。」

她顫著聲音說完後，他回答：「不，這點小事不要緊。」

「怎麼可能不要緊！」

這不正常，就像在夢中遇到的菲約⋯⋯

那是預知夢嗎？

莉莉卡試圖將他拉起來，但意識到她無法靠自己的力量做到。

「能站起來嗎？如果站不起來，我去叫拉烏布──」

她要轉身時，菲約爾德抓住了她的手腕。她驚訝地回頭，看到他的視線依舊固定在地面上。

「莉莉。」

他的手非常燙。莉莉卡轉向他，「嗯。」

「我在這裡。」如此回答。

「您怎麼知道我在這裡？」

「喔，就是⋯⋯直覺？」

她的話讓他輕聲笑了。笑過之後又陷入沉默。

「菲約。」

莉莉卡喚了他一聲。她決定先不叫人過來，現在不是時候。

莉莉卡跪在地上，讓菲約爾德略微驚訝。

她輕輕伸出手。她的手指溫柔地撥開他溼漉漉的瀏海，這樣就能看到他的表情了。

那一瞬間，他們的目光相遇。

那是她從未見過的表情，看似易碎的軟弱，又易受傷害，彷彿看進了柔軟的花瓣內側。

「菲約，我站在你這邊喔。」

「……真的嗎？」

「嗯。」

「如果……如果我……」

話語在空中飄盪。雨聲喧囂，滴到葉子上的圓潤聲響、落在地上的沉悶聲響、打在水面上的清脆聲響，所有聲音匯聚成一體響起。

「如果我遠去。」

聲音細微到像融入了雨聲中，但莉莉卡聽到了。

這應該不只是指物理上的距離。

「就算那樣，我也會找到菲約。我會找到你，為你撐腰的。」

她的話堅定果決。

在傾盆大雨中，她那雙藍綠色的眼睛仍直視著他。

「真的？」他迫切地問道。

「嗯，我答應你。」

莉莉卡斬釘截鐵地回答。

她是否知道，他會多認真、拚命地接受這句話嗎？

菲約爾德注視著莉莉卡。她的眼神堅定，彷彿無論多沉重的事物都能承受，無論多微小的事物都會珍惜。許

多話語、字句湧上心頭，菲約爾德卻無法組織成句子，最終瓦解。他能說的，只有這句話。

「那麼，請接納我為覆盆子同盟的成員吧。」

「當然了，歡迎你。」

莉莉卡溫柔地笑了。她的表情彷彿知道他未能成形、瓦解的所有字句。

菲約爾德伸出了手。他的手溼漉漉的，但她毫不在意，沒有制止他。菲約爾德抱住她，冰涼冷冽。

他想到了監獄，然後想到了媽媽。

菲約爾德笑了。

『得讓妳看看什麼是真正的叛逆期了。』

他非常期待看到她期望破滅時的表情。

『莉莉，莉莉，我的小鳥皇女殿下，只要妳站在我這邊──』

他終於能感受到落下的雨了。雨滴從她溼漉漉的棕色頭髮上不斷滴落，一切都取回了色彩。

他的雙臂加重力道。

我肯定什麼都不需要。

「你吃過飯了嗎？」

這個想法逐漸成形的瞬間，莉莉卡大喊：「菲約爾德！」

聽到莉莉卡這麼問道，菲約爾德嚇了一跳，不由自主地回答：「沒有……」

「那我們洗一洗吃飯吧。雖然不知道是什麼原因，但肚子餓時，本來就會想到不好的事。」

莉莉卡認真地點了點頭。

莉莉卡緊抓著他，不讓他逃跑後大聲呼喚：「布琳！拉烏布！」

兩人似乎就在不遠處，很快就出現了。布琳手持一把大傘，拉烏布戴著斗篷上的兜帽。

莉莉卡微微一笑。

「我們要洗個澡吃飯。」

莉莉卡站在增高踏臺上，熟練地揮著小平底鍋。鬆餅翻過面，呈現恰到好處的美麗褐色。洗好澡出來的菲約爾德驚訝地靠近爐邊。即使是夏天，淋過雨的身體仍是冰冷，但爐邊暖呼呼的。

「您在親自烹飪餐點嗎？」

「嗯，這是加了生乳酪的鬆餅。原本是想做給阿提爾吃，練習了很久，但現在先給菲約嘗嘗看。」

莉莉卡微笑著遞給菲約爾德一個盤子。他接過盤子後，莉莉卡把鬆餅放到上頭。

她用的平底鍋配合她的身形，尺寸比較小。她迅速塗上黃油，又舀起麵糊倒入。

美味可口的香氣四溢，這是菲約爾德第一次聞到的味道。他從未進過廚房，做料理的味道對他來說當然也是第一次。

「覆盆子糖漿在這邊。」

順著莉莉卡的手指看去，菲約爾德拿起旁邊的小陶瓷壺，將其倒在鬆餅上。

巴拉特家是貴族中的貴族，他們家的人從味覺細胞到美感都被磨練得鋒利如刀。菲約爾德以前只嘗過漂亮地擺放在潔白陶瓷圓盤上的料理，從未吃過鬆餅。

他小心翼翼地用叉子切下一塊，放入口中。

酸甜的糖漿與濃郁的鬆餅完美搭配，但不僅如此，菲約領悟到食物的滋味不是舌頭專屬的享受。

和她在一起、待在這裡的感覺，也影響了味道。

每當她煎好一塊鬆餅盛上盤子，都會從他的盤子中消失。當他進食的速度慢下來時，莉莉卡才拿起自己的餐盤。

莉莉卡看著他的表情笑了笑，然後說：「可以幫我把這個茶壺放到那邊的火爐上嗎？」

「好的。」

得到活動的機會，他就立刻行動。他打開纖細的錫製茶壺，檢查裡面是否有水，然後放到火爐上。

外面依然雨聲嘈雜。他拉了一下不合身的衣袖後，莉莉卡說：「衣服不合身嗎？」

「不是，我第一次穿非訂製的衣服，感覺不習慣。」

菲約爾德微笑著說完，莉莉卡「喔～」了一聲點點頭。與高貴的人在一起時，她經常因為這種事感到格格不入。

「這是阿提爾自己放在這裡的衣服，但還好尺寸很合適。」

「原來如此。不過，布琳小姐和拉烏布閣下呢？」

「在外面。」

簡單回答後，莉莉卡將鬆餅放到自己的盤子上。當她分別在兩人的盤子裡放上兩片鬆餅時，菲約爾德也泡好了茶。

菲約爾德將覆盆子糖漿漂亮地淋在鬆餅上，同時問：「您為什麼想創立覆盆子同盟呢？」

「嗯，我希望即使我不在，大家也能一起去採覆盆子。」

「到目前為止，她都是與認識的人一起去採摘，但她發現自己不能這麼做。她希望她離開皇宮後，大家也能享

用祕密花園的覆盆子。於是,她苦惱到最後,想到的就是覆盆子同盟。

菲約爾德停下手來,問道:「您會離開嗎?」

莉莉卡「啊」了一聲,轉過頭後笑了。

「總不能都由我去採摘吧?總會有我不在的時候。」

「那倒也是。」

菲約爾德點了點頭,他們將盤子端到餐桌上。

菲約爾德這才意識到,這是他第一次站著吃東西,這頓飯不只是為了評價味道或填飽肚子,更有超出這些的意義。

他呵呵笑了起來,因此莉莉卡露出了疑惑的表情。

「你在笑什麼?」

「沒什麼,我是覺得您剛才說得很對。」

「嗯?啊,對吧?沒錯吧?肚子餓時,我就只會想到不好的事情。」

「我有過那樣的經驗,所以知道。莉莉卡清清喉嚨,高抬起頭。

菲約爾德點了點頭,微笑著說:「莉莉。」

「嗯。」

「您剛才說會站在我這邊,對吧?」

「嗯。」

「我也會永遠站在您這邊。」

看著那雙美麗的金紅色眼睛,莉莉卡點了點頭。

「那您現在可以讓他們兩個進來了。」

「啊,對。」莉莉卡轉過頭,「布琳、拉烏布,我煎鬆餅給你們吃。」

門打開後,布琳走了進來,輕輕拍了拍裙子。

「沒關係,讓我來烤吧。」

「⋯⋯」

拉烏布偷偷瞄了布琳一眼。他的眼神在說,他想吃主公親手烤的鬆餅。

布琳的眼睛瞇起,雙手扠腰:「你又不是小孩子了,竟然想吃主人煮的料理?」

看到拉烏布緊閉著嘴,莉莉卡笑了出來。

「沒事的,我真的要煎給你們吃。之前一直都是布琳做給我吃啊!你們都在去找阿提爾前嘗嘗看。」

菲約爾德坐在餐桌旁,看著布琳嘮叨、拉烏布幫忙莉莉卡,而莉莉卡開心說話的模樣,他問:「你們都是同盟的成員嗎?」

莉莉卡笑著回答:「我們都是同盟的成員喔。」

阿提爾一邊吃下鬆餅,一邊抱怨道:「菲約爾德·巴拉特居然會是同盟成員,那個菲約爾德·巴拉特。」

「同盟中的所有成員都應該互相認可和尊重。」

莉莉卡的話讓阿提爾毫不遮掩地嘆了口氣。接著莉莉卡又將一片鬆餅放到他的盤子上。

剛煎好的鬆餅冒著熱氣,散發出甜蜜的香氣。

阿提爾說:「好吧,既然我可愛的妹妹這樣求我了,我也沒辦法拒絕。」

在小屋裡度過的時光讓阿提爾非常滿意,於是他假裝認輸。

「所以呢?其他同盟成員還有誰?」

「雖然我寄了邀請函給所有人……但現在回信的有阿提爾、菲約、拉烏布、布琳、布蘭、烏朗、迪亞蕾和坦恩。」

阿提爾停下叉子，靠在椅背上說：「桑達爾沒有回應啊。妳也寄給拉特和派伊了嗎？」

「是的。」

「最近派伊那傢伙也很少來宮裡。」

「發生了什麼事嗎？」

莉莉卡撐著下巴，嘆了口氣，阿提爾就哼笑一聲：「幸好妳的腦袋裡都裝著糖果，真的。」

「不許挖苦我。」

莉莉卡的話讓阿提爾聳了聳肩，回應道：「我是在稱讚妳耶。」

莉莉卡說：「但您很擔心吧。」

平時的阿提爾應該會當場嘲笑這番話，但這次他拿起了杯子。淋滿糖漿的鬆餅和清爽的冷茶搭配恰到好處，也許是因為吃飽了，他輕輕地道出心思。

「我不擔心，但是很好奇，好奇他在做什麼。」

「對吧？」

莉莉卡咧嘴一笑。

阿提爾的鋒芒也減弱許多。換作以前，他一定會說邀請派伊先生進宮如何？也可以久違地和他聊聊天。」

布蘭對主人的變化感到很高興，笑著問：「那去邀請派伊先生進宮如何？也可以久違地和他聊聊天。」

「不行，要是他很忙，我卻請他過來很奇怪吧？應該由我去找他才對。」

「啊，那麼——」

「妳不行。」阿提爾抬頭對莉莉卡比出叉叉的手勢，「派伊是我的談心朋友，妳就別來了。」

「我知道了。」

莉莉卡點點頭後，阿提爾轉移話題。

「對了，那個同盟沒有要製作什麼東西嗎？」

「什麼？啊，會的！我們會一起製作果醬和糖漿之類的，邀請函上有寫……」

「不是，我不是那個意思，我是說徽章之類的。」

「徽章？」

莉莉卡因為突如其來的話題歪過頭，阿提爾則皺起眉，「如果是同盟成員，得有個東西隨身攜帶，作為標誌。」

「標誌？」

「對，沒錯。妳在信件最後畫的那個圖案還不錯，就用那個製作徽章。不需要做旗幟吧？水桶和圍裙這類的也可以統一設計，怎麼樣？」

阿提爾興奮地提出各種建議。莉莉卡聽到阿提爾意想不到的提議，瞪大了眼睛。

『這些有錢人的想法真是不同啊！』

她也從菲約身上感受到了這種滲入骨子裡的富家子弟氣息。莉莉卡點了點頭。

「水桶和圍裙會不會太貴了？」

「那只是小意思。而且比起費用，獲得歸屬感更重要，不是嗎？歸屬感。」

「嗯。」

莉莉卡猶豫了一下，最終點了點頭。她張望了一下周遭，然後低聲說：「其實我也有一些錢。」

自從北方開始生產糖之後，莉莉卡也開始有了穩定的收入。金額龐大到讓她感覺不太真實，雖然都交給媽媽管理，但她覺得應該可以用在這類事情上。

阿提爾咧嘴一笑，「妳不是糖之皇女殿下嗎？」

「什麼？」

「不對，現在是作為魔法少女出名吧?」不知為何，她害羞得臉頰漲紅。阿提爾戲弄似的說:「最近有一本非常受歡迎的小說，妳知道是什麼嗎?」

「小說嗎?」

「對，書名叫《珍珠之歌》吧?是關於一位棕髮魔法少女，和向她許下誓言的狼騎士一起冒險的故事——」

「!」

莉莉卡猛地站起身，阿提爾則一臉壞笑地說:「聽說賣得非常好呢。」

莉莉卡結結巴巴地說:「那、那個，就是……」

「任誰看了都知道是妳的故事。我們的魔法少女莉莉卡大人，連小說都出版了，真是厲害呢。」

「他們可以這樣做嗎!」

「那當然，書的一開頭就有寫到，這部小說的內容與實際的人物、事件、組織毫無關連。」

莉莉卡深深嘆了口氣，又坐下來，「那作家到底是誰啊?」

「嗯~好像不是本名?筆名叫紫水晶。總之，這不是壞事啊。」

不想看到莉莉卡依舊擔心，阿提爾又補充了一句。

莉莉卡很是好奇，「那是真的嗎?」

「什麼?」

「真的有這回事嗎?有出版我的小說嗎?」

「有啊，初版書一下子就賣光了，一堆人寄信去出版社詢問下一集什麼時候出。聽說以後還要改編成戲劇，到時候我們去看看吧?也問問看迪亞蕾。」

「嗚嗚……」

雖然感到非常難為情，但莉莉卡也很好奇，低吟著點了點頭。

在阿提爾繼續逗弄自己之前，莉莉卡迅速轉移了話題。

「比起那個，我更希望覆盆子快點成熟。大家一起來的話，應該會很有趣。那樣的話，徽章和圍裙也要趕緊準備好才行⋯⋯」

阿提爾點了點頭。

「在那之前，應該會先遇到狩獵節。要參加的貴族們應該差不多要抵達了。」

「我那時要穿的衣服也在製作了。媽媽跟我說的。」

「是嗎？真讓人期待。」

「是的，我也非常期待。不過，真的不會指導我嗎？我也可以參加嗎？」

「嗯。」

阿提爾點了點頭。莉莉卡雖然感到很遺憾，同時也覺得十分雀躍。

「我超級期待的。」

看到莉莉卡的笑容，阿提爾也點了點頭，「是啊，真是期待。」

狩獵。

他微微一笑。

拉特一臉茫然。他突然被皇女殿下抓住，來到白龍室，手中滿滿的卷軸也被索爾接過去。

拉特呆愣地凝視著手中的杯子，然後環顧四周。白龍室的會客室感覺非常可愛，盤子的尺寸也與成人用的略

엄마가
계약결혼 했다
Mother's Contract Marriage

123

有不同，裝飾品也都是可愛的，也擺著大熊玩偶和繪有覆盆子與松鼠的畫作。

不確定這是不是皇女殿下的喜好，但比起其他地方，奢華的成分少了許多。如果說它樸素，可能會引人蹙眉，但與皇宮的其他地方相比，稱得上樸素。

喝完一杯後，布琳倒了第二杯。莉莉卡仔細地觀察著拉特，問道：「現在感覺好一些了嗎？」

「什麼？是的。」

帝國宰相一臉疲憊地微笑。

莉莉卡擔心地說：「你的眼睛很腫，連我喊你也沒聽到，而且腳步搖晃不穩，我擔心你再這樣下去會昏倒，所以才叫住你。」她皺起眉，「如果有人說什麼，就說是因為皇女殿下，你沒有辦法。」

「那樣好嗎？」

「嗯。因為我學到了，權力是為了保護下屬而存在的。」

聞言，拉特微微一笑。這時，他才真正開始嘗到檸檬水的味道。

「你的工作很忙嗎？」

「是的，工作很多，有各種工作，然後突然緊緊閉上嘴。

還年幼的皇女殿下果然有讓人放鬆戒備的魅力。

拉特透過單眼眼鏡瞪大了眼，隨後笑了。

「那不如請個假怎麼樣？要是因此暈倒又受了重傷，那該怎麼辦？」

皇女殿下的關心很普通平凡，卻令人措手不及。她不追問家族狀況或是在忙什麼的地方就是如此。

拉特點了點頭。

「我當然會的,但我覺得乾脆工作比較好,這樣就不用想無謂的事了。況且最近在為了狩獵節忙碌,如果我也不在了,大家應該會非常困擾。」

「這樣啊……」

莉莉卡本想問問覆盆子同盟的事,但又覺得不能讓他更加煩惱,便緊閉上嘴。

拉特慢慢摘下單眼眼鏡,用衣角擦了擦,然後說:「皇女殿下,我有個疑問。」

「嗯,什麼問題?」

「是關於神器魔法少女的事。」

「嗯?啊……嗯,要我也讓你看看魔法嗎?」

聽到莉莉卡的回應,拉特忍住笑意,搖了搖頭,「不是,我不是那個意思。我是說……那個也能治療人嗎?」

「治療?」

「是的,就是……」

拉特的眼睛直望著莉莉卡。她覺得他的瞳孔變得細長並豎起。

「像拉烏布那樣。」他用極小的聲音低語。

莉莉卡一瞬間眨了眨眼,「拉烏布什麼時候生病了?」

「不,我不是那個意思。」拉特露出苦笑,「我明白了。」

他重新戴上眼鏡。

莉莉卡拿起自己的杯子時,突然想起來。

『啊!難道是?』

是指她送給拉烏布的項鍊嗎?

『如果那也算是一種疾病的話。』

據說血統越純正的人越容易得病。如果沃爾夫家有拉烏布，桑達爾家會不會也有一樣的人？

還是拉特生病了？

『我明明製作好，交給陛下了……』

她很想立刻告訴拉特「我有做好，交給陛下了」。

『但是不行。』

他嘆了口氣。

拉特搖了搖頭，「不是我。」

莉莉卡忍住衝動，小心翼翼地問：「是誰生病了？難道是拉特你……」

「大家都說桑達爾家的人都很冷血，總是理智勝過感情，但……」他小聲地嘆了口氣，「看來在子女問題面前，沒有人能置身事外。」

莉莉卡驚訝地問：「拉特，你結婚了嗎？」

拉特笑了。

「不，我還單身。」

「對不起……」

「沒事。」

拉特輕聲笑著，之後抹了一把臉。他已經很久沒有這樣笑了。

「和皇女殿下在一起的時光，就像撒了金色的糖粉一樣呢。」

「這是稱讚，對吧？」

「是極高的讚美。」

拉特的話讓莉莉卡嘿嘿笑著。拉特注視著她的表情，不知道心情有多久沒有這麼輕鬆過了。

最近家族內部的氣氛太過沉重，他已經很久沒笑過了，特別是哥哥……想到此，他又嘆了口氣，想了想後說：「皇女殿下，您會參加狩獵節吧？」

「嗯。」

「請您一定要帶上那個神器。」他輕柔地笑著說。

莉莉卡盯著拉特，然後點了點頭，「嗯，而且我絕對不會離開拉烏布。」

「非常好。」拉特站起來，「很抱歉，我該告辭了。如果再不走，我可能會想在這裡小睡一會兒。」

「你可以睡一會兒再走啊。」

「不行。」拉特笑了，「畢竟您已經過了帕爾塔。」

布琳點了點頭，像是認同這句話，並把卷軸還給拉特。

「多虧您，我休息夠了。那麼，我先告辭了。」

拉特輕聲告別，莉莉卡目送他離開後回到單人搖椅上。

莉莉卡揮了揮手，讓侍女們退下，然後叫布琳和拉烏布湊過來。

「我問你們，桑達爾家有人生病了嗎？」

拉烏布和布琳相互看了看，然後看向莉莉卡。

拉烏布說：「我沒聽說有人生病。」

布琳將手放在臉頰上，疑惑地說：「如果是與宰相大人關係親近、視為自己孩子的人，那應該是桑達爾侯爵，也就是宰相大人的兄長。據我所知，他有兩個孩子。」

「兩個？」

「一個您也認識。」

127

「哦?啊,派伊?」

「是的,另一個是桑達爾的小公子——也就是佩雷斯大人,但我沒聽說過他們有生病。」

「原來如此⋯⋯」

派伊之所以沒有回信,難道是因為生病了嗎?

莉莉卡的目光轉向拉烏布的項鍊。

阿提爾說過他要去見派伊,所以莉莉卡決定不貿然行動。

『因為不能一直隨身帶著,為了以防萬一,最好還是練習用魔法來應對突發情況。』

這時候,能用神器作為藉口施展魔法真輕鬆,好棒。

『得感謝皇帝陛下。』

「嗯,謝謝你們告訴我這些,我要思考一下。還有布琳。」

「是,皇女殿下。」

「妳能幫我拿到那本書嗎⋯⋯?」

布琳立刻明白她指的是哪本書,點了點頭,「當然可以。」

「謝謝。」

阿提爾舉起手,示意他們可以離開了。

兩人退後一段距離後,布琳問:「要不要開窗戶呢?今天的風很涼爽。」

「嗯,好啊。」

布琳打開會客室陽臺的門,蕾絲窗簾隨風飄揚。莉莉卡從椅背裡拿出筆記本和筆。

『來整理一下接下來該做的事吧,就是⋯⋯』

搖椅舒適地前後晃動,樹葉被風拂過的聲音響起。

咚!

筆從莉莉卡的手中滑落,拉烏布趕在它落地前迅速接住。布琳細心地看了看莉莉卡的臉,拿來一條薄毯子幫她蓋上。

蕾絲窗簾猶如波浪飄盪。

「魔法的起點是起源。」

沙漠之夜,嘹亮的聲音響遍四周。

一人坐著,一人站立對話。由於兩人穿著長袍,無法看見長相。身穿潔白長袍站著的人問:

「達成願望是魔法的本質,但為此,必須先學會其形式。原因是什麼呢?」

坐著的人也穿著白色長袍,但比站著的人素雅許多。

「因為人類不了解自己的真心。」

「正是如此。所以,我們會用語言和文字簡化起源的形式。」

他們的對話持續進行。

「那麼,魔法的終點是什麼呢?」

「起源。」

「沒錯。從原始開始,完成形式,到了更高的層次後,它會拋棄形式。」

站著的人聲音溫和地續道。漆黑的虛空中繪製出了明亮的魔法陣,美麗到讓人不禁出聲讚嘆。

「因此，魔法師不能欺騙自己，必須正視自己的醜陋與光明的面貌。自欺欺人的魔法師會怎樣？」

「會使出被扭曲的魔法。」

坐著的人站起身來，兩人同時轉頭看過來。

「理解了嗎？最後的魔法師。」

「！」

莉莉卡驚醒過來，她好像不自覺地朝空氣踢了一腳。

「莉莉，妳作惡夢了嗎？」

「喔，媽媽？」

露迪婭攔住大吃一驚，想坐起身的莉莉卡。坐在床沿的媽媽背後，高掛著一輪明月。

她的金髮像女神的金絲一樣閃耀。

她是什麼時候來到床邊的？而且還是在深夜時分。

煩惱隨著媽媽將臉湊近，逐漸消散。

「是媽媽吵醒妳了嗎？」

「不是，是在夢裡，有人轉頭看過來⋯⋯」

「那一定很可怕。」

媽媽笑著伸出白皙的手臂，緊緊抱住了她。在母親的懷抱中，莉莉卡放心地鬆了一口氣。因驚嚇而怦怦直跳的心臟鎮定下來。

「媽媽，妳身上的味道好香……」

莉莉卡不自覺地撒嬌，露迪婭就笑著輕吻上莉莉卡的頭。

「我們莉莉也是世界上最可愛的。來，快回去睡吧。看來是我吵醒妳了，快睡吧。」

母女倆緊靠著躺在床上，面對面看著對方。

莉莉卡問道：「媽媽也會去參加狩獵節嗎？」

「那當然。」

「請您要小心身體。」

露迪婭笑了，「我一直都很小心。阿爾泰爾斯會在媽媽身邊，所以妳不用擔心。比起我，莉莉，妳更要小心。雖然妳是魔法師，讓我放心了一些……」

露迪婭輕撫著莉莉卡的臉頰，她圓潤的臉頰軟綿綿的。

「莉莉，如果沒有妳，媽媽會活不下去。妳是媽媽的希望，所以一定要小心身體，知道了嗎？」

「知道了。」

莉莉卡認真地點了點頭，然後小聲問道：「可是，媽媽。」

「嗯~」

「我是很喜歡，但您為什麼會突然來我房間？」

「我不能來這裡嗎？」

「什麼？不是，我不是那個意思……」回問反倒更奇怪，莉莉卡就歪過頭說：「您與陛下怎麼了嗎？」

「這不關妳的事，妳這小不點。」

「啊。」

看到媽媽癟癟嘴，莉莉卡點了點頭。媽媽明明這麼美麗，一定是皇帝陛下做錯了什麼。

「肯定是陛下不對。」

「對吧？媽媽真的只有莉莉了。再等一會兒，再過六年就可以離婚了，離婚。」

露迪婭用力抱住莉莉卡。莉莉卡呵呵笑著，也抱住了媽媽。

露迪婭緊緊抱著她一會兒，問道：「莉莉。」

「是。」

「嗯，我在想，妳會不會希望有爸爸？」

聽到這句話，莉莉卡想抬起頭，但被媽媽緊緊抱著，無法看到她的表情。

露迪婭說：「妳老實地告訴我。」

「嗯，那個……」

莉莉卡想起之前曾稱呼阿爾泰爾斯為父皇陛下的事。她的臉頰發燙。

「如果有的話……是很好……」

「這樣啊。」

「但、但我的意思不是只有媽媽不夠，我也非常喜歡和媽媽在一起。」

「嗯嗯，我知道，那當然了。」

「那麼，媽媽呢？」

「嗯？」

「媽媽，您怎麼想？」

露迪婭沉思了一會兒。她不需要男人，但如果有適合當莉莉卡爸爸的好男人，那也無妨。

「我覺得很好啊。」

「那樣啊。」

莉莉卡點了點頭。

露迪婭在被子上輕拍,說:「好了,現在真的該睡了,時間不早了。媽媽唱搖籃曲給妳聽。」

「好的。」

莉莉卡聽著甜美的歌聲。手掌輕柔拍打的感覺很舒服,她馬上再次沉入夢鄉。

CHAPTER. 9

狩獵節

莉莉卡走下馬車後,伸了個懶腰。

「唔唔——!」

布琳優雅地下車後笑著說:「您覺得有點悶吧?」

「嗯,我是很興奮,但坐車坐到很悶。」

莉莉卡第一次坐這麼久的馬車。她們甚至必須外宿一晚,在路上奔馳了整整兩天。第一次外出到那麼遠的地方,她非常興奮,但一直坐在馬車裡也讓人感覺煩悶。

「您現在可以盡情地活動了。」

布琳指示侍從卸下行李,並對莉莉卡說。

片刻之後,莉莉卡驚呼出聲。林間寬闊的空地上到處搭起了帳篷,莉莉卡周圍飄揚著繡有家族徽紋的旗幟。她很快就找到了最大的帳篷,有的地方只搭了一個帳篷,有的地方搭了好幾個。擺放的家具都是可折疊的,看到包包中甚至有折疊桌,裝了這麼多行李,馬車的速度自然很緩慢。

「我們要在這裡住三天嗎?」

「是的,沒錯。在其他領地舉辦狩獵節時,我們會住在別宮,但在皇宮舉辦狩獵節時,我們會遵循傳統。」

布琳指定完家具位置後回答。

莉莉卡帶著好奇的心四處張望,然後說:「我可以出去看看嗎?跟拉烏布一起。」

她馬上抓住自己騎士的手。

「嗯。」莉莉卡指了指像胸針一樣,點了點頭,「是,您去吧。請別忘記帶吊墜。」

布琳看著放在外面的行李,別在蝴蝶結上的神器。

莉莉卡住在飄著白龍旗幟的帳篷,刺繡在旗幟上的龍非常醒目。裡頭的地板不是泥土地,鋪著柔軟的地毯,並用隔板劃分出空間。

「走吧。」

莉莉卡拉著拉烏布前進，拉烏布就微笑著跟上嬌小的皇女殿下。

「我看看。」

多虧了旗幟，不可能迷路。看到銀龍和黑龍旗後，那個掛著空白旗幟的地方，應該就是媽媽和皇帝的住處。

「是狼！」莉莉卡指向附近的一面旗幟，「迪亞蕾說她也來了，我們去看看。」

莉莉卡快步走著，在前方帶路。在搭建帳篷的僕人及侍從們稍微彎腰讓路。

「迪亞蕾！」

「皇女殿下！」

兩人緊緊握住手。莉莉卡回頭看向沃爾夫家的帳篷，說：「帳篷很大呢。」

「這都是多虧了白糖，變好了。以前都是用舊帳篷，但今年的帳篷又大又新。下雨的時候也不用擔心了。」

「這樣啊，那太好了。」

「不行，請您喝杯茶再走。」

「來，皇女殿下，請進。喂，大家讓開，讓給皇女殿下坐啦。」

多虧甜菜，北部領土有了金流，經濟狀況逐漸好轉。

進入帳篷後，迪亞蕾一喊，壯漢們起身聚攏在一旁，莉莉卡尷尬地說：「不用，大家也可以坐。」

粗糙的玻璃杯裡盛滿了茶端來。迪亞蕾一邊加糖一邊說：「我們現在也變富裕了。」

「迪亞蕾，糖放少一點……」

「對喔！我太想炫耀了，一時沒注意……因為這是皇女殿下第一次來我們這裡。偏偏現在是在帳篷裡，但我還是想拿好東西來招待您。」

莉莉卡輕聲笑了，「我已經感受到了。」

聽到莉莉卡的話，迪亞蕾嘿嘿一笑，不停往自己的杯子裡倒糖。

她在莉莉卡對面坐下後笑著說：「我一定要在這次的狩獵節抓到一隻老虎，送給您。」

「老虎？」

莉莉卡驚訝地張大了嘴。是她知道的那種老虎嗎？

「這附近有老虎嗎？」

「不，是狩獵用的老虎。今年應該也會放生吧？熊或者豹子也不錯，但老虎才是最好的。」

「狩獵用的老虎……」

為了狩獵而抓捕動物，然後放生嗎？

「這樣……」

『而且，我要怎麼參加那樣的狩獵？』

竟然有老虎。

這樣動物很可憐，看起來也很危險。當然，猛獸是會傷害人類的恐怖動物……

莉莉卡只在百科全書上看過老虎，即使只是看到插畫，也覺得具有威脅性。而迪亞蕾不知道在想什麼，拍了拍自己的胸膛。

「我很強的！這兩年來，我比任何人都迅速變強了。皇女殿下，請您不用擔心。」

迪亞蕾的臉頰泛紅，「我、我沒有想過迪亞蕾會遇到危險。」

還來不及說聲抱歉，迪亞蕾就燦爛地笑了。

「果然如此！只有您相信我！大家都在背後說，我現在要狩獵老虎還太早了。」

「？」

迪亞蕾咧嘴笑著，喝光了像糖水一樣的茶。放下杯子後，她說：「我會在這杯茶冷掉之前，為妳帶回敵將的頭顱。」

莉莉卡疑惑地歪過頭時，迪亞蕾「啊」了一聲。

「這是最近很有名的臺詞，是《珍珠之歌》裡登場的騎士說的話。」

「迪亞蕾也看過了嗎！」

「當然啊，最近不曉得有多受歡迎。我在沃爾夫家都看了好幾遍，一直等不到下一集。」

迪亞蕾嘆了口氣，看了看拉烏布，又看了看莉莉卡，她握緊拳頭。

「有朝一日，我也會對皇女殿下許下珍珠之誓的。」

「喔喔，可是迪亞蕾是我的談心朋友吧。」

「但我還是會這麼做。」

「我、我只要有拉烏布就夠了……」

一時慌亂說出口的話讓迪亞蕾很失落，而拉烏布勾起優雅的微笑。

迪亞蕾悄悄看著莉莉卡的臉色，說：「可是、可是，女性護衛能讓您更放鬆吧？」

「主公說有我一個人就夠了。」

出乎意料的回答從身後傳來，回頭一看，拉烏布那雙灰藍色的眼睛正直盯著迪亞蕾。

莉莉卡對拉烏布的話感到驚訝，心裡卻想幫他鼓掌。

『拉烏布竟然會自己挺身而出！』

尖銳的語氣讓人感覺到攻擊性，但他沒有像以前一樣，逼自己輕聲說話。

最近他的話變少了，但也會坦率溫和地表達出自己的心情，這點讓她很欣賞。

雖然擔心迪亞蕾會心裡不快，但迪亞蕾——或許應該稱讚她了不起——她一點也不退縮。

「不過，一直獨自一人護衛應該很困難。我聽說至少要兩人一組，兩組輪流才是基本原則。」

迪亞蕾毫不退讓地瞪著拉烏布。莉莉卡聽到這句話，疑惑地歪頭心想：『喔，是這樣嗎？』

「我一個人就夠了。」

「那萬一皇女殿下出了什麼事，你要怎麼負起責任？」

「我會用死來贖罪。」

迪亞蕾張大了嘴，莉莉卡也是如此。莉莉卡正要站起來的時候，帳篷的門被打開了。

「聲音都傳到外面去了。你們兩個不應該為了無關緊要的事給皇女殿下添麻煩。」

因為帳篷的入口很低，必須彎腰走進來的人只有一個。

「坦恩！」

莉莉卡安心地喊了一聲，坦恩咧嘴一笑，「歡迎皇女殿下光臨沃爾夫家的帳篷。」

「家主大人。」

迪亞蕾將手放在胸前，輕輕行了一禮。

坦恩彎腰抱起莉莉卡，「這裡頭很悶，我們出去一邊走一邊聊吧？」

「家主大人！」

被坦恩搶走莉莉卡的迪亞蕾出聲抗議，而坦恩說：「之後再說吧，等到妳的腦袋冷靜下來，不會跟皇女殿下的騎士鬧得那麼難看的時候再說。」

「！」

迪亞蕾的臉頰漲紅，坦恩就帶著莉莉卡離開了帳篷。

莉莉卡回頭看了一眼，問道：「不會有事吧？」

「當然不會。最近因為那本書，年輕人們都太激動了。」坦恩咂舌一聲，「把一切都交給某個人是一件非常可怕的事，」他嘆了口氣，把它想得那麼浪漫本身就……」

他看著莉莉卡微微一笑，「您現在差不多跟糖果一樣重了呢。」

莉莉卡瞪大了眼睛，然後笑了。

「嗯，因為我把坦恩給的糖果都吃光了。」

「那我得送您更多糖果呢。」

莉莉卡直望著坦恩，說：「我很喜歡坦恩。」

「謝謝您，我也非常喜歡皇女殿下。」

「嗯。」

莉莉卡這樣說著，凝視著他，使坦恩尷尬地問：「我的臉上有沾到東西嗎？」

「不，什麼都沒有。」

『坦恩雖然長得帥，但和陛下比起來還是有差距。媽媽非常美，所以丈夫也要很帥氣才對。坦恩的個性非常很好，不過……』

莉莉卡在心裡默默篩選著媽媽的丈夫人選——也就是自己爸爸的候選人。

那天晚上之後，莉莉卡第一次開始考慮媽媽離婚後會出現的「繼父」。媽媽也說希望找到一個好人，所以莉莉卡希望是個好人。最重要的是，那個人必須非常愛媽媽。

『但是，這世上有不會愛上媽媽的男人嗎？』

自此之後，阿爾泰爾斯成了莉莉卡心中的第一人選。她正在尋找第二人選時，看到了坦恩。完全不曉得自己成了候選人的坦恩歪過頭，莉莉卡移轉話題。

「對了，剛才迪亞蕾說護衛需要四個人。我只有拉烏布一個人，所以確實是這樣。」

「原來如此，我都沒想到這點。」

「但是，請您讓拉烏布一個人負責吧，目前的話。」

聽到坦恩溫柔的話，莉莉卡點了點頭。

坦恩停下腳步，目光落在某處，莉莉卡也隨之望去。那是繡著蛇的旗幟。

她想起去見過派伊的阿提爾。阿提爾的表情十分難看，所以莉莉卡一句話也問不出口。

「聽說桑達爾家有人病得很重。」

「是派伊生病了嗎？」

阿提爾聽到這個假設性的簡短問題，回答不是。

坦恩看向莉莉卡，像是有話要說，但最終忍住沒說出口。

「您不要走太遠了。」

「嗯，謝謝你，坦恩。」

如果迪亞蕾和拉烏布繼續對峙就麻煩了。莉莉卡打了聲招呼，坦恩就笑著致意後轉身離去。

她本想去見派伊，但不知為何，感覺不該去帳篷裡找他。

『還有巴拉特也是⋯⋯』

好像沒有可以大方見面的朋友。失落的莉莉卡回到了帳篷。

「哇～」

莉莉卡輕聲驚呼。剛才那樣她也覺得很好，但與幾近完工的現在截然不同。布琳有些疑惑地問：「您很快就回來了呢。」

「我沒有要見的人。」

布琳輕聲笑了笑，「明天應該會有更多人來，您在帕爾塔時見過的人大部分都會來。」

「嗯,謝謝。啊,還有布琳,進來後看到裡面變得這麼漂亮,我嚇了一大跳。」

「您喜歡嗎?」

「非常喜歡。」

「很高興聽到您這麼說。」

帳篷裡也掛著漂亮的掛毯,組裝式家具也就定位了,帳篷後面的隔間還設置了臨時浴室。

莉莉卡莫名興奮地說:「我想去看看媽媽和阿提爾。」

「好的,您去吧。」

留下要打理一切的布琳,莉莉卡先走向阿提爾的帳篷。

「阿提爾的帳篷也很棒呢。」她讚嘆道。

帳篷的裝潢完全符合阿提爾的喜好,不過,這應該是布蘭的本領,配合阿提爾的喜好搭配而成。

莉莉卡拉著他說:「我們也去看看媽媽吧。」

「啊,等一下。」

聽到要去找露迪婭,阿提爾在鏡子前迅速整理了一下儀容。

「走吧。」

媽媽的帳篷既優雅又奢華,折疊椅上也刻著精緻的圖紋。換上騎馬裝的露迪婭笑著迎接他們。

「莉莉、阿提爾,快過來。」

露迪婭讓他們坐下。三人圍坐在一起,度過和樂融融的時光。

到了晚餐時間,阿爾泰爾斯帶著不悅的臉色走進來。

「又只丟下我一個人。」

「因為陛下應該很忙嘛。」

露迪婭笑著回應,使阿爾泰爾斯瞪大了眼,心想『妳還在生氣嗎?』。

他還沒學會教訓,不曉得那種表情會讓露迪婭更生氣。

露迪婭的眉間微微皺起時,阿爾泰爾斯馬上說:「是我不對,我道歉。」

但他明白那個表情是什麼意思。

「您有做錯什麼嗎?」

「都是因為我做事太任性了。」

露迪婭直視著阿爾泰爾斯,阿提爾和莉莉卡則緊張地看著他們兩人。

露迪婭笑著這麼說後,大家心裡都鬆了一口氣。多虧阿爾泰爾斯的道歉,晚餐時間相當和樂。最後,侍從迅速擺上新的椅子並放上坐墊,為阿爾泰爾斯準備位置。他們還未談完的事情應該會在那裡作個了結。

阿提爾說:「我送妳回去。」

「好吧。管家,請拿一把椅子來。」

「好的,謝謝。」

莉莉卡笑著握住阿提爾的手。阿提爾微微笑著,緊緊牽住她的手。

現在是晚上,但四周的提燈都十分明亮,能聽到人們交際時的對話和笑聲。

阿提爾聽著那些聲音。他喜歡聽人們的歡笑聲,那聽起來很幸福的聲音和笑聲。這都是莉莉卡出現後才有的改變,換作以前,聽到那些聲音,他的怒氣應該會先湧上心頭。

『所以⋯⋯』

他理解派伊,阿提爾轉頭看向緊握著自己手的年幼妹妹。

『若是為了讓妳活下來,我也願意做任何事,所以反過來說⋯⋯』

越理解派伊，他也越是戒備。

『能讓這孩子一個人睡在帳篷裡嗎？』

也許沒有人敢潛入皇室的帳篷，但拚命求生的人應該另當別論吧？

聽到阿提爾這麼說，莉莉卡笑了，「好啊。」

「今晚和我一起睡吧。」

「好，那就這樣。」

阿提爾心不在焉地回答完，帶莉莉卡回到自己的帳篷。布琳命令從僕拿來衣物。

莉莉卡在隔板後面換上睡衣後走出來。

阿提爾才心想「她連睡衣都和我的很類似呢」，莉莉卡突然問道：「所以，您為什麼這麼做呢？」

「哦？」

「您為什麼問我要不要一起睡呢？」

阿提爾一時語塞。但他沒有猶豫太久，掀開被子，在自己身旁的床位輕輕拍了拍。雖然組裝床比皇宮的床還窄，但也夠兩個人緊貼著躺下。

莉莉卡迅速跑過去，鑽進他身旁的位子。布琳關掉外面的燈，只有放在床頭的燈微微發出柔和的光芒。

依舊能聽到人們在帳棚外談笑的聲音和走動聲。

阿提爾小聲說：「妳有可以隔音的東西吧？」

莉莉卡點點頭，迅速取下小拇指上的戒指，放到床頭，之後阿提爾深嘆了口氣。

「我小時候真的很討厭別人對我隱瞞事情。」

布琳如藍寶石般的眼睛靜靜地看著莉莉卡。

「妳知道南方聯盟瓦解了吧？」

「兄妹倆在被窩中輕聲交談。阿提爾如藍寶石般的眼睛靜靜地看著莉莉卡。

莉莉卡點了點頭,阿提爾繼續說:「所以這次的狩獵節看似很嚴謹,但實際上戒備很鬆散。」

莉莉卡皺起眉頭,「但是有很多士兵和騎士不是嗎?」

「嗯,因為人很多。但如果人就是漏洞呢?」

莉莉卡的嘴巴微微張開,阿提爾說:「這是我的推測,陛下應該是想趁這個機會,一舉清掃南方的叛亂勢力。」

狩獵節正好是個藉口。

「那、那麼說來⋯⋯」

「別擔心,既然他們設了陷阱,就代表他們也做好了相對應的準備。」

莉莉卡摸著自己的額頭,很是不安。

阿提爾說:「反正還有妳的護身符不是嗎?魔法少女殿下。」

莉莉卡紅了雙頰。她曾問過阿爾泰爾斯為什麼稱她為「魔法少女」,阿爾泰爾斯的回答很簡單:「如果只是能成為魔法師的神器,應該會有人說,為什麼不給阿提爾。」

因此,她會變成魔法少女,而不是魔法師,都是因為眼前的阿提爾。

意思是需要一個藉口,對此做出解釋——是因為男性不能使用。

『但他竟敢這樣取笑我。』

「是這樣嗎⋯⋯」

代表媽媽很危險。莉莉卡面露慌張,阿提爾則輕拍了一下她的額頭。

莉莉卡嘟起嘴來,而阿提爾接著說:「而且,我也很擔心派伊。」

「桑達爾嗎?」

「對。」

「我聽說是有人生病了。」

莉莉卡的話讓阿提爾勾起微笑,「是派伊的妹妹。」

莉莉卡疑惑地回問:「我聽說他們家只有他們兄弟倆。」

「嗯,但其實還有個沒公開的么妹,聽說她從出生就病得很重,本以為活不久,所以沒有記在家譜上……」

阿提爾看向莉莉卡認真的表情,「現在聽說她已經到極限了。」

「這樣……」

莉莉卡的眉尾低垂下來,她似乎明白了拉特為什麼會如此苦惱。如果是自己的姪女即將去世,心裡肯定很難受。

『但如果是像拉烏布那樣的病,我給的神器應該能解決問題。陛下為什麼不那樣做呢?』

也許病情沒有如此嚴重。

莉莉卡嘆了口氣,對阿提爾說:「但是,桑達爾的孩子生病和南方聯盟有什麼關係呢?」

她當然覺得很遺憾,但那畢竟是非常私人的不幸。

「巴拉特。」阿提爾簡短地說,聲音沉了下來,「我說過巴拉特家非常懂藥物吧?」

「啊,是的。」

「桑達爾侯爵可能和巴拉特公爵有所接觸,這有可能會是一個變數。」

「所以你才那麼戒備啊。」

「嗯。」阿提爾直視著莉莉卡,「所以別離開拉烏布,明白了嗎?」

「好的。」

莉莉卡眼神堅定地回答後,阿提爾笑了。他伸手蓋上提燈的罩子。

「那睡覺吧。」

第二天，狩獵節正式開始。

莉莉卡坐在媽媽旁邊，看著活動進行。到了最後一項程序，一名侍從拿來一個箱子，打開箱子，裡面放著各種動物形狀的木雕，阿爾泰爾斯將木雕放進一個絲絨袋中。

「兩隻老虎、三隻棕熊、五隻美洲豹、十隻雄鹿、十五隻母鹿、二十隻兔子、三十隻鴿子，大概這樣就夠了吧。」

阿爾泰爾斯用力搖晃袋子，打開袋口時，一團芒光飛了出來。

「！」

人群發出歡呼，莉莉卡則瞪大了眼睛。

飄在空中的光團變成了各種動物的形狀，然後消失在森林中。

露迪婭向莉莉卡耳語道：「莉莉卡去抓那些就好了。」

「哇——！」

莉莉卡很是驚嘆。阿爾泰爾斯這次打開一個純白的袋子，這時，金色的小光團紛紛飛出，同樣消失在森林裡。

「那些嗎？」

「對，他們會給妳網子和收集箱。聽起來很有趣吧？」

莉莉卡的表情明亮起來。這不是在欺負動物，而且她也能參加。

她看向阿提爾，阿提爾就勾起微笑問：「滿意了嗎？」莉莉卡燦爛地笑了。

不久後，人們紛紛開始行動。大家在檢查狩獵用的弓和魔擊槍的時候，孩子們聚在一起，戴上徽章，拿到了網子和收集箱。

「絕對不能摘掉徽章，這能讓猛獸無法認出你們。請用這張網子捕捉螢火石，然後放進收集箱。」

「好！」

孩子們聲音響亮地回答。莉莉卡一手拿著網子，腰間掛著收集箱。她不斷揮舞網子，笑容滿面。

『好像非常有趣！』

「皇女殿下！」

迪亞蕾從遠處跑來。身穿見習騎士制服的迪亞蕾背上揹著一把長槍，緊握住莉莉卡的手說：「我去抓老虎了。」

「嗯，別太過勉強喔。」

「您別擔心。皇女殿下是收集隊的吧？祝您玩得開心。」

「嗯。」

「莉莉，媽媽也出發嘍。妳玩得開心點，不要離開拉烏布身邊喔。」

「好的，媽媽。」

聽到老虎，她是很擔心，但那種老虎應該不要緊吧？莉莉卡放心地想著。

接著，穿著騎馬服的媽媽出現了。莉莉卡長嘆了一口氣，因為媽媽的馬上掛著三把長槍。

莉莉卡環顧四周，注意到阿提爾身邊有一群孩子，另一邊在菲約爾德的周圍也圍著一群孩子。

媽媽在莉莉卡的臉頰上親了一下，然後騎上馬。她的身影宛如狩獵女神。

『而且這兩個人非常引人注目。』

這樣站在人群之間，的確能清楚地區分出群體。

這兩個比同齡人高出一顆頭的男人，即使遠遠看去也能一眼認出來。莉莉卡看著兩人時，對上目光的阿提爾在頭上對她揮了揮手。莉莉卡手持著網子走過去。

「阿提爾是狩獵隊的嗎？」

「當然啊。我已經過揮舞網子的年紀了。」

「我會抓到最多的。」

莉莉卡的話讓阿提爾咧嘴一笑，「妳是塔卡爾的話，那是應該的啊。」

「塔卡爾不是應該知道讓步的美德嗎？」

「勝利的美德更好。」

「勝利也是一種美德嗎？」

「我說是就是。」

周圍的孩子們好奇地看著他們兩人開心地交談。他們以為兄妹倆關係不好，但他們看起來非常要好，不像會爭搶王位，或是暗中爭奪繼承權。

目前看起來不是。

「皇女殿下，跟我們一起去採集螢火石吧。」

「對啊。我們知道一個很適合吃午餐的地方。」

這時，幾個孩子從阿提爾那邊移到了莉莉卡身邊。

從孩子們的表情就可以看出來。即使不回頭，莉莉卡也知道對方是誰。

就像媽媽走到舞池一樣，不管喜不喜歡，只要有眼睛，就會被吸引過去。所有人的目光都會固定在那裡，呼吸一時停滯。

經過短暫的沉默後，是一種壓倒性、近乎暴力般的美。孩子們的目光像著了魔一般被吸引住，特別是女孩們的臉頰染上緋紅，而對象只有一個人。

莉莉卡轉過頭笑著。

「嗨，菲約爾德。」

「您好，皇女殿下、皇太子殿下。」

菲約爾德優雅地問候。

「菲約爾德也要參加狩獵嗎？」

「是的。」

「最好小心你那纖細的身軀，以免被熊打飛。」

阿提爾的話讓菲約爾德露出笑容，「謝謝您的關心，殿下。今天似乎會是一場非常愉快的狩獵。」

「那當然。」

阿提爾說完時，遠處傳來了號角聲。這是告知狩獵隊準備的信號。

阿提爾對莉莉卡說：「等我，我會抓到老虎回來給妳的。」

「請小心。」

「嗯。」

阿提爾離開後，菲約爾德對莉莉卡說：「請您多保重，皇女殿下。」

「菲約爾德也是。」

「謝謝您。」

「啊。」

菲約爾德微笑著離開了。

『他肯定會被同隊的人盯上啊，菲約爾德也真是的。』

但特意過來打招呼很像他會做的事。

附近的幾個女孩子對菲約爾德說了些什麼，他笑著低語後，她們立刻害羞地笑了起來。

『根本不需要擔心啊。』莉莉卡勾起了笑。

號角聲再次響起，宣告狩獵隊出發。到處傳來馬蹄聲。

因為沒有專門的驅趕者，大家都是分組行動。

狩獵隊離開後不久，收集隊也出發。莉莉卡和孩子們一起勇敢地進入森林。起初是大家一起行動，但當四周開始出現閃閃發光的螢火石時，情況就變了。

「一轉眼就變成獨自一人了。」

莉莉卡回頭看向拉烏布，拉烏布平靜地回答：「您不是一個人。」

「嗯，但是⋯⋯」

「不過，我收集到不少了，對吧？」

莉莉卡看著她的收集箱，裡面裝著四五個閃閃發光的小光球。

就在這時，拉烏布抓住了莉莉卡的肩膀，將食指放在嘴邊。莉莉卡噤住聲，拉烏布指向對面。

莉莉卡轉動眼睛看去，大吃一驚。

那裡站著一個熊影。是一個全黑的熊影，任誰看了都能認出是熊。那隻巨熊正在慢慢走動。

拉烏布說：「雖然牠們因為徽章，無法辨識出我們，如果聲音太大還是會引來注意。」

「真的好大⋯⋯好像真的熊。」

「那和真熊一樣，無論是速度、力量還是攻擊性。」

「啊⋯⋯不是用魔法做成的熊嗎？還是一樣嗎？」

「是的，這也是每年狩獵節都會有人受傷的原因，也常常有人死亡。畢竟那不是一槍就能抓到的動物，所以最好小心一點。」

「真難以置信。」

「擁有與真正的動物相同的力量和能力。」

「而且又是影子的話，應該會更難找。」

「是的,特別是豹,因為牠會在樹上活動。」

突然間,莉莉卡對頭頂感到很不安,背上泛起雞皮疙瘩。看到莉莉卡擔憂的表情,拉烏布說:「只要好好戴著徽章就不會有問題的。」

莉莉卡確認了自己和拉烏布的徽章。在熊緩緩走過之後,兩人再次開始了森林探險。

這時,有人出現了。手持捕蟲網的兩個人看到莉莉卡,瞪大了眼。三人相互對視後迅速打招呼。

「妳們好。」

「拜見皇女殿下。」

「很榮幸能見到您。」

「嗯。」

她們打完招呼後仍有些拘謹。由於氣氛太過尷尬,莉莉卡歪著頭心想:「他們是巴拉特家的孩子嗎?」

拉烏布走上前一步,站在三人之間。

「妳們是哪個家族的?」

聽到莉莉卡的提問,孩子們依序回答:「我是桑達爾侯爵家的莉亞。」

「我是桑達爾的魯莉。」

「啊!」

她們看起來與莉莉卡年紀相仿。莉莉卡猜她們可能是雙胞胎,決定離開。

這時,魯莉開口:「皇女殿下,請等一下。」

「嗯?」

「能否請您撥出一點時間?我有事想跟您說。」

「什麼事?」

莉莉卡保持著適當的距離詢問。魯莉和莉亞慢慢地看著彼此，之後再度看向莉莉卡。

「請稍等一下。」

莉莉卡直望著她們兩人，沒有特別危險的跡象。雖然不應該太相信直覺，但⋯⋯

背後傳來馬蹄聲，拉烏布迅速將莉莉卡抱起，莉莉卡則反射性地將手放在胸前的吊墜上。

「皇女殿下。」

看到拚命騎馬跑來的人，莉莉卡放下了手。

「派伊。」

派伊對魯莉和莉亞說：「退下。」

魯莉和莉亞對莉莉卡深深一鞠躬，迅速消失在森林中。

莉莉卡沒有看向她們，問道：「發生什麼事了？」

派伊從馬上下來，上前一步後單膝跪下。

「莉莉卡皇女殿下，能否請您撥出一點時間跟我來？」

「我們拒絕。」拉烏布銳利地回應，「如果有需要，就正式請求晉見。」

「我需要非正式的會面。皇女殿下，拜託了。我願意做任何事，所以請您現在跟我來。」

莉莉卡靜靜地看著他，問道：「是關於你妹妹的事嗎？」

肩膀一震，派伊抬起頭，「殿下有跟您提過？」

「嗯。」

「那他一定也警告過您要小心我吧。」

「對。」

154

莉莉卡點了點頭。

派伊站了起來，他端正的臉龐僵著，「那麼……」

就在這時，一個巨大的身影從樹上跳下來。拉烏布一把莉莉卡推開，而摔到地上的莉莉卡沒有感覺到痛，因為太過吃驚而抬起頭。

一個黑色的物體騎在拉烏布身上。

『黑豹！』

那是一隻影子黑豹。

雖然是用魔法生成的，但除了全黑以外，所有能力都和真實的黑豹無異。

黑豹咬住拉烏布的手臂，下巴用力一咬。

喀嚓。

手臂發出不尋常的聲音。拉烏布能感受到黑豹炙熱的氣息和腥臭味。手臂似乎斷了，幸好外面裹著堅固的皮甲，否則傷勢不只如此。

接著，豹的爪子刺進他的肩膀。肩骨也碎了嗎？這是出乎意料的突襲。然而，他的注意力完全放在莉莉卡身上。就在那時，第三者的聲音傳來。

「是真的！徽章壞掉了！」

「好，抓住皇女！」

「開槍殺了騎士！」

「不，別靠近！如果豹也察覺到我們要怎麼辦？先抓那個！」

「桑達爾嗎？一起開槍！」

拉烏布咬緊牙關。他開始用盡全力推開豹子。

力量不足，他能感覺到流淌在血液中的熱氣都被吸入項鍊中。

他的項鍊。

他的寶石。

為了讓他能正常地生活，由主公賜予的禮物。

當他猶豫要不要扯斷項鍊時，敵人射出弓箭。莉莉卡將手放在吊墜上大喊，反射性地施放出她和阿爾泰爾斯練習過的魔法。

「坎塔那！」

銅鑼護盾

半透明的防護罩彈開了幾支箭。派伊沒有錯過這個機會，手臂一把撈起莉莉卡。

「拉烏布！」

莉莉卡大喊時突然感覺到腹部緊縮，倒抽了一口氣。

「主公！」

拉烏布的大喊聲比莉莉卡的更加絕望。派伊沒有停下來，開始策馬疾馳。

「等等，派伊！」

派伊按住她的頭大喊，「皇女殿下，再來一次！」

即使在這驚慌的情況下，莉莉卡也反射性地知道他想要什麼。

「坎塔那！」

她不能留下拉烏布。

『不行！』

幾支箭被彈開，盾牌同時破碎。盾牌破碎時，莉莉卡感覺到沉重的痛楚撼動了她的身體。

她第一次知道，如果無法用魔法完全擋下來，就會受到衝擊。

派伊回頭一看，吃驚地看到拉烏布把豹扔出去。那裡的人不多，他們拿著武器向拉烏布衝去。

莉莉卡回頭一看，她全身起了雞皮疙瘩。然後，拉烏布將人——

漫長的狼嚎聲傳來，

「嗚嗚嗚嗚——！」

派伊摀住她的眼睛。

莉莉卡大喊：「派伊·桑達爾！現在立刻回去，不然！」

「您要我們回到一隻分不清敵我、失控的狼面前嗎？再說，可能會有更多敵人。」

派伊的語氣很冷靜，他的腦袋快速運轉。還以為他會跑向森林的更深處，但派伊在另一頭已經準備好馬車了。

派伊下馬後，匆忙地對莉莉卡說：「皇女殿下，這邊請。」

莉莉卡將手放在吊墜上，看著派伊。她的小手緊緊抓著馬鬃。

「皇女殿下——」

「別過來！」莉莉卡尖聲喊道，「我怎麼知道派伊跟那些人不是一伙的？」

「那個——」

「！」

這時，遠處閃過一道光。派伊的眼睛先察覺到，一把將莉莉卡拉向自己。

倒在地上的同時，派伊用身體護住她。

砰！

「魔擊槍。」

派伊咬牙切齒。

子彈穿過莉莉卡原本的所在之處，打到樹上。派伊抱著莉莉卡，從地上一躍而起，將她像行李一樣扔進馬車裡。

莉莉卡大口喘著氣，派伊說：「那是狙擊槍。發射一次後，需要時間再次填裝彈藥⋯⋯」

莉莉卡呼吸急促地問：「是南部聯盟嗎？」

派伊說：「馬車裡裝了能抵擋魔擊槍的神器。」

另一道撞擊聲隨之響起。

砰！

「是，但我沒想到他們這麼有能力，看來是得到了某人的支援——」

派伊喃喃自語時，身旁的毯子突然動了起來。馬車駛動時，派伊快速地說：「真的很抱歉，像這樣來接您，皇女殿下，但這都是我未能預料到的事情⋯⋯這是我妹妹菲莉。」

她在石板上寫下字句，拿給莉莉卡看：

仔細一看，那並非毯子堆，而是一個人穿著有兜帽的長袍，沒有任何部位顯露出來。

聽著派伊的話，莉莉卡茫然地點了點頭。

派伊摟過毯子堆說：「抱歉，妳嚇到了吧？皇女殿下，沒事的，我先讓馬車駛動，我可不想留在這裡等著敵人。」

「對不起，皇女殿下。是我一直求我哥哥，一定要見到皇女殿下，他才答應我的。」

「見我？為什麼？」

她擦掉石板上的字，重新寫了些文字。

「**我看了《珍珠之歌》。在那之後，我就非常希望能見到作為魔法少女的皇女殿下。**」

莉莉卡直看著那些字，派伊則平靜地說：

「我妹妹活不了多久了，她已經收到了最後通牒，所以我決定不惜一切代價。」

『阿提爾說的就是這個？只是要讓妹妹見我一面？』

莉莉卡的肩膀放鬆下來。

「如果是這樣，只要跟我說一聲就好了啦。」

「因為阿提爾殿下太過戒備了……那天我也意氣用事，不小心激怒了他。」

派伊露出苦笑。

莉莉卡望向他時，派伊尷尬地回答：「我跟他說為了我妹妹，我願意做任何事，即使是和皇女殿下有關也在所不惜。」

「啊。」

莉莉卡嘆了口氣，菲莉再次把石板上的字拿給她看：

『我真的很想見到您。能見到您是我的榮幸，您真的是魔法少女嗎？』

「瑟瑟堂斯。」

銀色的蝶群突然飛到空中。派伊反射性地抓住了魔擊槍，而菲莉發出細微的聲音，朝蝴蝶們伸出手。因此，她的兜帽向後拉下，莉莉卡這才得以看見她的長相。

「！」

她驚訝得僵住了臉。

菲莉沒有鼻子，原本有鼻子的位置只有一個洞。她的眼睛比常人大，瞳孔狹長如蛇。她沒有頭髮和體毛，大約半張臉被看似鱗片的角質覆蓋著。派伊似乎察覺到了視線，拉起菲莉的兜帽，菲莉也驚慌地戴上兜帽。

莉莉卡不禁看向她的下半身，那裡的體積不足以稱為「腿」……

她努力不表現出本能性的厭惡。

『原來怪物的血脈也可以這樣表現出來……』

這麼嚴重的話，沒辦法靠莉莉卡交給陛下的寶石解決。

派伊小聲地說：「沒關係的。菲莉只有外表如此，她不會失控，是偶爾會發作……」

派伊沒辦法放鬆下來。前陣子，他妹妹被診斷出將活不過一週。儘管如此，菲莉還是說她無論如何都要見到皇女殿下。

這是一個即使活在痛苦中，也不曾鬧過脾氣的孩子的願望，他無論如何都想替她實現，即使自己被砍頭也在所不惜。

看著像蛇一樣的妹妹時，他十分心痛，同時又很安心，安心於自己沒有像這樣出生。然後，這份安心感又讓他產生難以忍受的罪惡感和自我厭惡，甚至做出極端的舉動。

這時，馬車劇烈搖晃，馬夫大叫：「有怪、怪物在追我們！」

莉莉卡緊握起拳頭。

『拉烏布！』

馬車的速度加快，莉莉卡無法決定是否應該下車。

該怎麼辦？怎麼辦才好？

「咳咳！咳、咳！」

那一刻，菲莉開始咳嗽並蜷縮起身體，派伊驚慌地轉頭看去。

「菲莉！妳還好嗎？」

「呼、呼！」

她小小的身體像發病一樣不停顫抖，派伊的臉色發白。莉莉卡緊閉上眼睛，然後又睜開。

她將吊墜握在手上。

「解除束縛。」

以吊墜為中心，出現了一個看似齒輪的圓環，然後碎裂四散。派伊淚流滿面地抬起頭。

「卡魯斯·阿蘭·尼亞爾·莫阿塔。」

這是她為了應對這種情況，事先準備好的魔法。

魔法陣不停旋轉，發出光芒。菲莉的身體隨之漸漸平靜下來。

「唔！哈啊、唔……」

菲莉的口中發出呻吟，不是痛苦的慘叫。派伊感覺到他抱在懷裡的小小身體有了變化。

就在這時，馬車再次劇烈晃動。

「咿咿咿！」

馬匹失控。

「呀啊！」

莉莉卡跌坐在座位上。

『馬車要翻覆了！』

啪嚓！

莉莉卡尖叫道：「拉烏布！」

就在那一刻，馬車的門被扯開並扔出去，派伊反射性地緊緊抱住菲莉。

與馬車並行奔跑的正是拉烏布，他露出利牙，眼中帶著光芒，他渾身都是不曉得來自何人的血，看起來既像人類又像狼，那長滿毛髮的手上長出了尖銳的爪子。

派伊下意識地對他開槍，莉莉卡奮力一跳，擋在他們之間。

「！」

砰！

莉莉卡從馬車上摔落，被拉烏布接住。同時，他用力踹上馬車的輪子。

當派伊揹著菲莉,一瘸一拐地出現在狩獵場時,氣氛瞬間凝固。不僅馬車翻覆,使他的腿受傷,再加上他揹著妹妹,因此走路速度極為緩慢。

馬夫被壓在馬車下無法動彈。更糟糕的是,森林裡正在狩獵人類,派伊剛才躲了好一陣子。天色已經黑了。

派伊對著攙扶自己的侍從說:「我有事想馬上向陛下報告。是關於皇女殿下的事。」

這時,阿爾泰爾斯推開侍從出現了。派伊能聞到他身上有股血腥味。

皇帝或許正在換衣服,一身輕便的他臉上還沾著血跡。

「發生了什麼事?」

派伊喘著大氣,感覺到揹在背上的菲莉在顫抖。

「我開槍、打中了皇女殿下——」

話還沒說完,派伊的衣領就一把抓住,拎了起來。揹在背上的菲莉被阿爾泰爾斯輕而易舉地拉開。

「陛下,我妹妹什麼都不知道,所以拜託您了。」

即使是誤殺,也是對皇族開了槍。派伊那時就已經放棄了活命的念頭,但他妹妹……

「把她帶走。」

阿爾泰爾斯將菲莉扔給侍從。長袍堆不停掙扎。

「哥哥,哥哥!」

「菲莉，沒事的，父親馬上就會來了。」

派伊被帶走時仍以鎮定的聲音對妹妹說。他被扔進帳篷裡，帳篷門被放下來。

阿爾泰爾斯坐下後說道，這時，露迪婭跟著走進帳篷。

「詳細說說。」

「聽說有人帶來了有關莉莉的消息？天啊，這是什麼樣子？發生了什麼事？」

派伊也從她身上感覺到血腥味。看她衣服上的血跡，似乎是在非常近的距離下射殺了人。

世上最美麗的皇后，依然泰然自若地站在那裡。

他有一種預感，這次不是性命問題，這件事不會安然落幕，但他無能為力。

因為這是他選擇的道路。

「派伊・桑達爾！」

隨著一聲低吼，帳篷門第三次被打開。

阿爾泰爾斯對阿提爾說：「先聽他說。情況似乎很急迫。」

派伊開始坦白地講述一切。

「徽章不聽使喚？」

阿爾泰爾斯皺起眉頭詢問後，派伊點了點頭，「是的，拉烏布閣下受到影豹攻擊之後──」

他說有一群人出現，手持著魔擊槍和弓箭攻擊他們，派伊還記得大部分他們所說的話。

他因此帶著皇女殿下逃跑，皇女殿下之後在馬車上治療了菲莉，然後遭到拉烏布攻擊。

「失控？」

露迪婭的臉色蒼白。她已經知道拉烏布失控並殺了許多人。

『我還以為他已經好了⋯⋯』

露迪婭身形一晃，阿爾泰爾斯站起身來扶住她。她的身體開始不停顫抖。

派伊接著說：「所以我不自覺地用魔擊槍對拉烏布閣下開了槍，但皇女殿下擋在他前面，摔下了馬車，之後拉烏布閣下就帶走了皇女殿下——」

他無法將話說完，因為阿提爾飛撲上來，開始對他揮拳。

「你這條毒蛇！」

在帳篷外聽到裡頭傳出嘈雜聲的桑達爾侯爵臉色發白。他接到召見而趕來，卻不被允許入內。

他緊閉著眼睛，只祈禱皇太子殿下能對他的談心朋友大發慈悲。

他很想立刻衝進帳篷裡，但他是桑達爾家的家主，不能惹怒皇帝，危及家族的存續，尤其是在他兒子射傷皇女殿下的此刻。

最後，布蘭將阿提爾從派伊身上拉開。

「殿下，他還沒說完。」

阿提爾大口喘著氣，派伊則吐出嘴裡的血，自己扳回下巴，因為他必須回答問題。

阿爾泰爾斯問：「在那之後呢？」

「我不曉得他們的情況。」

阿提爾又想一腳踹去，布蘭抓住了他。與憤怒的阿提爾相比，露迪婭只臉色蒼白地呆站在那裡，彷彿地面崩塌了。

莉莉卡的笑容不停浮現在腦海中——她在絞刑臺前露出的那張笑容。

又失敗了嗎？

該怎麼辦？該如何是好——

阿爾泰爾斯讓露迪婭站直，抓住她的肩膀讓她看著自己，之後說：「莉莉卡是魔法師，現在應該還沒事，我們馬上組織搜查隊。」

露迪婭聞言，立刻轉身說：「對，我們必須立刻找到她。」

「叫坦恩過來。」

聽到阿爾泰爾斯的話，侍從急忙離開。

在外面待命的坦恩立即走進來，他看了一眼倒在地上的派伊，向阿爾泰爾斯彎腰鞠躬。

「拉烏布失控，帶著莉莉卡逃走了。」

「！」

坦恩嚥下一聲呻吟。

「找到他們。」

「遵命。」

露迪婭說：「我也出去找。」

「我不要。」

「如果莉莉卡被其他人找到了呢？留在這裡等不是更好嗎？」

露迪婭簡短地回答後跑出了帳篷。外面傳來準備馬匹和槍械的忙碌聲音。

簡潔地回答後，坦恩立刻離開了帳篷。他的集結信號聲響起。

「遵命。」

「如果他失控了，就別刺激他！」

「彼此保持距離，確認地圖！確保沒有遺漏！」

騎上馬的阿爾泰爾斯低聲說道：「其他人都待命。」

他的聲音不大，卻響遍了整個營地。在入口處聚集的貴族們齊聲回應。

火把來回走動，組成隊伍的人們成群奔跑。

無人不知白天發生了狩獵人類的事件，關於皇女殿下陷入危險的消息也悄悄傳開了。由於沒有任何人想在這時故意惹怒皇帝，貴族們都像死人一樣乖乖地行動。大家都記得阿爾泰爾斯一登上皇位就發動叛亂的黑貂族，也清楚記得皇帝後來送了新做的黑貂皮帽子給所有貴族。

在這之中，貴族派——巴拉特這邊的帳篷內正忙著竊竊私語。

「騎士團長要被撤換了。」

「如果那傢伙出了問題，家主必須負責。」

「狼竟然失控了，這就是為什麼我說沃爾夫家族不行的原因。」

「都是一些無能之輩。」

人們私語之際，菲約爾德笑著說道：「今晚這樣聚在一起討論不太好。大家先回各自的帳篷休息吧。」

「下一次一定要安排我們這邊的人。」

「明白了。」

「這件事發展至此，您應該覺得很遺憾，小公爵大人。」

眾人紛紛表示同情。南部聯盟的殘黨是怎麼進入狩獵節的？肯定是巴拉特在背後主導的。大家都這麼認為。

其他貴族離開後，菲約爾德沉坐在椅子上，緊閉起雙眼。

「您要喝一杯嗎？」

聽到侍從詢問，他做出手勢，示意不用。雖然說是侍從，但那只不過是公爵安排來監視的。

菲約爾德忍著想立刻利用自己的能力衝出去的衝動，不斷祈禱莉莉卡平安無事。

她一定會沒事的。

必須沒事。

「因為有龍在保護她。」

他以此自我安慰，不斷動腦思考。

『巴拉特應該有與被瓦解的南部聯盟接觸，是怎麼做到的？我知道的人之中會是誰？』

對媽媽來說，他只是個像樣的作品，但巴拉特小公爵的權力很大，他正在充分活用自己的權利和魅力挖掘情報。

想到自己殺害的兄弟們，他就感到反胃。他以為媽媽會追究這件事，但她沒有這麼做，只說了一句「你太早把他們處理掉了」。

如果我告訴莉莉卡這件事，會怎麼樣呢？

奇怪的是，他覺得即使告訴皇女殿下這件事，她應該也不會恨他。她不會鄙視、恐懼或退縮，他有一種奇怪的預感，她只會淚眼汪汪地不停落淚。

她會緊緊抱住他，她的懷抱一定很溫暖。

因此，他只能深深地下定決心，不會原諒自己。

菲約爾德睜開眼睛。

『這將是一個非常漫長的夜晚。』

莉莉卡感覺到自己的肌肉和關節發出了尖叫。她睜開沉重的眼皮，眼前是石頭做的天花板。

『全身都好痛⋯⋯』

『石頭⋯⋯天花板⋯⋯？』

「嗯哼。」

她坐起身，終於看清了這裡是一個岩縫，四周一片漆黑。發出光芒的是放在她頭旁邊的收集箱。

『收集箱⋯⋯?』

她呆呆地看著收集箱,記憶慢慢變清晰。莉莉卡十分欽佩收集箱的堅固程度。雖然撈網早已不見,但收集箱內的小光點給了她勇氣。

但此刻,媽媽和爸爸都不在這裡。她需要弄清楚發生了什麼、確認情況,一切都必須自己判斷。

莉莉卡確認了自己的吊墜是否仍然安好地掛在那裡。幸運的是,吊墜還在。

她想繼續入睡,她想緊緊閉上眼睛。

『媽媽⋯⋯爸爸⋯⋯』

是時候起來了。

『那麼⋯⋯首先。』

「拉烏布?你在嗎?」

莉莉卡小聲地呼喚,她的聲音沙啞。沒有聽到任何回應,心生不安的她再次呼喚他。

「拉烏布?」

依然沒有回應。莉莉卡的雙腿使勁,站了起來。

「呀啊」

她不由自主地叫出聲來。

她搖搖晃晃地,從岩縫中探出身子。外面漆黑一片,但滿月明亮,照亮了一切。

她得知自己來到了乾涸的山谷底部。仔細看去,看到有人蹲在旁邊。

不,那不是人吧?

莉莉卡繼續平靜地說:「拉烏布,怎麼了?這裡是哪裡?啊呀啊呀⋯⋯」

看來她受了傷。她似乎因為被塞進岩石縫隙中,手腳上都是擦傷。

『啊，對了，我被魔擊槍打中了吧！』

但她看起來沒有受傷。她心裡有個猜想，拿出衣服裡的項鍊來看，當作護身符的金幣項鍊凹陷下去了。

『還好有護身符……』

金幣仍在閃閃發光，看來魔擊槍的一發子彈沒有讓護身符失效。她稍微安心了一些。

莉莉卡忍著疼痛，走近蹲著的男人。男人嚇了一跳，急忙爬到另一塊岩石的背後。

「拉烏布？」

她猶豫了一下。莉莉卡此時完全沐浴在月光下，撕裂的衣服間可以看到傷口。躲藏在黑暗中的拉烏布大喘著氣，凝視著她。他的青綠色雙眼在滿月下閃耀。

「請、請、請、請您別……過來……」

對，就在巨大的月亮下。

他抑制著想瘋狂奔跑、嚎叫的衝動，發出拚命壓抑的聲音。他甚至聽到了可怕的低吼聲，血液沸騰。

啊，主公真的好嬌小、嬌小、脆弱又柔軟的肉體。

「！」

拉烏布更向後退去。他的指甲刺進自己的脖子，他必須馬上了結自己的生命。

「拉烏布？」

但那道聲音太過甜美。

拉烏布用力搖了搖頭。為了戰勝豹，他把項鍊扯斷了，之後的記憶就斷斷續續的。

他渾身是血。殺戮、撕裂又粉碎他人。他的嘴裡嘗到了血腥味，力量擴散至全身，關節和肌肉發出吱嘎聲響。

喀嚓。他聽見一切扭曲的聲響。

但他需要更多的力量，為了找到主人，他需要更多的力量。

他找到她後，將她抱在懷裡，滿腦子只有「必須逃跑」這個念頭。

四周都是敵人，他無法做出正確的判斷。只要有動靜，他就會無條件地改變方向，所以他把主公藏進深處的岩縫中。

躲避人類。躲避自己。

拉烏布意識到自己跨過了無法返回的道路。他的外表沒有恢復。至今他至少都保持著人類的形態，但現在再也不是了。

他不再是人類了。

『又要被拋棄了嗎？』

畏懼和害怕一瞬間侵蝕了拉烏布，他的呼吸變得粗重，僅存的理智也消失了。

『啊。』

警告聲響起。她告知危險的直覺瘋狂地提醒她逃跑。

咕嚕嚕。

黑暗中傳來了低吼聲。莉莉卡吞下一口口水。若是她舉起手摸向吊墜，對方似乎就會像閃電一樣衝過來。

『該怎麼辦？』

就在那一刻，一道光閃過。

還來不及尖叫，拉烏布就倒下了。閃光一次又一次地接連亮起。

露迪婭低聲喃道，手中依舊舉著槍。

「離我女兒遠一點，你這個混帳畜生。」

莉莉卡不禁張大了嘴。

「媽媽……」

她的聲音發顫。露迪婭放下魔擊槍，對女兒露出安撫的笑。

「開槍之後才警告沒有用吧？」

「媽媽！」

莉莉卡這才大聲呼喊，一蹬地面，跑向露迪婭並抱住她。露迪婭的頭髮凌亂，臉上滿是汗水。她一直喊著莉莉卡的名字，聲音都啞了。

「太好了，真的，太好了，妳平安無事。」

露迪婭的眼淚不停從眼眶中落下。莉莉卡緊抱著媽媽一會兒後放開她。

「媽媽，我們得去看看拉烏布！」

「不行！他是怪物，所以可能還沒死。」

「這怪物真的是……」

話剛說完，就聽到低吼聲。能看到拉烏布試圖站起來的身影。

露迪婭要從腰間的槍套拔出槍時，莉莉卡阻止了她。

「媽媽，拜託您，我能治好他。」

「但是，莉莉！」

「拉烏布是想救我才變成這樣的！這一次就好，請您相信我一次，好嗎？」

聽到女兒拚命懇求，露迪婭嘆了口氣，扣下扳機。

「唔！」

拉烏布試圖撐起身子的手臂被槍打中，再次倒下。

「別靠過去，就在這裡做。」

莉莉卡迅速將手放在吊墜上。還好她提前做好了準備，永遠都要做好準備。

「卡魯斯·阿蘭尼·亞爾·莫阿塔。」

這次畫出的魔法陣比剛才的大上許多。魔法陣開始發光後，他那巨大的手臂開始縮小，奇怪的關節也開始回到原位，同時傷口也在癒合。

她使用魔法的技巧，比第一次對菲莉使用時熟練許多。她能感覺到自己的魔力流入他的體內，一一感受到其運作方式。

透過魔力的流動，莉莉卡能感覺到他的存在。

她開始用魔力慢慢融化凝結的部分。她專注起來，額頭上開始流下汗水。不久後，魔法陣逐漸消散，莉莉卡吐出一口氣。

露迪婭咬著嘴唇。

「已經結束了嗎？」

『啊，原來問題在這裡。』

修復錯位的部分，拉直彎曲的部位。

「是，結束了。」

露迪婭沒有放下槍口，用另一隻手摟著女兒說：「我真的、真的很擔心妳，莉莉，我還以為再也見不到妳了。」

莉莉卡立刻感覺全身的緊張舒緩下來，淚水不停湧入眼眶。

直到這時，她才開始渾身發顫。

「媽、媽媽……」

莉莉卡伸出手，緊抱住媽媽後，露迪婭也抱住了她。

「找到了嗎？」

這道聲音十分急切。莉莉卡哭得無法回答，而露迪婭抱著她說：「找到了。」

「有很重的血腥味。」

「我朝他開槍了。」

「啊。」

阿爾泰爾斯只說了一句話，就不再看向拉烏布。他走近過來，審視莉莉卡。

「看起來沒事。」

「沒事？她這樣看起來像沒事嗎？」

露迪婭的聲音一拉高，阿爾泰爾斯就迅速解釋：「我的意思是外表看起來沒有異常。」

「莉莉卡！嬸嬸！」

阿提爾的聲音傳來，吵雜的人群聚集而來。莉莉卡意識到自己徹底安全後，全身失去了力氣。

她一下子沉入了夢鄉。

露迪婭聽到醫生保證莉莉卡「只是太累而睡著」，終於放心下來。

洗過澡並換好衣服後，她坐在莉莉卡身邊。

露迪婭看著莉莉卡熟睡的臉龐，認真思考著。

『就這樣把她關起來吧。』

露迪婭看著莉莉卡熟睡的臉龐，認真思考著。

『就關她六年，關在一個遙遠的領地。不，不能太遠，畢竟大家都認識她，而且莉莉是個魔法師。』

『那麼，把她關在附近的一座高塔裡就好了吧？雖然很不方便，但應該很安全。』

限制進出的人，窗戶也裝上鐵窗⋯⋯

當她東想西想的時候，阿爾泰爾斯走了進來。露迪婭無動於衷地看著他，問道：「事情怎麼樣了？」

「南部聯盟那邊已解決了。都依照計畫，處理得很乾淨。」

他們藉此機會，一舉清除了可能與巴拉特合作的南部叛亂勢力，這也處理掉了消滅巴拉特計畫中的四大軸心之一。

露迪婭低聲說：「當槍口對準我時，我都覺得沒什麼，對我來說，不論受到什麼攻擊都無所謂。」

她故意安排得漏洞百出，盡量引誘對方來攻擊自己和阿爾泰爾斯。儘管風險也很高，但露迪婭不在意。那一刻十分危險，她甚至用魔擊槍開槍，進行反擊。

但阿爾泰爾斯一出現，她一切就瞬間結束了。他的手一揮，所有人跪了下來。作為敵人時，他宛如怪物，但現在他是盟友，讓露迪婭相當安心。

他是故意跟著莉莉卡，繞遠路過來的嗎？

露迪婭沒想到，他們在力量不足以對付自己的狀況下會對莉莉卡出手。是不是因為安排了拉烏布在莉莉卡身邊——她一時放心而大意了？她寧可犧牲掉自己，也在腦海裡不停計算著因為這個事件，能夠得到的利益與損失。

另一方面，她也在腦海裡不停計算著因為這個事件，能夠得到的利益與損失。儘管對這樣的自己感到厭惡，她的腦袋就是會自然而然地開始思考這種事，她也無能為力。

「這樣就除掉了與巴拉特合作的其中一軸。」

他們無法找到南方聯盟和巴拉特的交集。那群關鍵人物在行動失敗後都自殺了，剩下的都只是無用的殘渣。

另一個問題是徽章。

她不曉得對方是怎麼讓徽章失效的，只知道是在黑市購買的神器。

「所以我才想連繫上情報公會啊。」

那群不回應的傢伙讓她感到惱怒。

『那個混蛋。』

一想到公會長，露迪婭就不由得咬緊牙。

派伊·桑達爾突如其來的行動也讓她心煩。

桑達爾侯爵低下頭，聲稱他完全不知情。他帶著昏迷的兒子離開時，看起來也鬆了一口氣，因為他還活著。

而且她女兒不也是安然無恙嗎？

這樣一想，怒氣又湧上心頭。即使現在找到了莉莉卡，她的怒氣仍未平息。

但如果派伊沒有帶莉莉卡逃走……

『她應該已經死了。』

如果只有莉莉卡和拉烏布兩人，她應該早就被抓住或死去了。不，更糟一點，她可能早被失控的拉烏布撕碎了，畢竟失控初期是最危險的時候。

不知道是幸還是不幸。

要是莉莉卡沒有遇到危險，結局就很完美了。

『桑達爾完全不可能背叛了，坦恩·沃爾夫應該也不用因為拉烏布失控，辭退團長的職位隱居了。』

露迪婭看著莉莉卡的臉，莉莉卡也取得了巨大的成就。

『但比起那些，莉莉更重要。』

露迪婭咬著唇。

阿爾泰爾斯將壯碩的身體塞進她身旁的小折疊椅中，說：「妳去休息吧。」

「不要。」

「我來照顧她。」

「不要。」

「露迪。」

「她是我的女兒,我說她是我女兒。」

「她也是我的女兒。」

露迪婭抬起泛紅的雙眼看向阿爾泰爾斯,像舔舐般仔細望著他的臉。

能相信他嗎?能相信到什麼程度?

他曾想對我隱瞞莉莉是魔法師的事。

阿爾泰爾斯謹慎地說道:「我再說一次,我並不打算欺騙妳。魔法師是非常稀有的存在,所以⋯⋯」

「簡單來說,您就是不信任我吧。」

「對,那是一個非常膚淺又愚蠢的判斷。」

「不。」露迪婭的嘴唇微微上揚,「那是非常明智的判斷。」

晃動的燈光和明顯的陰影落在她的臉上,使她的表情更加深邃。

「有時我也不知道該怎麼辦。我顯然⋯⋯是個膽小鬼。」

如果她知道莉莉卡是魔法師,她可能會嚴厲地責罵她,告訴她別再使用魔法,也不要想使用,然後將這件事嚴嚴實實地隱藏起來。

她應該因為太害怕莉莉卡是魔法師的事會被人知曉,不停發抖,並思考該如何保護女兒。而她知道的方式,只有無條件隱瞞。

露迪婭的媽媽曾藉由施暴,試圖保護她。她要她乖乖聽話,不聽話就以愛之名義施暴,引導她走上正路。

現在在想想，聽起來真是可笑。露迪婭不想將那種方式美化為愛。露迪婭不想將那種方式美化為愛。

阿爾泰爾斯沒有笑，「妳不會那麼做的。」

「我想這麼做。」

「想做和付諸行動之間有很大的差距。」阿爾泰爾斯傾身靠近她，「我或許不太懂情感上的問題，但在其他方面很有自信，我比妳還了解。」

露迪婭瞇起眼睛。

『畢竟您的人生比我長了好幾倍，那是當然了。』

「是啊，你很聰明又能幹。」

阿爾泰爾斯的臉上掠過一絲為難，「我可不是在自誇。」

他的語氣中帶著撫慰。

露迪婭靜靜地看著他。阿爾泰爾斯的表情不像在看小孩耍脾氣，他平等地看著她。

露迪婭道歉說：「這是我很敏感的話題，所以反應過度了。」

阿爾泰爾斯一臉吃驚地說：「妳很聰明又優雅啊。」

「怎麼突然這麼說？」

露迪婭困惑地反問，阿爾泰爾斯就回答：「因為我們聊到了妳的敏感話題。通常人在自己的弱點被觸及時，會變得很敏感吧？但妳既有巴拉特的貴族氣質，又有桑達爾的智慧。」

露迪婭的臉頰泛紅。這只不過是她因為重生而得知的知識。

她轉過頭說：「但這些幫不到莉莉吧。」

「妳已經做得夠多了。」阿爾泰爾斯回答完，搖了搖頭，「話題扯遠了。不，應該是繞回來了吧？無論如何，莉莉卡也是我的女兒，妳不必獨自承擔。」

他的藍色瞳孔中帶著宛如在舞動的紅光。

「我發過誓了，所以在契約期間，我不會違背誓言。妳是我的伴侶，莉莉卡是我的女兒。」

龍的誓言很沉重，所以露迪婭才會刻意要他立誓，最後得到的誓言比想像中還沉重……

露迪婭伸手捏起他的臉頰。

「這是什麼意思？」阿爾泰爾斯問道。

露迪婭笑了，「沒錯，在契約期間您是我的丈夫，也是莉莉卡的父親。」

「我都不知道說過多少次了。」

她放開了手。

「我之前沒什麼實感嘛。」

龍的誓言可以相信，這也意味著這個人可以信賴。

信任某人是件很困難的事，但一旦信任對方，就沒有比這更讓人心安的事了，因為只需信任並交給對方就好。

而且，該怎麼說呢？

她不討厭聽到這樣的話，每次聽到這樣的話，她都會感到很高興。感覺心中空虛的部分被填滿了。

在覺得自己怎麼努力都做不好時，這種話很有幫助。

露迪婭一臉輕鬆地說：「謝謝您，但我希望當莉莉醒來時能在她身邊。」

『妳做得很好，現在也很出色。』

這是對阿爾泰爾斯「去休息」這個建議的回答。

他沒有說話，轉過頭去看熟睡的莉莉卡，臉色暗了下來。

「有一個讓我擔心的問題。」

「什麼問題？」

「我感覺命運正在推動她前進。」

「這是什麼意思？」

「無論是拉烏布還是菲莉，都是只有魔法師才能解決的事。而莉莉卡被捲進去後，事情就解決了。」

露迪婭的眼睛瞇起，她那與女兒極為相似的眼睛，帶著不同於女兒的冷冽光芒。

「您的意思是，莉莉卡正在被牽扯進需要魔法解決的事情中？不可能，因為——」

「因為在上一世，從未發生過這種事。

莉莉卡從未覺醒為魔法師，也從未使用過魔法。

在上一世是這樣。」

『那這一世呢？』

「或許」是莉莉卡使用魔法，讓自己回到過去。

『然後一切都改變了。』

「如果她沒有和阿爾泰爾斯結婚，莉莉卡就不會系統性地學習魔法，『莉莉是直接使用魔法回來了嗎？她該不會在付出某種代價？』

如果她用成為魔法師的使命，當作將露迪婭送回過去的代價。

「不可能，那、那種事——」

「露迪婭。」

阿爾泰爾斯握住她的手。露迪婭的身體一顫，看向他。

「妳有什麼頭緒嗎？」

他的話讓露迪婭幾番猶豫後開口：「莉莉卡可能用了改變命運的魔法……」

她的話省略了很多，但阿爾泰爾斯有點理解了。

「所以命運正在向莉莉卡索取代價？」

「有可能是這樣吧。」

「這個嘛，如果那是真的，至少有一個不壞的地方。」

「什麼？」

「那就是只要命運的要求任務沒有結束，莉莉卡就不會死。」

「這完全安慰不了人。」

露迪婭喃喃自語後嘆了口氣。儘管如此，談過之後感覺頭腦清醒了一些。命運之類的宏大話題現在已經無關緊要了。

她要做的事很明確。

她從椅子上站起來，一屁股坐到阿爾泰爾斯的腿上。他驚訝地低頭看著她。

露迪婭說：「我想依照你的期望依賴你，並尋求一些安慰。」

阿爾泰爾斯咧嘴一笑，用雙臂環住她的腰，「我過了兩年才得到了認可？」

「是啊。」露迪婭喃喃自語，將頭靠在他的肩上，「我只希望莉莉幸福。」

「莉莉卡也希望妳幸福啊。」

這句話讓她快哭出來了。但不知為何，她反倒莫名地笑了出來，悲傷地笑了。

布琳覺得最近經歷了一連串「一生難忘的事件」。這些事可以偶爾發生，但這陣子不論是好是壞都接連發生。

「喂。」布琳看著蹲坐在臨時搭建的木頭牢房裡的拉烏布，「你還好嗎？」

反正靠布琳的力氣也能折斷這些木條，這不過是形式上的牢房。

「不是，你為什麼非要堅持自己進牢房呢？我明明叫你待在帳篷裡。」

「⋯⋯」

布琳瞇起眼睛，「你是想以這副模樣引起皇女殿下的同情嗎？如果你是這樣計劃的，快放棄吧，快點出來。」

等等，你在哭嗎？」

面無表情的拉烏布眼中突然掉下淚水，讓布琳相當驚慌。她還以為拉烏布既遲鈍又堅強。

布琳隨意拔起一些木條扔掉，走進去在他身旁坐下，放下提燈。

「嗯，你是差點就失控了，但還好吧？在無法區分敵友的情況下，選擇遠離並躲起來也不算很糟的判斷。」

「⋯⋯」

看著仍在流淚的拉烏布，布琳說：「啊！煩死人了。」

然後她抓住他的肩膀，猛地將他轉向自己，驚訝的拉烏布眨了眨眼。

「如果皇女殿下會因為這種事就拋棄你，一開始就不會選擇當你護衛了，也不會接受你的誓言。你還那麼不了解皇女殿下嗎？」

這是拉烏布第一次遇到這樣對待自己的人，因此十分驚訝。他看著直視著自己的紫色眼睛，悄悄地別開視線。

布琳又說：「你又這樣。別默不吭聲的，說話啊，說話。」

「話。」

「⋯⋯你想死嗎？」

布琳的聲音變得冰冷，因此拉烏布小聲地回答：「妳看到了⋯⋯」

「看到什麼？」

「我⋯⋯變了⋯⋯」

「啊，什麼啊，你是說那個嗎？」

布琳說得一派輕鬆，讓拉烏布驚訝地看著她。

布琳說：「你現在不是好好的嗎？」

「⋯⋯」

「那就是皇女殿下使用神器把你治好了吧？如果她要拋棄你，在那裡就會拋棄你了，而且皇后的槍法也很好。」

這句話雖然冷靜，反而讓人心有戚戚焉。拉烏布偷偷地看了布琳一眼。

布琳放開手，拿起提燈，從地上站起來。

「快回去帳篷吧，不然你就繼續待在這裡白費力氣吧。」

她轉身離開了牢房。拉烏布猶豫了一下，然後跟上去。

在所有家人的照料下，莉莉卡開始用餐。雖然她受傷的地方包著繃帶，但她自製的藥膏效果非常好，傷口已經完全痊癒了。雖然還有些肌肉痠痛，但沒有那麼嚴重。直到御醫確認她完全康復後，大家才鬆了一口氣。

莉莉卡吃完飯後恢復了精神。大家都一臉擔心地看著她，莉莉卡露出充滿活力的笑容。

「我真的沒事,身體狀況也很好!」

露迪婭微微笑著:「那太好了。」

莉莉卡馬上問道:「到底發生了什麼事?派伊和拉烏布怎麼樣了?菲莉呢?還有,射箭的人是誰?」

阿爾泰爾斯和露迪婭看著彼此,阿爾泰爾斯則聳了聳肩,朝露迪婭伸出手,由她來解釋。

「射箭的人是南部聯盟的人,他們都被抓了。拉烏布正在關禁閉,派伊和菲莉也分別遭到拘留了。」

「拘留嗎?」

「嗯。」

阿提爾嚴厲地說:「到底發生了什麼事?我們已經聽了雙方的說法,現在需要聽聽妳的。」

聞言,莉莉卡誠實地娓娓道來。

派伊的請求、拉烏布被影豹襲擊、人群的出現及騷動,以及派伊帶她逃跑的經過,三人聽完她的敘述,互相看了看。

「陳述一致呢。」

「真是荒謬至極。」

阿爾泰爾斯和露迪婭嘆了口氣,阿提爾則憤怒地說:「一開始讓拉烏布擔任護衛就是錯的。我一開始就說了什麼?嗯?」

「不是拉烏布的錯。」

莉莉卡一袒護拉烏布,阿提爾的憤怒達到了頂點,他一直很擔心,因此引發了強烈的反應。

「喂,怎麼不是拉烏布的錯?如果他沒有失控帶著妳躲起來,事情就不會變成這樣啊!」

阿提爾一邊發火,一邊捏著莉莉卡的雙頰往外扯。

「很痛——」

「痛什麼？妳知道我有多擔心嗎？派伊揹著菲莉來說拉烏布帶著妳不見了⋯⋯我找不到妳，還在想妳是不是被南部聯盟抓走了。」

阿提爾深嘆一口氣，然後放開了莉莉卡的臉。

莉莉卡摸了摸被捏紅的臉頰，「我是病人耶。」

莉莉卡這麼一說，阿提爾頓時無話可說。

「也是，是我太過一了。」

「的確太過分了。」

看著嘟囔的妹妹，阿提爾鬆了口氣，放下心來。她確實安然無恙。

阿爾泰爾斯開口：「我們要繼續進行狩獵節，妳能參加嗎？」

莉莉卡點了點頭。

「叔叔。」

雖然阿提爾皺起眉，阿爾泰爾斯不以為意地說：「這時候要讓大家知道，皇室不會因為這種事而動搖，所以全部人都必須出席。」

露迪婭擔憂地看著莉莉卡說：「莉莉，妳只要稍微露露臉就好了。」

「不行！我也想繼續收集呢。」

莉莉卡從床上跳起來，證明自己的身體已經非常健康了。因為她是「塔卡爾」，所以才能吃下美食，睡在柔軟的被窩裡，既然如此，那她就得起身參加。她說過了很多次，「工作講求的就是信用」即使受了傷，她也得起來參加，那她就得起身作為塔卡爾履行職責。

「因為差點遭到暗殺，心理壓力太大而無法參加活動」這種話一點也不專業，即使在這些情況下，依舊能完成工作才是專業。

莉莉卡堅定地說完後，阿爾泰爾斯點了點頭。

「很好。」他看了看時間，「狩獵節會從中午開始，所以你們最好在那之前見一面。」

還來不及問要見誰，阿爾泰爾斯一揮手，帳篷的門打開來，拉烏布走了進來。

阿提爾和露迪婭都一臉不滿地看著拉烏布。

這感覺就像將一隻巨大猛獸的韁繩交到莉莉卡的手中，實在不好受。

不知何時會失控的存在。

「主公。」

「拉烏布！你的身體還好嗎？」莉莉卡開心地走過去問道。

拉烏布跪了下來，「對不起，我沒有保護好主公——」

「那也沒辦法啊，誰能料到會突然遭到豹襲擊？」

「所以關於拉烏布的處分⋯⋯」

「！」拉烏布倒抽了一口氣。

莉莉卡將他拉到自己的背後藏起來，說：「他是我的。」

布被她的小手拉著，不自覺地站了起來。

阿爾泰爾斯的話讓莉莉卡跳了起來，拉起跪在地上的拉烏布手臂。雖然靠她的力氣不可能拉得動他，但拉烏

莉莉卡又說：「他是我的人，拉烏布是我的人，所以我會懲罰他並負起責任。」

「對吧？拉烏布是我的人⋯⋯拉烏布？你在哭嗎！」

驚慌的莉莉卡急忙拿出手帕。阿提爾咂舌一聲，露迪婭則嘆了口氣。

看到那麼壯的男人淚流滿面，他們突然覺得自己成了罪大惡極的壞人。

「沒事的，你怎麼了？」

「對不起，這、我總是……」

「看來沒事了呢。」阿爾泰爾斯以驚訝的表情說道。他的情緒不受控制地逕自翻湧著。情緒這麼激動洶湧時，怪物的血液也會一起失控。然而，現在的拉烏布即使沒有莉莉卡送的控制器，也非常正常。

莉莉卡說：「因為我對他施了魔法，現在已經沒事了。」

如果把它比喻為疾病，那就等同於康復了。

阿爾泰爾斯的表情中混雜著異彩，他與露迪婭交換了眼神後說：「那麼，拉烏布的處置交給莉莉卡決定吧。至於桑達爾……妳自己帶著拉烏布去看看吧。」

「這太荒唐了！」

阿提爾表示不滿，但阿爾泰爾斯搖了搖頭，他就緊緊閉上嘴。

莉莉卡笑著說了聲「謝謝！」，然後帶著不再哭泣的拉烏布前往桑達爾的帳篷。

一路上，莉莉卡環顧了四周，然後說：「拉烏布，我有件事想拜託你。」

「不論什麼事，只要是主公吩咐，我都願意遵從。」

莉莉卡聽完後輕笑了一下，「就是菲約爾德。如果我和他見面，你能不能遠離我們十步的距離？」

「您是說巴拉特小公爵嗎？」

「嗯，不管菲約爾怎麼做都不要靠近。說好了喔？」

「但是……」

「拉烏布，我們是誰？」

拉烏布聞言，疑惑地歪過頭。

莉莉卡踱著腳說：「真是的，我們是覆盆子同盟吧？」

「啊。」

莉莉卡又問：「我們是誰？」

「覆盆子同盟。」

「對，覆盆子同盟的成員不怕摘覆盆子，並且總是信任同盟成員。」她笑了笑，「菲約也是同盟成員，所以你也要信任他，就像我信任你一樣。」

拉烏布慢慢垂下眼簾，之後說：「我沒辦法像主公信任我一樣信任他，但我會努力的。」

「那就夠了，謝謝你。」

「不客氣。」

拉烏布搖了搖頭。如果她不信任他，那他現在還會在這裡嗎？不會，他應該早就被獵殺而死了。既然這樣的皇女殿下信任另一個人，那他該相信對方才對。

他們一來到桑達爾的帳篷前就受到了熱烈的歡迎，並被帶進裡面。

莉莉卡在轉眼間坐到上座，面前擺著一排箱子。

「這是什麼？」

莉莉卡驚慌地環顧四周時，一位身材高大的男性走進來。她一眼就認出了是誰。

『桑達爾侯爵。』

在他身後，派伊和菲莉也進來了。莉莉卡十分驚訝。

「派伊？你的臉怎麼了？」

派伊的臉腫得幾乎認不出來。派伊本來想笑，但放棄了，因為用這副模樣笑會很奇怪。

「發生了很多事。雖然看起來很可怕，但我沒事。」

「看起來不像沒事啊⋯⋯」

「沒事的。四肢和首級都還健全，是很寬容的處置了。」

聽到他輕笑著這麼說，莉莉卡再次見識到了貴族的膽量。

桑達爾侯爵拱手深深鞠躬，這是南部地區特有的禮節。

「我對皇女殿下線上深深的感謝，多虧了您，我的孩子才得以保住性命。來，菲莉，向殿下致謝。」

聞言，站在旁邊的菲莉立刻掀開兜帽。莉莉卡的表情亮了起來。

「妳好多了！」

「是的，皇女殿下，這是託您的福。」

菲莉現在是一個普通的少女，瞳孔依舊直立狹長，但這不算什麼。她的頭髮也長長了，和派伊一樣的米色頭髮長及肩膀，眉毛也完全長出來了。

她長得非常可愛。

菲莉也拱手說道：「是皇女殿下救了我的性命，所以我的命是屬於殿下的了。要殺要活，都聽從皇女殿下的旨意。」

如果莉莉卡是男人，侯爵或許會請莉莉卡將她帶回去當妾室或侍寢侍女，但是莉莉卡是女性。

在莉莉卡對菲莉的話感到困惑時，桑達爾侯爵說：「您也可以讓她當侍女，或是讓她打雜。」

莉莉卡一臉氣呼呼地打斷他：「這可不行。」

她托著下巴說：「我幫菲莉治療純粹是出於好意，不是想要她的性命。」

她不想再增加自己的責任，有拉烏布一個人就夠了。

她表明拒絕的意向後，菲莉反倒跪下來說：「我有自信能做好任何事，皇女殿下，拜託您了。」

莉莉卡皺起眉。

『我不想收人了……嗯……對了!』

莉莉卡決定不再糾結。有其他人可以解決這個問題不是嗎?

她獨自工作時,從未想到這個想法,然而,一想到那雙弄亂她頭髮的大手,這個想法就自然而然地浮現了。

『交給陛下處理吧。』

她問菲莉:「為什麼要做到這個步?」

「桑達爾有恩必還。」

聞言,莉莉卡點了點頭,然後她仔細地考慮一番後抬起頭來。

「因為我救了妳的命,所以交由我處置,是嗎?」

「是的。」

莉莉卡甚至提到了沃爾夫,因此他們無法否認。她說的是正確的。

「妳說妳是桑達爾啊,桑達爾的負責人是桑達爾的家主,不就是侯爵嗎?就像坦恩是沃爾夫的家主一樣。」

「什麼?」

「那妳的負責人是侯爵嗎?」

侯爵回答後,莉莉卡說:「那妳的負責人是侯爵嗎?」

「是的。」

「那侯爵應該負起責任,怎麼可以讓這麼小的孩子承擔責任呢?」

儘管是一個十歲孩子說的話,卻十分有道理。

「我也是塔卡爾,所以,這件事不是我和妳的事,而是塔卡爾和桑達爾的事,就留給侯爵和陛下處理吧。」

莉莉卡迅速地把這當成「大人的事」推掉了。侯爵倒抽了一口氣,而派伊露出曖昧的笑。

他當然會另外向皇帝陛下請罪,但如果皇女殿下接受了菲莉,情況會有所不同。然而,她沒有這麼做。

派伊心想,這位皇女殿下看似很隨便,卻沒有任何疏忽。

莉莉卡說：「我會送藥膏給派伊的。這肯定是阿提爾做的吧？」

聽到莉莉卡的話，派伊低下頭，回答：「我沒事，這是我應得的懲罰。」

「我不喜歡這樣，比起這種模稜兩可的東西，我更喜歡明確的報酬。我一到皇宮就送藥膏給你。」

派伊聞言笑了笑，但因為嘴角的撕裂傷而止住笑意。如果讓阿提爾聽到，肯定又會大鬧一場，所以派伊不打算擦藥膏，但還是表示感謝。

「謝謝您，皇女殿下。」

莉莉卡從座位上站起來，「那麼，話都說完了嗎？」

「啊，還沒有。皇女殿下，請您收下放在面前的那些盒子。」

打開那些雕刻華麗的盒子一看，裡面滿是各種寶石和稀有香料。而且不止一兩個，而是超過了十個。

「我本來想和菲莉一起獻給您，但請您至少接受這點心意。這是派伊對皇女殿下做出失禮行為的小小賠罪。」

「啊，那我就收下了。」

莉莉卡從不拒絕贈予她的東西。

「皇女殿下，我真的很想待在您身邊。」

菲莉躊躇地走上前。她斟酌的詞語片後，突然抬起頭來。

她緊握雙手，雙眼發光。皇女殿下施展魔法的樣子不曉得會有多迷人？而且，她現在也恢復了健康。整個家族昨天都悄悄流下了歡喜的淚水。這讓菲莉非常高興。如果陛下想處罰她，菲莉甚至看到菲莉的模樣，桑達爾侯爵只抱著她哭泣。不需要再看到家人因為她而受苦，又擺脫了死亡的恐懼，這讓菲莉非常高興。如果陛下想處罰她，菲莉甚至幸福到死也瞑目，因為就算只有一天，她也度過了完美的一天。

而且，這一切都是皇女殿下賜予的。

而且，皇女殿下和《珍珠之歌》中的主角一模一樣。對於幾乎能背誦那本書的菲莉來說，她想盡可能待在莉

莉卡身邊。

莉莉卡說：「妳不要來當侍女或女僕，改天跟派伊一起來玩吧。」

「好的，是的！」

菲莉露出滿臉笑容。

莉莉卡揮了揮手，離開桑達爾的帳篷時，拉特跟了上來。她疑惑地回頭看著他，拉特小聲地說：「皇女殿下，我們稍微走走吧？」

「嗯。」

拉特偷偷瞥了一眼拉烏布。莉莉卡注意到後，示意拉烏布走遠一些，拉烏布就精準地退了五步。

莉莉卡和拉特靜靜地走了一會兒，漸漸遠離了營地。

雖然還未到中午，但夏日的陽光非常炙熱，兩人走到樹蔭下。樹枝垂下形成的拱門之間，陽光如砂粒一般灑落。空氣中飄散著舒服的樹木芬芳，傳來鳥兒輕快的歌聲。

當他們享受這柔和的沉默時，拉特開口：「皇女殿下，時間不夠。」

「謝謝您。」

莉莉卡轉頭看向拉特，「沒事，幸好我的神器能治癒她。雖然從你的眼神來看，似乎沒有完全治好。」

「這樣就足夠了。那孩子能用雙腿走路，能在人前露面說話……不對……」拉特搖了搖頭，「她還活著就是奇蹟了。」

「是啊，她突然不舒服也讓我嚇了一跳。雖然派伊的行為很任性，但要不是他，可能就來不及了。」

「我都不曉得桑達爾的血脈中流著如此魯莽的基因。不過，做出那種事應該會付出相對的代價。」

拉特淡然地談及自己的姪子，彷彿不關己事。但莉莉卡知道他還是很體貼，輕聲笑了笑。

這句話聽起來像在說「我知道你是個好人」，拉特就看著她笑了。

拉特看了她一眼，莉莉卡就戲弄他地說：「拉特，你說得這麼冷靜，其實還是很擔心吧。」

他笑了笑後說：「不久前，家主與巴拉特公爵曾密切地會面。」

莉莉卡停下腳步，立刻轉頭看向拉特。

「我不知道他們是怎麼知道的，但他們甚至知道菲莉的存在和她的病。巴拉特的根真的既深又廣呢。」

在莉莉卡的目光下，拉特仍然淡定自如地繼續說：「嗯，內容很簡單，就是有藥可以改善不合格者的狀態。」

這位皇女殿下真的⋯⋯

「！」

莉莉卡非常驚訝。

「而且聽說藥效中，也能讓人恢復人類的樣貌，所以家主親自去確認了。」

拉特微笑著繼續說：「家主為了不明確的代價，她臉上帶著極其認真的表情。而巴拉特想要的是『僅只一次的協助』。」

「這種事可以告訴我嗎？」

「正因為是皇女殿下，所以我才說的。」

拉特頓了一下，凝視著莉莉卡，他的心情變得十分輕鬆。

『僅只一次的協助』。

拉特笑了，這句話聽起來輕巧，實則沉重。

「那麼，你們拿到藥了嗎？」

「不，還沒有。」

「那就好。」

「嗯，即使拿到了也不錯，我們應該有時間分析它。」

「這個我倒是沒想到。」

莉莉卡輕笑著。

莉莉卡歪了歪頭，「如果有這麼好的藥，拿去賣不是更好嗎？而且他們到底想要你們幫忙什麼呢？」

若是露迪婭聽到，應該能夠理解，並心想「啊，果然是這樣。桑達爾背叛的原因就是這個」，但莉莉卡當然不得而知。

連只是隱約猜到的拉特也只嘟囔了一句「天曉得」。

他接著說：「而且，這種藥是用錢也買不到的，畢竟生命無價。」

「確實如此。」

「所以，菲莉康復的事，我們打算保密。」

拉特將食指放在嘴邊，勾起微笑。

莉莉卡點了點頭，小聲問道：「不過，這件事可以告訴其他人嗎？」

「這就交給皇女殿下判斷了。我只是在散步時聊到這些而已。」

「原來是這樣啊。」

「就是這樣的。」

拉特看著這位以不以為意的態度及表情，阻止了一個大麻煩的皇女，恭敬地向她致意後離開。

莉莉卡在腦海中整理著這些情報，心想必須在忘記之前趕緊告知陛下。

『聽說巴拉特擅長製藥，原來他們真的能製造出各種藥物。』

路途中的樹種似乎變了,開滿了潔白花朵,散發出甜美的花香。那些如葡萄串垂下的潔白花朵,在風中輕輕搖曳。

在那搖晃的花影下,菲約爾德如畫一般靜靜站著。

他看到莉莉卡,表情頓時亮了起來。

「哇──」

莉莉卡悄悄回望走過的路,然後看向前方。樹枝垂下形成的拱門仍未到盡頭,受到走完這條路再回去的誘惑驅使,莉莉卡邁步前進。現在仔細一看,原來這條小徑是一個大大的U字形,將營地圍繞於其中。

「菲約!」

莉莉卡滿臉笑容地跑過去,菲約爾德也快步走向她,聲音顫抖。

「莉莉,您沒事吧?有沒有哪裡受傷?」

「嗯,我沒事。」

莉莉卡刻意轉了一圈給他看。

菲約爾德緊緊抓住莉莉卡的手。由於兩人的身高差距,他必須深深彎下腰,那雙美麗的金紅色眼瞳直望著她。周圍是寧靜的風聲、甜美的花香和破碎的陽光。

菲約爾德嘴唇微張,低聲說:「雖然沒事了,但您應該很害怕吧。」

莉莉卡的眼中慢慢盈滿淚水。菲約爾德輕輕地抱住她,莉莉卡也直望著他。

她很害怕,真的很害怕。

但是如果坦承自己很害怕,大家都會擔心。她不想再讓已經夠擔憂的媽媽擔心了。

我沒事的,我沒事。

真的沒事。肯定沒事的,雖然沒事,但⋯⋯

還是很害怕。

我沒事，但很害怕。我沒事，但渾身發抖。

莉莉卡開始啜泣。菲約爾德的懷裡有股柔和的花草香，她將熱淚盈眶的臉埋進他冰涼光滑的衣襬中。莉莉卡感受到他的手臂緊緊抱住自己，流下眼淚又鬆了一口氣。

她將所有壓抑的情緒都吐露出來後，身體頓時失去力氣。她稍微抬起頭來，菲約爾德用手撫過她被淚濡溼的臉頰。

莉莉卡吐出一口氣。

「謝謝你，菲約。」

「為什麼要謝我？」

菲約爾德微笑著把她抱起來，兩人的目光交會。他看起來像個瘦弱的少年，身體卻十分穩健強壯。

莉莉卡抓住他的肩膀，而菲約爾德露出微笑。

「您也總是讓我感到歡喜啊。」

「哭泣也算嗎？」

「是的，您讓我非常高興。」

莉莉卡一臉不解地看著他，但他只是笑著。

「我的小鳥皇女殿下。」

聽到這句低語，莉莉卡紅了臉頰，她用手掌摀住菲約爾德的嘴巴。

菲約爾德瞪大了眼睛，而莉莉卡嘟囔地說：「好難為情。」

菲約爾德咧嘴一笑，那笑容很調皮，就像阿提爾捉弄她時的笑。

「不行喔，你又想捉弄我吧？」

莉莉卡沒有放開手，菲約爾德露出了尷尬的表情。

「你不會捉弄我對吧？」

菲約爾德點了點頭。

莉莉卡輕輕放開手後，菲約爾德說：「我從來沒有捉弄過莉莉啊。」

莉莉卡瞇起眼睛笑了，似乎明白了菲約爾德在人群中這麼受歡迎的理由。

「那你說的話都是真的嘍？」

「那當然。」

「我明白了。」莉莉卡點點頭，「我對菲約爾也不會說謊。」

菲約爾德聞言後說：「我覺得不只是對我，您對任何人都不會說謊。」

「嗯，因為沒什麼需要說謊的時候啊。不過我說不會對菲約說謊，就是不會說謊。」

莉莉卡的話讓菲約爾德笑了，「這樣就夠了。」

莉莉卡捏著菲約爾德的雙頰，說：「菲約說話總是習慣不說清楚，那不是一件好事，如果有什麼想要的就直說吧。我們是誰？」

「是覆盆子同盟。」

菲約爾德回答得很流利，讓莉莉卡露出滿臉笑容。

對，這樣才對嘛！

菲約爾德看到皇女殿下露出寫著「有什麼願望就告訴我，我都會幫你實現」的表情，苦惱著應該說些什麼。

他想說的話非常多，但那些話彷彿都堵在喉嚨裡，說不出口。

清澈的藍綠色眼眸直勾勾地望著他，菲約爾克制住想移開視線的衝動。

他非常小聲地說：「秋天時，會舉辦盛大的節慶。」

菲約爾德將身體向前傾，示意他繼續說下去。

菲約爾德只做出嘴型。

『我們要一起去嗎?』

「好啊。」

「真的嗎?」

「嗯,我們說好了。」

菲約爾德聽到莉莉卡的話,露出燦爛的笑容,「好的,那就說好了。」

他沒想到莉莉卡真的會答應一起去。他的心已經奔向那個即將到來的節慶了。

只有那個時候,首都會解除宵禁,一整晚的氣氛都相當自由。

菲約爾德轉了一圈後放下她。他敏銳的耳朵捕捉到其他人的聲音,拉烏布似乎也聽到了,目光固定在那個方向。

「那我先走了。最好別讓其他人看到我們在一起。」

莉莉卡現在明白了這句話的意思。比起她,菲約爾德肯定會因此更加為難。

『巴拉特公爵。』

雖然只見過一次,但那個目光仍讓她記憶猶新。莉莉卡低聲對菲約爾德說:「如果有人欺負你就告訴我。別看我這樣,我可是皇女殿下。」

「謝謝您。」

菲約爾德很是遺憾,因為他找不到合適的話來表達。該怎麼跟妳說,妳的存在已經用各種方式保護了我呢?菲約爾德不知道該如何表達,因此他只說了聲感謝。

腳步聲越來越近,他立刻彎下腰,在莉莉卡的額頭上輕吻了一下,然後消失在樹林中。

「!」

那感覺就像柔軟的花瓣掠過。莉莉卡摸著自己的額頭時,拉烏布急忙走過來。

人們這時才出現。揹著獵槍交談的貴族們看到莉莉卡,鞠躬致意。莉莉卡點點頭致意後,走過這些貴族面前,

走回帳篷。

每個遇到她的人都直望著她，好像在打量她是否真的平安無事。

莉莉卡回到帳篷後，向阿爾泰爾斯和媽媽坦承了在桑達爾發生的事情，以及拉特告訴她的一切。

露迪婭摸摸莉莉卡的頭說：「做得好。話說回來，巴拉特居然有那種藥⋯⋯」

「啊啊，我女兒真聰明，真是個天才。」

露迪婭平靜地斷言。事實上，桑達爾背叛的原因正是因為他女兒。

如果是以前，露迪婭可能會認為只是為了女兒，桑達爾差點就在背後捅了我們一刀。

露迪婭解決了這件事，桑達爾背叛的心情。比起這件事，將家族當作籌碼的巴拉特公爵更令人惱火。

所以她十分能理解桑達爾侯爵的心情。比起這件事，將家族當作籌碼的巴拉特公爵更令人惱火。但她也有莉莉卡不是嗎？

「但是，真的有那種藥嗎？」

露迪婭抱著莉莉卡低聲說道。當然，從桑達爾的背叛來看，那種藥應該有效，但效果應該不像莉莉卡的魔法那麼驚人。因為如果是那樣，菲莉應該會出現在社交場合。

但在上一世中，菲莉都不曾出現在社交圈中。

阿爾泰爾斯微微一笑，那笑容銳利如刀，「我知道巴拉特在搞什麼把戲。」

提到巴拉特，莉莉卡的耳朵豎了起來，露迪婭也看向他。

阿爾泰爾斯說：「沒有那種藥。與其說是治療，那頂多只能減輕痛苦或是略微延長壽命而已。」

「原來如此。」

這是合理的判斷，露迪婭點頭認同。另一方面，她對桑達爾會為了這點小事就背叛阿爾泰爾斯感到不解，但馬上就想通了。

『畢竟如果是為了莉莉，我也會做任何事。』

一想到莉莉，她就能理解。

「巴拉特在搞什麼把戲呢？」莉莉卡壓抑不住好奇心問道。

阿爾泰爾斯悠然地回答：「等我確定再告訴妳。」

莉莉卡點點頭。她是很好奇，但得到確切的情報更重要。

就在這時，阿提爾走進帳篷說：「快中午了，馬上就會吹響號角，重新開始狩獵節了。然後小不點，妳從現在起就待在我身邊。」

「您不是說要去抓老虎嗎？我想成為收集王。」

「不行。」

「現在拉烏布已經沒事了，您還是擔心的話，我也會帶布琳去，而且不會和其他孩子分開。」

「不行。」

莉莉卡像兔子一樣瞪了一下，「那阿提爾也跟我一起來吧。」

「什麼？」

「您擔心的話就要跟著我走才對啊，不是嗎？」

莉莉卡不打算放棄獲勝。

阿提爾皺著眉頭，壓低聲音說了聲「喂」後，莉莉卡露出天真的表情。

「不然，就按照『皇帝陛下』的意思行事吧？」

「妳——」

無話可說的阿提爾抱起雙臂。是要在每年一次的狩獵節中追著孩子們跑，還是英勇地完成狩獵呢？緊皺起眉頭。

這位十四歲少年站在重大抉擇的分岔口，露迪婭說：「阿提爾，你就安心地參加狩獵節吧。迪亞蕾說她會和莉莉卡一起去。」

「啊……」

不屈的迪亞蕾。

最近她的劍術實力進步飛快,在見習騎士中名列前茅的事也時有耳聞。

阿提爾一臉不滿地點點頭:「既然嬸嬸這麼說了,那我明白了。」

莉莉卡馬上站到媽媽身邊,對他吐出舌頭。

「我們走吧?」

阿爾泰爾斯站起來,向露迪婭伸出手。兩人走在前面,莉莉卡和阿提爾就小聲嘀咕著跟在後面。

「即使發生了『不光彩的事件』,也不能因為『小騷亂』結束狩獵節。」

阿爾泰爾斯以此宣布狩獵節的第二天開幕。

這次莉莉卡的團隊中有拉烏布、布琳、迪亞蕾,派伊爽快地說。

迪亞蕾則驚訝地對派伊說:「你的眼睛、舌頭和手指都沒事嗎?看來最近皇帝陛下心情很好呢。」

莉莉卡對這句話不太高興,但派伊不在意地點了點頭,「這都是多虧了皇女殿下。」

「畢竟拖著這樣的身體去拉烏布狩獵太勉強了。」派伊爽快地說,連派伊也加入了。

「啊,原來如此。我懂了。」

迪亞蕾滿臉笑容地大聲說:「真不愧是皇女殿下。」接著,她仔細打量了拉烏布。

「哼。」

迪亞蕾吐出意味深長的聲音,之後緊緊握住莉莉卡的手,「那我們走吧?皇女殿下必須成為贏家。」

「迪亞蕾,妳沒關係嗎?妳不是說要抓到老虎嗎?」

「沒事的,沃爾夫家的失誤就該由沃爾夫家來補救。」迪亞蕾露骨地看著拉烏布說。

莉莉卡說了句「不對」,拉住迪亞蕾的手。

她瞪大眼睛說：「拉烏布不是沃爾夫家的，他是我的，所以不需要由沃爾夫來負責。」

她說得十分堅決，讓迪亞蕾皺起眉頭。

莉莉卡疑惑地看著她心想：『迪亞蕾到底為什麼這麼討厭拉烏布？』

迪亞蕾嘆了口氣，勾起笑容。

「好吧，就算不用負責也沒關係。雖然我的名譽很重要，但皇女殿下對我來說更重要。來，快走吧。」

「嗯，聽到妳這樣說，我更高興。」

聽到莉莉卡坦率的話，迪亞蕾笑得十分燦爛，「而且我是您的談心朋友啊！」

「是啊。」

迪亞蕾小聲低喃：「而且是同盟成員。」

「沒錯！」

莉莉卡興奮地揮舞著網子，迪亞蕾則笑得合不攏嘴。

沃爾夫家很享受屬於某個地方的歸屬感。坦白說，如果在沃爾夫家中被視為「局外人」，就意味著他的精神上出現了嚴重的問題，不知何時會失控。

所以迪亞蕾非常珍惜可愛又討喜的「覆盆子同盟」。

派伊說：「好了，我們快點出發吧。再這樣下去會落後的。」

「嗯！」

莉莉卡活力十足地回答，走在前面帶路。派伊儘管拖著腳，也能順利地跟上。

第二次收集螢火石，因為團隊成員增加了，收集過程變得更加有趣。迪亞蕾晃動樹叢，莉莉卡就不斷揮舞網子，收住飛起的螢火石，拉烏布也會讓她坐在肩上，抓到高處的螢火石。而派伊絕對不會迷路，他帶領大家到適合吃點心的地方，讓大家圍坐下來享用點心。點心是甜蜜清爽的檸檬磅蛋糕、冰涼的牛奶，以及夾著高級火腿和起司的三明治。

大部分都是迪亞蕾和莉莉卡在聊天，偶爾派伊也會插個話。

他們在小溪旁享用午餐，然後暫時脫下鞋子踩踩水。這時，他們發現水中也有螢火石，因此將裙子緊緊綁起，用網子在水中撈。

莉莉卡將布琳因為陽光強烈而幫她緊緊戴上的遮陽帽脫下，掛在後頭，專心地捕捉螢火石。其他孩子也開始四處探頭探腦。當迪亞蕾發出低吼，試圖趕走他們時，莉莉卡阻止了她。

「你們要一起抓嗎？雖然太陽很熱，但水很涼快。」

在莉莉卡的邀請下，孩子們一個接一個靠過來。

派伊很清楚每個家族和孩子的背景，所以只笑著觀察局面。而迪亞蕾緊緊跟在莉莉卡身旁，強烈地表達出「我是與皇女殿下最親密的人」。

在這種情況下，莉莉卡也隨和地與孩子們交談。大家都感覺到氣氛和緩下來。

莉莉卡展示了幾個魔法後，孩子們的眼睛立刻亮了起來。儘管背負著家族重責，但他們還是孩子，特別是那些讀過《珍珠之歌》的孩子，一轉眼就被莉莉卡迷倒了。

所有人都想與莉莉卡交談，莉莉卡也和每個人交談，連最害羞的孩子都不感到疏離，如願與莉莉卡交談。

自然而然地讓大家和諧相處是莉莉卡的天性。

有幾個人舉手說：「我知道螢火石最多的地方在哪裡。」

一行人開始齊齊移動。

「聽說最近首都的咖啡沙龍很厲害，有名的作家也都在那裡。」

「對，我長大後也想去看看。聽說藝術家們會在那裡聚在一起，討論問題呢。」

「不知道紫水晶作家會不會也在那裡？她可能正在寫《珍珠之歌》呢。」

「我要索取簽名！」

「我也要，我也要。」

「皇女殿下，我訂做了一條和皇女殿下一樣的巴尼爾裙襯，非常舒服又好穿。」

「對啊。」

「皇女殿下，您有了神器，所以不學劍術嗎？」

「希望能和您一起切磋。」

「啊，您吃過最近流行的糖漬水果嗎？」

「對，因為糖變多了──」

最近流行的衣服、食物還有音樂，孩子們聊起許多話題。在這期間，孩子們還是很認真地揮動著網子。而注重儀容的孩子們比起揮舞網子，更專注於細心觀察同齡人，畢竟他們到了政治聯姻的年紀。

有幾個孩子好奇地問莉莉卡：「對了，皇女殿下，您和巴拉特小公爵很熟吧？」

「嗯，不算陌生。」

聽到莉莉卡的回答，女孩們嬌羞地笑著。

「他對您很溫柔嗎？」

「天啊，他對所有人都很溫柔的事，在社交圈裡早就傳開了吧。」

「對，但我還沒跟他說過話，所以很好奇。」

莉莉卡歪過頭，「大家都對菲約爾德很感興趣呢？」

「那當然。」

「巴拉特是大家的初戀啊。」

在遠處聽到的一個男孩這樣說完，大家都笑了。

「對啊。」

「沒錯。」

「是啊。您看看現在的小公爵，不也是一樣嗎？」

「聽說現在巴拉特公爵在社交圈裡非常活躍，非常受歡迎。」

由於派系之爭，他們無法結婚。此外，光是聽到關於巴拉特的傳言就讓女孩們退避三舍。因此對許多人來說，談論在社交圈裡毫無交集，又引人注目的美麗對象——以及他的家族是非常有趣的事。

莉莉卡聽到了許多事，比在帕爾塔上聽到的還多。

八卦總是令人深感興趣，所以揮動網子的速度自然就變慢了。

莉莉卡打斷那些惡意中傷的話，說：「不過，最美的是我媽媽。」

孩子們一時想起露迪婭皇后，都點了點頭。

莉莉卡露出滿臉笑容，「對吧？媽媽是世界上最美的！」

一個孩子總是會說自家父母是最棒的——但沒有任何人反駁這句話。

因為客觀來看就是如此。

「是的，皇后殿下真的非常美麗。」

「那頭金色的頭髮，我還是第一次見到這樣的金髮，真的像融化的黃金一樣。」

「皮膚白得像牛奶，眼睛也非常美。」

大家都嘆了口氣。

「但是皇帝陛下不也很帥嗎？」

「即使和皇后殿下並肩站著，也一點都不遜色。」

「兩位真是相配。」

莉莉卡想到她的爸爸第一人選，點了點頭。

在這期間，莉莉卡也非常努力地揮舞著網子。當她的收集箱變重且開始閃閃發光時，遠處傳來了告知狩獵結束的號角聲。知道該回去的孩子們遺憾地看了看彼此，那眼神說著還想再玩一會兒。

然而，冷靜的布琳整理了局面。莉莉卡也有一樣的感覺。雖然狩獵結束了，但能不能多玩一會兒再回去呢？

「皇女殿下，我們該回去了。」

儘管心裡滿是「再玩一會兒吧」的想法，莉莉卡還是忍了下來，點點頭。

「嗯，大家一起回去吧。」

被孩子們團團圍著，莉莉卡回到了營地。當她到達時，狩獵隊伍已經回來了。阿提爾正騎在馬上，皺著眉頭。

「怎麼？她和一群孩子一起玩嗎？為什麼大家都聚在一起？」

這是因為莉莉卡身在孩子群裡。

布蘭輕聲笑了，「因為皇女殿下很受歡迎嘛。」

「啊，對，我就沒那麼受歡迎。」

阿提爾抱怨著，騎著馬走向莉莉卡。

孩子們迅速往左右兩邊讓出道路。騎馬穿過人群是很失禮的行為，但沒有人敢對皇太子說什麼。

「抓到很多了嗎?」

聽到阿提爾的問題,莉莉卡點了點頭,舉起了收集箱給他看,「我抓到了很多吧?」

莉莉卡笑著回答後,阿提爾面無表情地說:「上來。」

「什麼?」

「我說上來。」阿提爾輕拍了拍他的馬鞍前面這麼說。

莉莉卡有些疑惑。她環視了一圈孩子們,然後說:「我先走了。今天玩得很開心,明天再見。」

「是,皇女殿下。」

「今天玩得非常愉快。」

「希望您路上平安。」

「是的,很好玩。」

孩子們紛紛屈膝、彎腰鞠躬,恭敬地問候。

莉莉卡還不能自己踩著馬鐙上馬,所以拉烏布幫助她坐上馬鞍。

等莉莉卡坐到自己的身前,阿提爾策馬問道:「玩得這麼開心嗎?」

「喔,好吧。」

阿提爾是希望莉莉卡和其他孩子好好相處,但實際看到莉莉卡與其他孩子們開心地玩耍後,他卻不怎麼開心。

要是表現出來,感覺自己就像個心胸十分狹窄的人,但他在莉莉卡面前會不由自主地流露出來。

莉莉卡靠在他的胸膛上說:「下次我想和阿提爾一起去。」

「我是小孩嗎?」

「所以等我再長大一點,到時候就能一起狩獵了啊。那樣我們就可以一起狩獵了,對吧?」

聽到莉莉卡的話,阿提爾想像了一下那個情景。只是想像兩人一起騎馬狩獵的模樣,他心裡就有股暖意。

「妳什麼時候長大？」

「很快就長大了。」

阿提爾聞言，「哈！」地嘆了口氣，但是在這期間，心情好多了。

「所以，她這是想和我一起狩獵的意思，對吧？」

稍微策馬加速回到皇家帳篷時，露迪婭剛從馬上下來。阿提爾急忙下馬，莉莉卡也是。

「嬪嬪。」

阿提爾恭敬地打招呼，莉莉卡則跑了過去。

「媽媽！」

「莉莉，妳玩得開心嗎？」

「是的，您看這個！」

剛從馬上下來的露迪婭抱住莉莉卡，而莉莉卡炫耀著裝得滿滿的收集箱。

「真的抓了好多喔。我家莉莉真棒。」

「媽媽呢？您玩得開心嗎？」

「當然。來，看看這個。」

露迪婭從口袋裡拿出一個小木雕。是一隻老虎。

莉莉卡瞪大了眼睛，來回看著木雕和媽媽，「您抓到老虎了？」

「對啊，畢竟我是莉莉的媽媽嘛。」露迪婭輕笑著說。

莉莉卡不斷驚嘆。這麼說來，拉烏布也是百發百中呢。

站在旁邊的阿爾泰爾斯咧嘴一笑，揉亂了阿提爾的頭，「你呢？」

「我只有這些⋯⋯」

他悄悄拿出木雕——是一隻豹和兩頭鹿。

「還不錯。」阿爾泰爾斯點了點頭。

在那個年齡層中，很難找到能與之匹敵的對手。

「陛下呢？」

聽到莉莉卡這麼問，阿爾泰爾斯拿出了兩隻熊和一隻豹的木雕。這些木雕都可愛到令人想收集起來，當成擺設。

遠處傳來幾個人的呼喊聲，阿爾泰爾斯說：「今年有很多人受傷呢。」

「可能因為很久沒狩獵，技術生疏了。」露迪婭聳了聳肩。

莉莉卡有些遺憾地說：「我還做得不夠好。」

「這是因為您昨天沒有抓到很多，但今天幾乎追上了。只要您明天再努力就會贏了。」布琳鼓勵她。

每個人抓到的動物數量和螢火石數量都依照家族，分別統計出來。

塔卡爾裡只有莉莉卡一個人去收集螢火石，所以即使整體數量最少，但個人成績相當高。

不久後，一名侍從收走了木雕和收集箱。

「嗯！」莉莉卡用力點了點頭。

第三天也平安無事地結束了。收集比賽的最終勝利者是莉莉卡。

雖然狩獵組有些爭議，但最終由阿爾泰爾斯和露迪婭共同獲勝。

阿提爾雖然感到很可惜，但他的成績在那個年齡已經很好了。

菲約爾德則因為莉莉卡平安無事，兩人還約好要一起去參加節慶，所以根本不在意。

拉特多抓了一隻兔子。他下定決心，下次一定以更大的差距獲勝。

讓阿提爾感到惱火的，是他只比菲約爾德·巴拉特多抓了一隻兔子。

這場對所有人來說都很滿意的狩獵節落幕了。

CHAPTER. 10
覆盆子同盟

露迪婭驚醒過來。

『嗯嗯……?』

她還來不及看清自己身在何處,就被周圍的人群推擠著。

她看不清周遭人們的長相和身形,廣場上搭設了絞刑臺,有一個人正走到上頭。露迪婭一下子就明白這是何時何地了。

我又回來了嗎?

「莉莉卡!」

露迪婭大喊。長相稚嫩的莉莉卡臉色蒼白地站在絞刑臺前。

「不對,不可以!」

露迪婭用盡全力大喊著,努力向前走去。

「是我!是我啊!叛國的是我!我的女兒什麼都不知道,真的什麼都不知道!莉莉卡!莉莉!」

她大聲喊著,聲音卻被周圍的聲音蓋過。就算拚了命想往前走,也因為人群而無法向前進半分。

「殺了她!吊死她!」

此刻,人群像黑色的浪潮或泥塊,想穿過人群的腳步感覺十分沉重。露迪婭大喊著:「不要,不可以,住手!停下來!」淚水不停流下,雙眼發燙。

她像個小孩一樣大喊著,但劊子手似乎沒有聽到,將繩子套在莉莉卡的脖子上。

「殺了她!」

「殺死叛徒!」

求求你,住手。

「莉莉卡!」

彷彿聽到了她的呼喚，莉莉卡的目光終於看到了露迪婭，就像那天一樣。

視線交錯的那一刻，莉莉卡勾起一絲微笑。

「不行，不行——」

她拚命地掙扎，卻無法向前一步。即使如此，她仍無法停下腳步。

下一秒，絞刑臺的踏板消失……

「！」

露迪婭連尖叫聲都發不出來，猛然睜開了眼睛。

「妳好像作了惡夢。」

聽到低沉的聲音，她茫然地轉過頭去，一張陌生的臉孔低頭望著她。

她的心跳加速，全身冒著冷汗。

「露迪婭？」

低語聲再次傳來，她這才回過神來。

「阿爾泰爾斯。」她簡短地回答，深吐出一口氣。

他的手撫過她溼漉漉的頭髮，「妳沒事吧？」

「我作了一場可怕的夢。」

「感覺是這樣沒錯。」

阿爾泰爾斯沒有詢問夢境的內容，從床上起身，披上睡袍，親自倒水並遞給露迪婭。

她的指尖仍在微微顫抖。啜飲一口水後，她將杯子放到床邊矮櫃上，走下床說：「我得去看莉莉。」

她穿上外套這麼說道，阿爾泰爾斯沉默地點了點頭。

莉莉卡正在熟睡。看到女兒在安全又柔軟的床上沉睡的臉，露迪婭放鬆下來。

阿爾泰爾斯長長地吐出一口氣，環抱住露迪婭的腰，讓她靠在自己身上。

露迪婭毫無反抗地靠著他。沉默地看著莉莉卡好一會兒後，露迪婭說：「現在我只剩下莉莉了，現在我只有⋯⋯」

她緊咬著嘴唇。

她其實很想衝過去，將魔擊彈打進巴拉特公爵的腦袋裡，如果這樣能結束一切，她會這麼做。

『但事情不會那麼簡單就結束。』

況且那樣一來，她會因為謀殺罪被捕，而莉莉卡將會孤單一人。所以，這次她必須完美地打敗敵人，不讓自己和莉莉卡受到傷害。如果這次無法取得毫無損傷的勝利，那就是她輸了。

露迪婭陷入沉思。

在巴拉特的各種手段中，除了露迪婭已知的最大王牌「貴族派」，還有共四個主要籌碼。

第一個是南部聯盟，尤其以桑達爾的背叛為重，第二個則是樹海魔獸。

『第三個是雷澤爾特，第四個現在無法觸及。』

她想撫摸女兒圓潤的臉頰，又害怕吵醒她。露迪婭思考了一會兒，平靜地問：「阿爾泰爾斯，您去過樹海地區嗎？」

「去過啊。」

她回頭一看，阿爾泰爾斯輕笑一聲：「迷失了，因為樹海的混亂是由魔法造成的。」

「龍應該沒有迷失方向吧？」

露迪婭聽到這出乎意料的回答，轉身看向他，阿爾泰爾斯接著解釋：「我施了魔法，讓樹海的魔獸沒辦法離開。」

「我完全不知道。」

「那我再問一個問題。」

「因為這是在留下紀錄前的事了。」

他看著露迪婭，露迪婭問道：「在樹海中的魔獸裡，有您無法戰勝的存在嗎？」

阿爾泰爾斯咧嘴一笑，「沒有。」

露迪婭輕笑了一聲，「這句話真令人安心。」

「話說回來，我們會需要對抗樹海的魔獸嗎？」

「也許會啊。」

她這麼說完，阿爾泰爾斯注視著她。不知道露迪婭是怎麼解讀他的目光的，「啊」了一聲。

「我絕對不是想依賴您。畢竟您現在是人類，會受傷、會疲憊，也需要睡眠吧。」

請不要給自己太大的壓力。

阿爾泰爾斯睜大了眼睛，然後大笑出聲。不對，是差點大笑出聲，因為露迪婭馬上摀住了他的嘴。

「會吵醒莉莉的。」

阿爾泰爾斯忍住笑意，他反倒輕咬了一下露迪婭的手指。

「！」

露迪婭因為太過驚訝，僵在原地。就算是被路過的狗咬，也不會這麼驚訝才對。

他眼中帶著笑意，放開她的手指，但接下來有個炙熱、溼潤的——

「阿爾泰爾斯！」

露迪婭無法大喊出聲，但嘴唇微微地動了動。她用力抽回手，他就放開她，用雙臂緊緊抱住她。

「我第一次聽到有人告訴我不要給自己太多壓力。」

他在她耳邊低語,露迪婭則在他懷裡不斷掙扎。

「等一下——」

「噓!」

會吵醒莉莉卡的。

充滿不滿、螢光色的雙眼向上瞪視著阿爾泰爾斯。一股複雜的情感湧上心頭。

對他來說,這股感情既複雜又難以理解。他只能提出一個問題。

「我該拿妳怎麼辦才好?」

聽到這句話,露迪婭抬起下巴,「您不是說過您會愛我嗎?」

「啊。」

阿爾泰爾斯咧嘴一笑。

「我不知道妳希望我愛妳呢,那我得現在立刻疼愛妳才行。」

「不,我不是那個意思——」

喀嚓!

阿爾泰爾斯和露迪婭的身影一瞬間從莉莉卡的臥室消失了。

片刻後,布琳進來環顧四周,幫莉莉卡蓋好被子後說:「兩位感情真好呢。」

看著依舊熟睡的皇女殿下,她不由自主地笑了。

「請作個好夢。」

「轟隆隆！」

「下雨了⋯⋯」

莉莉卡將下巴放在窗臺上，望著窗外嘆了一口氣。原本晴朗的天氣宛如假象，就在她想選定採摘覆盆子的日期時，天空就開始下起了雨。

原本她還擔心再繼續下雨，果實都會被雨水打落，但烏朗安慰她不必擔心。

她本來開心地摘採覆盆子，做些果醬、糖漿，還有最近流行的糖漬水果⋯⋯但越期待就越失望。不過也因此爭取到了一點時間，莉莉卡和阿提爾才得以完成徽章。

七寶燒製成的覆盆子徽章帶著真的很誘人的紅色，翠綠的葉子也很美麗，下方的鑰匙形狀亦是精緻無比。

雖然這是阿提爾提議的點子，但莉莉卡非常喜歡這個徽章。

然而因為下雨的關係，他們無法進行活動。無奈之下，她只好把徽章放入信封，寄給其他同盟成員。

她拿出擺錘，並問：「明天還會下雨嗎？」

擺錘畫出了一個圓形，莉莉卡垂下肩膀。

「後天也會下嗎？」

畫圈。

「大後天呢？」

畫圈。

「下週會停嗎？」

畫圈。

「停下來！」

莉莉卡雙手合十，祈求下週天氣一定要放晴。

「唉。」她不禁嘆氣。

拉烏布看著無精打采的主公，焦急不安，而布琳說：「您要不要去散步？」

「散步？但外面在下雨耶。」

「就算只是在走廊上走走，心情也會好很多的。」

「啊！」

「是這樣嗎？」

莉莉卡高興地跳了起來，在走廊上看著外面的雨景走動，光想就很有趣。雖然有趣……

「不會遇到很多貴族嗎？」

「像最近這種經常下雨的日子，應該很少人會進宮。而且，我們可以去一些人煙稀少的地方。」

她的腳步聲在宮殿內迴盪。

莉莉卡迅速起身準備。

走廊上寂靜得驚人，只有吵雜的雨聲。走廊邊緣的部分被雨打溼了，但雨水沒有噴進內側。周圍靜得出奇，遮掩住庭園的水霧和雨聲傳進耳裡。

「真好……」

莉莉卡喜歡與人相處，但她也喜歡這樣寧靜的時光。她走著走著就停下腳步，凝視著雨絲。

「而且下起這樣的雨時……」

她想起了菲約爾德。被雨淋溼的菲約爾德，和他那對容易破碎的雙眸。

這時，走廊的另一端傳來腳步聲。莉莉卡不假思索地抬起頭後，僵在原地。

『巴拉特公爵？』

她身邊難得沒有跟班，獨自一人。莉莉卡察覺到拉烏布和布琳的緊張感提高了。

216

莉莉卡看著她走近。和之前一樣，巴拉特公爵隔著一段距離停下來。她依舊沒有打招呼，默默地俯視著莉莉卡。

只有雨聲在耳邊作響，兩人沉默地對視著。

誰會先開口呢？

莉莉卡率先開口：「妳為何遮住眼睛？」

在這種毫無人煙的地方，進行這種較量也毫無意義。

即使不是面對皇帝、皇后或皇太子，面對皇女，巴拉特公爵也應該恭敬以待。

「因為眼睛是心靈之窗。」

她冷冰冰地回答，但這是個真誠的回答，沒有迂迴或譏諷。

巴拉特公爵微微歪著頭說：「沒有比被人看透心思更不愉快的事。」

「這樣啊。」

疑惑解開後，莉莉卡感到內心暢快。看來解開她的面紗後，不會顯露出魔眼或者奇怪的瞳色。

「那妳去忙妳的吧。」

莉莉卡這麼說完，正要經過她身邊時，巴拉特公爵開口：「您不好奇嗎？」

莉莉卡停下腳步。

巴拉特公爵面無表情地轉過頭來看著她，「我是說，您父親的下落。」

莉莉卡的表情僵住。

令人驚訝的是，聽到「父親」這個詞時，她想到的既不是阿爾泰爾斯，也不是其他父親候選人。

而是那位乘船離去，一直未歸的父親。

總有一天，他會乘船歸來。

看到莉莉卡的表情，巴拉特公爵微微一笑，「您不想知道嗎？」

莉莉卡努力不垂下視線，直視被蕾絲遮住的眼睛。她緊握拳頭說：「皇帝陛下出了什麼事嗎？」

巴拉特公爵沒有說話，只是默默地看著莉莉卡。

「如果您好奇，請隨時連絡我。」

「我想我比公爵更了解皇帝陛下的事。」

巴拉特公爵有一種奇怪的感覺。她沒有年輕到會因此生氣，也不認為自己的修養如此不足。但她非常不愉快，這個小女孩有種深層的特質，讓她本能性地感到反感。是因為那個神器嗎？

神器魔法少女。

讓人感覺像成了魔法師的神器。如果它真的有讓她看起來像魔法師的效果，或許會令人感到不悅。真正的魔法師必須是純種人類，而巴拉特想要完全脫離人類。對完全不同的存在抱有的敵意，肯定是自古以來就根深蒂固的。巴拉特公爵如此總結自己的不悅感。

她很久沒有如此不愉快了，巴拉特公爵難得多說了一句：「我想請您幫一個忙。」

「什麼事？」

「別弄髒了我的作品。」

莉莉卡一時不解地皺了皺眉，但很快就明白了她是在說菲約爾德。公爵像在提醒她似的繼續說道：

「菲約爾德是我的作品，身在烈火中也不會被燒毀的優秀作品，您試圖破壞它的行為讓我很不愉快。」

轟隆隆！

莉莉卡的氣勢一變，她的眼裡開始燃起藍色的火焰。

遠處閃過一道閃電，接著一聲微弱的雷鳴聲響起。

「我也不喜歡欺負菲約爾德的人。」

莉莉卡想起他的傷勢。那些長時間積累下來的傷痕、深刻的疤痕。

這是她第一次帶著敵意面對某人。

巴拉特公爵優雅地歪過頭：「如果是別人，那能說是欺負，但如果是我碰自己的所有物，我更願意稱之為打磨。」

「妳說所有物？」

「是的，他是我懷胎十個月生下來的，是我的所有物。」

莉莉卡無話可說。她呆愣地看著巴拉特公爵，說：「我再次意識到，『合理』是種個人的認知。」

莉莉卡嘆了口氣。這世上就是有這樣的人，他們認為自己是對的，用只有自己覺得合理的理由來武裝自己。

與這樣的人爭辯，只會說到嘴痠而已。

莉莉卡說：「我認同菲約爾德。」

不論是否需要打磨，或者他是否是個傑作。無論他是什麼，她都認同他的存在。

那一刻，巴拉特公爵差點說出「妳算什麼？」，但她忍了下來。

她張了張嘴又閉上，當她再度張開嘴時，一道清亮的聲音傳來：「大家都聚在這裡呢。」

突然聽到這個聲音，莉莉卡回頭一看，站著那裡的是打扮優雅的露迪婭。在陰雨綿綿的天氣中，她的金色頭髮宛如灑落了光芒。

莉莉卡感覺到全身放鬆下來。

露迪婭走過來，將手放在莉莉卡的肩膀上，並對巴拉特公爵微笑，「妳遲到了。」

「哎呀，糟了。」巴拉特公爵打開懷錶看了看，「大概晚了三十秒呢。我向您致歉，皇后殿下。」

「因為天氣這麼糟，我本想出來迎接妳，沒想到妳正在和我女兒說話呢。」

「我正想和她說說我女兒的事。」巴拉特公爵勾起淡淡的微笑,「我打算將我放在鄉下的女兒帶回首都來。」

「哎呀,我沒聽說過妳有女兒啊。」

「呵呵,我私下藏了一個女兒。」

巴拉特公爵若無其事地說道,就像在談論自己藏起來的契一樣。

「那我得先走了。希望妳度過愉快的時光,皇女殿下。」

巴拉特公爵和露迪婭像親密的朋友,並肩走過走廊。

莉莉卡注視著她的背影。思緒雖然很亂,但她最先想到一個詞。

「父親。」

她的話讓莉莉卡感到掛心,因為她覺得巴拉特公爵不是會提起不重要話題的人。

「父親。」

莉莉卡緊握起拳頭,咬起嘴唇。

雨聲嘈雜地迴盪在走廊上,拉烏布小心翼翼地問:「主公,您還好嗎?」

莉莉卡抬頭看著拉烏布,灰藍色的眼眸裡滿是擔憂。他平常都會待在一步之後,不會這樣詢問莉莉卡⋯⋯這意味著我們變得很親近了嗎?還是說,我的臉色看起來有這麼糟糕?

莉莉卡勉強地笑了笑,拉烏布的臉色頓時變得更陰沉。見狀,莉莉卡真心地笑著搖了搖頭。

「我沒事。看到有人關心我,讓我有了一點精神,能露出笑容。謝謝你,拉烏布。」

「您過獎了。」

拉烏布這才放心似地勾起微笑。他一開始肯定以為莉莉卡是在強顏歡笑,覺得自己「沒幫上忙」,但真的是多虧了他,莉莉卡才振作了起來。

在任何情況下,知道有人站在自己這邊,總是能帶來力量。

「布琳。」

「是,皇女殿下。」

「能幫我調查一下我父親的事情嗎?」

「遵命。」

布琳沒有猶豫,也沒問原因,更沒有勸阻。

莉莉卡看著布琳笑了,「謝謝妳。」

「對我來說,皇女殿下的要求永遠是我的首要任務。」

莉莉卡感覺心情輕鬆了一些。與其什麼都不清楚,了解一下情況會更好。

這時,她才感覺到手腳有些冰涼,明明是夏天,她的身體卻不停發抖。

布琳將帶來的薄披肩披到莉莉卡身上,說:「您的身體都發冷了,我們快回房間吧。」

「嗯。」

當她踩著輕鬆的步伐回到房間時,阿提爾正在裡面等著。他就像待在自己的房間一樣隨意,莉莉卡早已習慣了。

她一進門,阿提爾就尖銳地問:「喂,妳還好嗎?」

「阿提爾?發生什麼事了嗎?」

「妳還問發生了什麼事,皇宮裡都在傳妳和巴拉特公爵對話的消息啊。」

「什麼?那裡沒有其他人啊。」

「沒有看見人不代表真的沒有人。」

「啊,我聽她說了一堆不是忠告的忠告,所以,嗯……」

莉莉卡不知該如何解釋,只看著阿提爾。

阿提爾拉高聲音說:「妳到底為什麼要和那種人說話?還在沒有人的地方。妳到底以為自己有幾條命啊?」

雖然他皺著眉頭、嘴裡說著責備的話，但她知道他是在擔心自己。心底感到一絲暖意，莉莉卡慢慢爬上沙發，坐到了他的腿上。

「怎麼了？發生什麼事了？」

她像是鑽進他懷裡一般緊緊抱住他，阿提爾的手就自然而然地抱住了她。

「巴拉特公爵說了什麼？」

「她說了很多事，所以我心情很糟，但阿提爾像這樣在這裡等著我，讓我打起了精神。」

「不是，所以我說，妳一開始為什麼要跟她講話啊？」

「因為我很好奇她為什麼要用蕾絲遮住眼睛啊，難道阿提爾不好奇嗎？」

「哈！」阿提爾簡短地笑了一聲，「妳真的天不怕地不怕。」

「因為有拉烏布在，布琳也在。」

「就算是這樣，妳還是不知道那些人會在什麼時候使出什麼手段。她到底說了什麼？」

莉莉卡將所有話一五一十地告訴阿提爾後，阿提爾只說了一句話：「瘋子。」

他搔搔頭，「我也會調查一下妳父親的事。雖然我不認為叔叔會不知道巴拉特公爵知道的事⋯⋯」

「是的，但我還是希望這件事能對其他人保密。」

聽到莉莉卡的話，阿提爾咧嘴一笑，「我知道，別擔心。」

阿提爾說了句「就相信我吧！」，粗魯地揉了揉莉莉卡的頭。他非常喜歡妹妹只信任自己，主動鑽進自己懷裡的舉動。

「話說回來，巴拉特公爵竟然有個女兒，不知道她又是在哪裡『製造』出來的。」

「不是『生』出來的嗎？」

聽到莉莉卡的問題，阿提爾笑了笑。關於巴拉特的壞話，他可以說上三天三夜，但現在要說的話會讓人作惡

夢，他不想讓年幼的莉莉卡聽到這種話。

「誰管她用哪種方式。」阿提爾隨便回答後，轉移話題，「對了，妳知道秋天有個大慶典嗎？」

「知道。」

「我們一起去吧。」

「嗯⋯⋯」

阿提爾頓時無法回答，只看著阿提爾。

莉莉卡輕輕笑了笑，「怎麼？高興到說不出話來了？稍微偽裝一下就沒人認得出來了。」

「是啊。」

「那就太好了。」

「怎麼？」阿提爾瞇起眼睛，他的直覺非常敏銳，「是誰？」

「什麼？」

「除了我，妳到底要和誰一起去──」

阿提爾突然止住了話。

「巴拉特？」

雖然只是一句疑問，但莉莉卡的表情表露無疑。阿提爾傻眼地緊緊抓住莉莉卡的肩膀。

「妳瘋了嗎？是真的嗎？妳要和菲約爾德‧巴拉特去慶典？只有你們兩個？給我清醒一點！」

那傢伙竟敢用長相來勾引我妹妹？

莉莉卡努力安撫激動的阿提爾，「我當然打算帶拉烏布一起去。」

「那當然！那妳打算怎麼得到允許，嗯？」

「什麼？不，我想說到時候直接去……」

「哇，妳真的是。」阿提爾氣得腦袋發麻，把臉湊近莉莉卡，「跟我一起去吧。」

「好的，我們一起去。」

完全看穿莉莉卡想法的阿提爾尖銳地說：「不是，我是說妳和菲約爾德·巴拉特去慶典時，我也要一起去。」

反正慶典會持續一段時間的話，可以一天和阿提爾去，另一天和菲約爾德·巴拉特去慶典時，我也要一起去。

叫他別開玩笑了。」

「啊，嗯，如果你把菲約爾當成同盟成員的話。」

「菲約？還叫得這麼親密？」

「阿提爾。」

即使咬牙切齒，阿提爾仍「呼──」地吐出一口氣，然後說：「好吧，我會把他當成同盟成員尊重。」

「我知道了。那我也會去問問菲約爾德的意見。」

「那傢伙的意見有什麼重要的。」

「很重要。」

莉莉卡這麼說著，搖了搖頭。

「好吧，就先這樣決定了。」

阿提爾這麼說完，莉莉卡則笑著環上他的脖子。

「謝謝您。」

「別來這招。」

「不，真的很謝謝您。」

莉莉卡知道他是為了她讓步，這是值得感激的事。她親了一下阿提爾的臉頰。

阿提爾咬緊嘴唇，皺起眉，「妳是從哪裡學來這些的？」

莉莉卡呵呵笑著，把臉埋在他的肩膀上說：「下週天氣會很好，到時候我們就去採好多好多覆盆子。」

「好好好。」

他隨口回應，但要拿來裝果醬的玻璃瓶是阿提爾訂做的。

阿提爾看了一眼窗外的雨。

「希望天氣好起來。」

那是一個成熟夏末的迷人天氣。太陽帶著比盛夏濃郁的蜜色光芒，天空中的積雲如同層層堆疊的香草冰淇淋，被金色光暈圍繞。

花園中飄盪著成熟覆盆子的甜美香氣。所有人都對這座祕密花園讚不絕口，也稱讚了烏朗，烏朗則謙遜地接受了大家的讚美。

「一開始整理時，大家都有幫忙。」

「對，除了拉特和坦恩以外。」

莉莉卡一邊說著，一邊分發訂製的水桶。阿提爾看到來參與的人後，低聲對莉莉卡說：

「如果不知情的人看到，應該會以為我們是在策劃叛亂。」

這也無可厚非，因為被稱為帝國左右手的騎士團團長和宰相正站在一起，拿著水桶。還有巴拉特的繼承人、皇女、皇太子及沃爾夫家備受期待的見習騎士，陣容豪華無比。

「咳。」莉莉卡咳了一聲後低聲說：「這就是覆盆子同盟的潛力。」

「說得真可怕。」

阿提爾輕聲笑了，望向完全煥然一新的祕密花園。這座他本來以為不會再度開放的花園，如今變得很美麗，而且有很多人。就算和以前的他說這件事，他應該也不敢相信。

莉莉卡也一一分發她訂做的圍裙給大家。迪亞蕾穿上圍裙後笑道：「這太可愛了。」

「穿上同樣的衣服後，感覺就像是園丁聚會呢。」

聽到拉特這麼說，莉莉卡更正道：「是覆盆子。」

而已經摘食了一兩顆果實的坦恩問道：「對了，皇女殿下，您沒有邀請您的父母親呢。」

「嗯，他們的地位太高了。」

大家會感到不自在吧？

聽到這句話，拉特呵呵笑了，「說得也是。」

派伊接著問：「但皇女殿下，摘覆盆子需要什麼勇氣嗎？」

「嗯，烏朗說覆盆子的樹叢中有很多蛇。」

聽到這句話，所有人都不由自主地向下看了看樹叢，而莉莉卡笑著說：「所以要得到果實，就需要勇氣。」

「我很勇敢的。」

「那當然，因為妳是覆盆子同盟的成員啊。」

聽到莉莉卡的話，迪亞蕾抬起自己的腿說：「而且沃爾夫對普通的蛇毒免疫。」

「真的嗎？」

「是的。」

「皇女殿下您──」

拉特快速低下視線，看到她穿著堅硬的靴子後鬆了口氣。

果然，侍女不會讓她隨便穿衣服。

莉莉卡高舉起拳頭說：「大家要摘很多覆盆子喔，然後吃完午餐，我們就做果醬和糖漿。」

光是想想就很有趣，大家一起提著桶子走進樹叢裡。

「好了，菲約，來這裡。」

莉莉卡馬上拉住菲約爾德的手腕。菲約爾德被拉著走，但仍然笑著。

迪亞蕾立刻生氣地問道：「您為什麼只照顧菲約爾德？」

「因為沃爾夫有兩個人，桑達爾也是，塔卡爾也是，只有巴拉特是一個人啊。所以得照顧他一下。」

迪亞蕾不得不看了看被邀請來的人們。她不知道該怎麼回答莉莉卡，但她迅速站到她身邊。

「我也要一起摘。」

「嗯。」

畢竟覆盆子有很多。

菲約爾德沒有說什麼，而迪亞蕾、莉莉卡和阿提爾繼續聊著。遠處的拉特將手放在嘴邊大喊：「皇女殿下，坦恩吃的比摘到的還多呢。」

「喂！」

莉莉卡笑著揮揮手，看到坦恩抓著拉特的衣領搖了搖。

「嗯，只要裝滿水桶就好了。」

她想起不久前，兩人的關係很是緊張，肯定是為了菲莉的事，幸好兩人又變要好了。

莉莉卡這麼想著，鬆了一口氣。

迪亞蕾問莉莉卡：「對了，皇女殿下，您讀過《珍珠之歌》了嗎？」

「嗯,布琳幫我買來了。是很有趣,但……」她莫名地感到十分難為情,無法讀完。

「這次它會改編成非常大型的戲劇喔,我們一起去看吧?」

「真的嗎?」

「對,真的。票非常難買,但我好不容易拿到了兩張。」

「我要去,我要去。」

「好的!」

迪亞蕾笑得合不攏嘴。她費盡力氣拿到票值得了。

「啊,」派伊說:「我聽說那個票很難買到呢。」

「我是徹夜排隊買到的。」

莉莉卡驚訝地看著一臉得意的迪亞蕾。

「哇——」派伊笑道:「用體力擊敗阻礙很像沃爾夫的作風呢。」

迪亞蕾尖銳地回答後,派伊眨了眨眼道歉:「我無意讓妳不開心。」

「沒關係。」迪亞蕾點了點頭。

「啊,我不喜歡那種說法。」

坦恩說道:「迪亞蕾,妳需要控制一下脾氣。不久前,妳還揮拳打了小孩呢。」

「家主大人!」

莉莉卡好奇地問:「妳打人了?」

迪亞蕾的臉頰紅了。

「是的,但是是他們先惹我的。」

「妳因為生氣打了人嗎?」

「嗯……是的……」

「迪亞蕾一生氣就會出手嗎?」

「……」

迪亞蕾緊抿起嘴。莉莉卡笑著將一顆覆盆子放到她的嘴邊。

「我不是在指責妳,是在問妳。」

「對不起。」

「為什麼?迪亞蕾不需要向我道歉喔。」

「她當然得向妳道歉,畢竟她是妳的談心朋友。」一旁的阿提爾說道。

莉莉卡踮起腳尖,也把一顆覆盆子塞進他嘴裡,說:「我不是在問阿提爾。」

迪亞蕾說:「我一時忍不住……因為他們說了皇女殿下的壞話。」

「啊,那妳打得很好。」

阿提爾說著「什麼啊?原來是這樣啊」點了點頭,菲約爾德也笑著說「那就該打」,只有莉莉卡慌張地說:

「不對,你們兩個,這樣是不對的。」

然後她問迪亞蕾:「那個人比迪亞蕾強嗎?」

「不,我更強。」

「果然,到處都有人說迪亞蕾很強,這次狩獵節時,妳的成績也很好。但我認為強者不能欺負弱者。」

迪亞蕾愣了一下。她從未這麼想過,但皇女殿下的話並沒有錯。

因為她是強者。

「是,我明白了。」

迪亞蕾決定，以後對待弱者時要謹慎一點。

在不遠處的樹叢中豎起耳朵偷聽的坦恩小聲說：「真是青春啊。」

「是啊，看起來很不錯。」

「不過，皇女殿下一點也不像那個年紀……」

「是嗎？桑達爾在那個年紀的孩子。」

「不對，你要這麼說的話，沃爾夫在那個年齡早就能赤手空拳，打壞十塊木板了。」

拉特笑了，「我明白你的意思。她有種溝通能力，不會讓對方感到不舒服。」

坦恩點了點頭，看著同齡孩子們一起採摘覆盆子的情景，非常愉快。坦恩和拉特都很清楚，這是因為有皇女殿下在他們之中，才造就了這種畫面。

聽到拉特這麼說，坦恩聳了聳肩，「還有一位巴拉特呢。」

「很顯眼。」

「確實很顯眼。」

「不過，覆盆子同盟畢竟是推薦制的。」

拉特將一顆覆盆子扔進嘴裡，酸甜的味道在口中擴散。每天被文件纏身的他，難得有閒暇時光。

「我是不是也該種些覆盆子呢？」

讓頭腦放空到能思考這種無聊的事令人十分愉快，拉特輕笑了一下。側頭一瞥，看到坦恩忙著吃覆盆子。

「如果裡頭也有桑達爾家的人就好了，迪亞蕾和拉烏布都是沃爾夫。」

「他看起來不像狼，更像熊吧？」

北部明明也有覆盆子，為何他看起來極了很少吃到覆盆子的人？拉特搖了搖頭。

採果實的過程中，每隔一段時間就會有休息時間。每次休息，都會端上冰淇淋、冰覆盆子果汁和輕食。

孩子們在樹蔭下比較著彼此桶子裡的覆盆子，吃吃喝喝，而為了坦恩和拉特，也準備了新鮮的鮮奶油和覆盆子，以及冰鎮香檳。

拉特看著冒泡的香檳，嘆了口氣，「真想辭掉宰相的職務，到覆盆子同盟工作。」

「我也這麼想。」

他們重新開始採果實時，動作已經變得很熟練，速度更快了。

「菲約。」莉莉卡站在他身旁，一邊採摘覆盆子一邊低聲說：「我們之前有說過一個慶典吧？」

「是。」菲約爾德回答後，不安地回問：「發生什麼事了嗎？我們不能一起去了嗎？」

「不，不是那樣的。是被阿提爾發現了，他說要一起去。」

「啊。」

雖然很遺憾，但這也無妨。菲約爾德欣然接受了。

莉莉卡感到很抱歉，又說：「聽說慶典會持續好幾天。我們可以一天和阿提爾一起去，再找一天自己單獨去。」

「！」

意想不到的好消息讓菲約爾德倒抽一口氣，而迪亞蕾突然插話：「你們在聊什麼？」

莉莉卡平靜地回答：「我們在說巴拉特是大家的初戀。」

「！」

菲約爾德驚訝到再次跳了起來。他當然沒有真的跳起來，是肩膀顫了一下。

迪亞蕾也瞪大了眼睛，「那是什麼意思？」

「咦？上次狩獵節的時候，大家不是這樣說過嗎？說巴拉特是大家的初戀。」

「是這樣沒錯，但那又怎樣？」

迪亞蕾的翠綠色眼睛微微瞇起。

雖然迪亞蕾的態度莫名尖銳，讓她不解，但莉莉卡老實地繼續說：「我跟他說，看到菲約爾德就能理解那句話的意思了。」

「什麼？」

菲約爾德反倒困惑地問後，莉莉卡點了點頭。

「看菲約爾德對我的態度就能馬上明白吧。他對其他人也很親切，不是嗎？看就知道了。不過，我不覺得那位巴拉特公爵會對其他人那麼親切……」

迪亞蕾一副既放心又不安的表情，菲約爾德則是面露複雜之色，說：「所以我覺得在巴拉特家中，菲約爾德可能是最受歡迎的？」

從遠處看來，即使無法聽到對話內容，從他的態度也能看出他對周圍的人很溫柔。在這之中，他竟然說「請您別認為我也會用對您的態度對待其他人」。

「啊，是嗎？那你只對我特別親切嗎？那也不錯。」

哈哈！莉莉卡開玩笑似地一笑置之。

一旁，派伊放下幾乎裝滿的桶子說：「啊，但是皇女殿下也是大多數人的初戀吧？」

『真不愧是眾人的初戀。』

她自然而然地點了點頭。

「哦？」

莉莉卡驚訝地轉過頭，看到派伊咧嘴笑著說：「我們這邊也有很多孩子喜歡皇女殿下喔。迪亞蕾莫名一臉難過地嘟囔：「沃爾夫這邊也有。」

「但妳為什麼會露出這種表情呢？」

「因為我希望只有我認識皇女殿下。」

迪亞蕾不悅地回答，派伊則凝視著莉莉卡。

如精心修剪的胡桃木一般柔順的棕色頭髮、美麗的藍綠色眼睛、端正的五官。雖然不像巴拉特或是皇后那麼華麗，但她有著不遜色於此的力量。

如果那兩個人是牡丹或芍藥，那麼皇女殿下就像鈴蘭吧。以及她那堅定而溫和的態度。

「過一段時間，您一定會收到很多告白的。」

派伊肯定的話讓莉莉卡的臉頰紅了。阿提爾在一旁開玩笑地說：「因為她是世界上最可愛的莉莉卡啊。」

「阿提爾！」

她大喊了一聲，但阿提爾只是笑了笑。

「怎麼了？我說得沒錯啊，嬸嬸每天都這麼說妳吧。」

「那個，是沒錯，但是……」

莉莉卡不禁瞄了一眼菲約爾德。她想起了之前跟他學習屈膝禮時的情景。兩人的目光相遇，菲約爾德微微笑起。

「沒錯，您是世上最可愛的人。」

「菲約爾德，連你也……」

莉莉卡小聲嘟囔著。

事實上，自從《珍珠之歌》出版後，莉莉卡的名聲就明顯提升了。雖然書的前言當然寫著「與實際事件和人物無關」，但知道書的靈感是來自莉莉卡就夠了。

書的人氣增加，莉莉卡的人氣也隨之提升，甚至連貴族派的孩子們也在偷偷傳閱《珍珠之歌》。

如果父母知道了，肯定會大驚小怪，但因為這本書很有趣，他們能怎麼樣？

繼《珍珠之歌》之後，相似的《藍寶石之歌》或《紅寶石的故事》也相繼出版，但都無法超越其人氣。

莉莉卡知道她去參加聚會時，有許多孩子用憧憬的目光看著自己、聚集而來，但她從未想過這是書籍的影響，她只覺得是神器魔法少女讓他們感到新奇而已。

派伊看著低喃著的莉莉卡，笑著說：「您之後就知道了。」

「那如果不是呢？」

莉莉卡挑釁地回問後，派伊認真回答：「那我會負起責任。」

「派伊嗎？」

「咳！等一下，殿下！」

「你敢碰我妹妹的一根手指試試看！」

「阿提爾！」

還來不及問他「要怎麼負責」，阿提爾就掐住了他的脖子。

一臉慌張的莉莉卡擋在他們兩人之間，一番爭執過後，派伊揉著自己的脖子說：「殿下，您的力量可是足以捏碎我脆弱的頸椎啊。」

「既然你知道，那就應該知道我已經放你一馬了。」

「那倒也是。」

派伊回答後，對莉莉卡勾起微笑，「那麼，謝謝您救了我一命，皇女殿下。」

就在他彎腰準備親上莉莉卡的臉頰之際，菲約爾德的手介入其中。

派伊深感興趣地看著菲約爾德，菲約爾德則說：「未經許可就對淑女這麼做，是很失禮的。」之後勾起笑容。

「哈！看看這傢伙。」

一股情緒湧上派伊的心頭，然而阿提爾從後面猛地抓住他的後衣領。

「派伊‧桑達爾——」

「等等，殿下，這只是一種禮節而已。」

「你去死吧！」

「皇女殿下，請救救我！」

「阿提爾，請住手。」

「哦？皇女殿下，就這樣讓他去死也好吧？」

迪亞蕾偷偷將自己水桶中的大顆覆盆子丟進莉莉卡的桶子裡，同時說道。

「同盟成員之間不能這樣。想打架的話，請等工作結束後再說！」

莉莉卡堅決地說完後，阿提爾才放開派伊。

派伊咳嗽著說：「您又一次救了我的命。」

他的笑容中滿是戲謔，明顯是在逗弄阿提爾。之前明明才被阿提爾揍了一頓，今天卻敢這樣逗他。

『大家真是了不起呢，真的。』

布蘭走過來詢問：「大家摘到很多了嗎？布琳讓我來問問看是否該準備鍋子了。」

「啊，不，再等一下。」莉莉卡看了看自己的桶子，搖了搖頭，「我會摘快點的！」

「沒關係的，您慢慢來。」

布蘭笑著退開。在那之後，覆盆子同盟的成員們加快速度，將桶子裝滿。

輕輕洗淨覆盆子後，倒進一個大鍋中。之後倒入滿滿的糖，用大鍋鏟攪拌均勻後煮沸。他們輪流攪拌果醬，並一起將煮好的果醬分裝到瓶子裡。

做好的果醬馬上就被抹到司康和熱鬆餅上享用。孩子們嘻笑打鬧，盡情享受甜美的味道。

太陽慢慢西沉，布琳端出了烤雞，旁邊放著覆盆子醬，甜鹹交織的美味讓人欲罷不能。坦恩抱怨想喝啤酒，

布琳就偷偷地端來了啤酒，布蘭則在拉特的杯中倒入冰鎮、稀釋過的蒸餾酒。

在這場餐會上，大人十分滿足，孩子們也玩得很高興。

迪亞蕾好奇地問：「不過皇女殿下，殿下送給您什麼禮物？」

「那是祕密。」

莉莉卡搖了搖頭。因為沒有公開送出禮物，所以阿提爾送的禮物偶爾會成為人們的話題，但對話很快就轉向了其他禮物——特別是神器魔法少女的話題。

聽到莉莉卡說是祕密，迪亞蕾雖然好奇，但馬上點了點頭。

「我明白了。對了，我有件事想要向皇女殿下炫耀。」

她呵呵笑著說道，莉莉卡就問：「是什麼事？」

迪亞蕾說：「我打算成為神器尖牙的主人。」

「噗！咳——」

正在喝啤酒的坦恩噴了出來，拉特驚恐地說：「真的髒死了！」

坦恩痛苦地用布蘭遞來的餐巾擦臉，之後說：「那是妳說想成為主人就能做到的嗎？」

「只要通過考驗就行了吧。尖牙有什麼理由不選我當主人？」

看著迪亞蕾厚臉皮的表情，坦恩無言以對，而迪亞蕾噘起嘴說：「如果不擁有尖牙，我可能無法打敗拉烏布閣下。」

「不是，誰會因為這個理由想要拿到神器尖牙啊？」

「我啊。」

迪亞蕾馬上舉起手，坦恩一臉不甘地看向拉烏布，「喂，你勸勸她。」

「我對沃爾夫家的神器沒有什麼意見。」

「哇，你根本就像嫁出去後與娘家斷絕關係的人。」

「說什麼嫁不嫁的，少說廢話。」阿提爾插嘴說了一句。

莉莉卡跟不上對話，問道：「『尖牙』到底是什麼？」

「是神器尖牙，它能提升使用者所有的身體能力。」坐在她身旁的菲約爾德用溫和的聲音解釋，「不過更詳細的資訊只有沃爾夫家才知道。」

「聽起來很厲害。」

聽到莉莉卡這麼說，迪亞蕾笑著說：「對吧？」

坦恩傻眼極了。

莉莉卡問：「但那不應該給坦恩使用嗎？畢竟你是家主。」

「尖牙會選擇主人，而我沒有被選上。」坦恩聳了聳肩，咧嘴一笑，「而且就算不用神器，我也很強。」

迪亞蕾嘟起嘴，「家主大人或許是這樣，但我需要尖牙。」

「那個很危險嗎？」

莉莉卡這麼一問，迪亞蕾害羞地歪著頭，「聽說危險程度因人而異，但沒問題的。」

聽到坦恩嘟囔說道，莉莉卡認真地點了點頭，「既然有危險，我覺得可以先跟家主討論過再決定。」

「有問題啊。」

「好的。」

迪亞蕾回答十分爽快，大家都同時認為「她感覺不會去找家主討論」，但沒有明說。

吃完飯後，每個人都帶著一瓶果醬向莉莉卡和阿提爾道別離開。

莉莉卡本想幫忙收拾，但當然被布琳和布蘭勸阻了。阿提爾就將莉莉卡拉出來，讓她坐到鞦韆上。

他從後面抓住繩子，低頭看著莉莉卡。

「皇女怎麼能自己收拾？」

「我們現在是覆盆子同盟的成員啊。」

「那就尊重他們的工作。」

阿提爾的話讓莉莉卡「啊」地輕叫一聲，然後點頭，「我知道了。」

他輕輕推動鞦韆。莉莉卡享受著前後微微擺盪的鞦韆時，阿提爾開口說：「我從沒想過回到這裡會這麼開心。」

「很好。」

「這座花園是我爸特別為媽媽建造的。」

莉莉卡悄悄回頭看了他一眼，阿提爾勾起微笑。

「我媽媽是低等貴族，經常受到各種攻擊，所以爸爸就為了她，建造了這座花園。」阿提爾聳聳肩，「姑且不論皇后被困在這種地方是否合理。」

他緩緩環顧花園。莉莉卡努力恢復了花園的舊貌，所以到處都能見到過去的影子。

「還有，聽說他們很久都沒有孩子，受了很多苦。甚至有傳言說，這是因為媽媽是低等貴族，所以無法接受塔卡爾的血脈。」

「啊……」

「……」

「一定是的。」

「後來我出生了，聽說他們非常高興。」

莉莉卡點了點頭，又勾起了笑。

「這是阿提爾第一次談起父母，所以莉莉卡很認真地聽著。

「這座花園的鑰匙，該怎麼說？感覺就像我不需要的部分。」

父母離世，他自己則遭受暗殺的威脅折磨。他沒時間去看看已逝的父母，沉浸在記憶中痛哭流涕，也不需要

這樣的地方。

不需要任何避難所。

所以他會將鑰匙交給莉莉卡，是因為他認為——她可能需要這樣的地方。

他無法逃避，但她或許可以。就是這樣的想法。

他凝視著花園。

因為父母在他年幼時就離世，所以和父母在一起的回憶很模糊，但他還記得他們曾在這座花園採摘覆盆子，因此，他從未想過……會像這樣再次回到這個地方。

莉莉卡坐在鞦韆上，像在戲水般擺動雙腳，說：「我覺得每個人都需要一個避難所。」

「每個人都一定需要休息，需要一個覺得待在這裡就不要緊，很安全的地方。因為我聽說若是不放鬆繩子，它就會斷掉。」

「什麼？」

「是誰這麼說的？」

「擦鞋大叔。」

莉莉卡抓住繩子，身體向後仰，抬頭看著他。

「我認為吃些美食、在安全的地方睡覺、和喜歡的人聊天都是絕對需要的。」她認真地說：「這樣才能做不喜歡的事。如果不這麼做，只做不喜歡的事，快樂就會逐漸消失，只剩下悲傷……」

有可能慢慢消磨，最後被壓垮。

莉莉卡的身體漸漸向後仰，突然「啊」了一聲，指尖從繩子上滑下。

阿提爾在她身後接住了她。

「這樣很危險。」

「有阿提爾在啊。」

「是啊,有我在這裡。」

莉莉卡挺起胸膛說:「阿提爾,請不要忘了,我也在您身邊。」

「嗯。」

他走到前面,把她從鞦韆上扶起來,「我們回去吧。再晚一點,太陽就要下山了。」

莉莉卡點了點頭。

覆盆子同盟的第一次聚會雖然發生了一點騷動,但莉莉卡很滿足了。今後慢慢適應後,情況應該會越來越好。

『不,我會讓它變得更好的。』

她得向媽媽學習很多事才行。

莉莉卡立下誓言。

＊

「怎麼辦好一場派對?」

露迪婭正為了新的花園派對,研究玻璃提燈的設計時,聽到女兒的問題,她轉過頭來。

「是的,我想要學習。」

「天啊。」

露迪婭心中一軟。以前莉莉卡很努力保護露迪婭,她有時候還希望莉莉卡多依賴自己一點,但莉莉卡現在居然想向媽媽學習。她覺得自己得到了女兒的認可。

「那當然,媽媽會教妳所有的事情。」

想到母女要一起準備派對，愉快地共度時光，累積起來的所有工作和煩惱感覺都瞬間變得無關緊要。

「首先，派對上最重要的是吃。」

「食物。」

「對，所以——」

「莉莉卡，如果妳要辦小型派對，人選也很重要。首先，要避開人脈關係太複雜的人，最好也避開各派系的代表。」

無論是什麼樣的派對，能吸引人們的是看點和美食。小型派對的話，選擇的客人很重要，但大型派對就不同了。

她每天一定會與露迪婭共度兩小時，因此露迪婭的臉上總是帶著笑容。

莉莉卡不斷點頭。接下來的幾天，莉莉卡接受了關於派對的特訓。

「呵呵呵。」

「皇后殿下，您怎麼那麼開心呢？」

「沒什麼，想到我的女兒，就覺得她太可愛了。就是，妳知道我女兒最近——」

大家都知道她有多愛女兒，但最近似乎變得更嚴重了。在茶會上聚首的女士們這麼心想。

周圍的僕人和遇見她的人也能輕易發現她的心情特別好。

「聽說您最近常常和皇女殿下一起度過時光。」

「是啊，坦恩，就是我女兒啊……」

坦恩聽著她大力稱讚，不斷點頭。說了好一會兒之後，露迪婭「呼」地吐出一口氣。

「所以，怎麼了嗎？」

「啊，是因為金沙商隊的事。在北部活躍是件好事，但我希望他們有所節制。」

這是沃爾夫家家主的請求。露迪婭稍作思考。這是金沙商隊和沃爾夫家之間的事，他會特意來向露迪婭報告

「商隊越界了嗎？」

「是的，但作為我的職責，我還是得跟您說明一下。」

「啊，那確實是傻瓜們的錯呢。」

「雖然受到煽動的傻瓜們也有錯，但也不能整片土地都種甜菜吧？」

是因為他知道她是商隊的靠山。

坦恩露出尷尬的表情。

露迪婭點了點頭，「家族的事，就由作為家主的你來決定吧。」

坦恩咧嘴一笑，「我會的。」

露迪婭突然瞇起眼睛，看著坦恩。

「嗯，不，沒什麼。」

在她那直盯而來的目光中，坦恩逐漸感到困窘，問道：「請問我的臉上有沾到東西嗎？」

自從莉莉卡說「想要一個爸爸」後，露迪婭也在尋找適合的爸爸候選人。阿爾泰爾斯也不錯，但作為父親，為人和善的坦恩・沃爾夫更合適吧？

『但感覺會有許多兄弟姊妹。』

露迪婭無法想像一個孩子們鬧哄哄的家庭，但這對莉莉卡來說可能是件好事。

當她如此心想並看著坦恩的時候，坦恩的頭逐漸低垂下來，露迪婭這才意識到她凝視他太久了，已經到了無禮的程度。

「啊，對不起。你現在可以走了。」

「沒關係。」

坦恩低聲回答後匆匆離開，莫名感到臉頰發燙。

『不行這樣啊。』

明明知道不行。

坦恩深嘆了口氣。

阿爾泰爾斯瞥了一眼一邊哼歌,一邊梳頭的露迪婭。鏡子中的她看起來非常幸福。他靜靜地看著露迪婭。

——愛不是這樣的。

他想起她十分傲慢的聲音。

現在想來,當時他之所以會想坦率地聽從她的話,或許是因為純血魔法師的勸告。在他宣示「我會愛妳」後,雖然他用過各種方法求愛,但露迪婭只感到厭惡。他還以為那也是一種欲擒故縱,因為不管是愛還是什麼,她都是他的妻子,現在占有她的是他。

但是。

『坦恩‧沃爾夫。』

他看到露迪婭和他並肩交談,看起來很愉快。後來她還直盯著他看,而那隻蠢狼害羞地低下了頭,那樣子真是……

身體裡有種令人不悅的情緒在沸騰。這是新的感情,與之前感受過的任何情緒都不同。絕非愉快。

他本來很想針對皇后的行為舉止說教一番,但看到她那麼開心的臉,他就說不出口了。

『最近在魔法課上，莉莉卡看起來也很幸福。』

莉莉卡一有空就會喋喋不休地說她跟媽媽今天做了什麼。雖然魔法課的時間因此變長了，但令人驚訝的是，聽女兒說話一點也不無聊。

被提醒後，莉莉卡的臉紅得像蘋果一樣，吐出很長的一口氣後結束話題。

「能做到這一切的媽媽很了不起。」

「是啊，確實如此。」

露迪婭的派對在社交界享有很高的名聲。不知道從哪裡冒出來的皇后——這種目光，只要參加過一次派對就會改變。

她的派對總是充滿活力又新穎，阿爾泰爾斯很清楚露迪婭為此付出了多少努力。若他是用力量壓制對方，露迪婭的做法則是拉攏對方。

『若要在恐懼與懷柔之間選擇比較輕鬆的，那就是恐懼。所以採取懷柔政策的露迪婭是比他出色的政治家。』

莉莉卡瞥了一眼阿爾泰爾斯後說：「那個，陛下。」

「說吧。」

「要是我下次舉辦派對，您能不能來參加一下？」

阿爾泰爾斯咧嘴一笑，「我女兒開的派對，我當然得去。」

這句話一出，莉莉的臉紅了，眼睛閃閃發亮。她的表情羞澀，但也能看出她很高興。

『真可愛。』

肯定是被露迪婭的口頭禪傳染了，但可愛就是可愛，沒辦法。

莉莉卡尷尬地咳了一聲，問道：「那、那今天要學什麼呢？」

「縮略語。」

「縮略語?」

「就是將冗長的咒語縮短，就是，嗯……」阿爾泰爾斯思考著要選哪一個當示範，然後低聲說：「讓雷聲響起，讓雷電落下，撼動地面，讓地面上的人消失。」

聽到這句話的莉莉卡瞪大了眼睛。

阿爾泰爾斯說：「妳試著想像把這樣的咒語翻譯成古語再吟誦，太長了對吧？所以要縮短，越是精細冗長的咒語，效力越強，因為能強烈地形象化。」

「但妳還在唸咒語時，敵人就能把妳打死了。」

「是的。」

「所以要凝聚核心，創造出只屬於自己的縮略語。」

「我懂了。」

「好，那麼——」

慢慢地，阿爾泰爾斯開始教導她這個方法。他早就知道莉莉卡的魔力非比尋常。

但他真的想要那樣嗎？

他露出苦笑。

如果是她，說不定能解開詛咒。

正在創造縮略語的莉莉卡突然想起了什麼，問道：「陛下，上次您說過，巴拉特正在搞一些有趣的把戲吧。」

「是啊。」

「您能告訴我大概是什麼事情嗎？」

阿爾泰爾斯說了句「這個嘛」，撐著下巴說：「龍是由火和空氣構成的。」

莉莉卡突然想起了她在夢中見過的龍，是自由地在天空飛翔的巨大生物，因此她能理解「由火和空氣構成的」這句話。

她點點頭，阿爾泰爾斯微微一笑。

「不覺得少了什麼嗎？」

「什麼？」

「火和空氣。不覺得還少了點什麼嗎？」

莉莉卡絞盡腦汁後，小心翼翼地回答：「燃料……？」

「對。」

龍之所以是龍，是因為它本身就能製造火焰。它吸入空氣，使體內充滿了火焰。

「巴拉特正在多方研究這個。這部分挺有趣的。」

莉莉卡不懂哪裡有趣了，她只想起了曾經發高燒的菲約爾德，感到很擔心。

阿爾泰爾斯輕輕摸了摸女兒愁眉不展的臉，說：「來，我們再試一次。」

他指向筆記本，莉莉卡就點了點頭。

「我要加油！」

莉莉卡開始低吟著寫下縮略語。阿爾泰爾斯微微笑著，看著她的模樣。不管做什麼，看到別人努力都是一件令人愉快的事情，當自己是教導者時，更是如此。

庭園裡依舊寧靜。已經長到極限的森林等待著秋天的到來，調整著氣息。水潭邊，小鳥們沐浴的聲音傳來。

養父女——世上唯一的龍與唯一的魔法師並肩坐著，聊著深刻的願望和永遠的期望，只有樹木聽見了這寧靜的對話。

「呵呵，怎麼樣？」

「就像一位可愛的貴族千金。」

重點在於她是貴族，不是皇室成員。布琳看著自己的作品，露出滿意的表情。

今天，是莉莉卡與迪亞蕾一起去看《珍珠之歌》戲劇的日子。她不打算透漏她的皇女身分，想祕密外出。畢竟本人去看以自己為題材的戲劇很難為情，她不想被人知道。

況且，如果是皇室成員，自然會伴隨著一系列繁瑣的程序。聽到莉莉卡的請求，露迪婭思前想後才點了點頭。沃爾夫家的馬車會來接她。

這次她難得出宮。不論皇宮多麼寬廣，她都厭倦了，出宮總是讓人心情愉快。

身穿便衣的迪亞蕾看到莉莉卡，露出燦爛的笑。

「皇女殿下，您真可愛。」

「嗯，迪亞蕾也是。但在外面不要叫我皇女殿下，叫我納拉。」

她說出中間名後，迪亞蕾點了點頭，緊緊握住她的手，「快上車吧。我們要比演出時間還早到，這樣才能買到東西。」

「買東西？」

「是的，他們會賣戲劇的紀念品。漂亮的東西很快就會被買光，所以我們要提早去才行。」

「真有趣。」

莉莉卡興奮地看向窗外。馬車車輪轉動的聲音輕快，外頭的風景也讓人愉快。

她從未想像過自己會這樣坐著馬車，在這條鋪設完善的寬闊石板路上駛過。想到那些狹窄、昏暗的小巷就感到心痛。

『這麼說來，擦鞋大叔過得好嗎？』

如果她和阿提爾、菲約爾德能在慶典時一起悄悄外出，要去看看他才對。他總是在那個地方擦鞋，只要去那裡就能見到他才對。每天同一個時間都在同一個地點，就能建立起信用，他是這麼教她的。

馬車很快就把兩人送到劇院前。前方人潮洶湧，黃牛和購票的人群混雜在一起，還有人即使沒有票，也來買紀念品。

不僅是貴族，平民也是手持便宜的票。

「真的好多人。」

莉莉卡驚嘆時，迪亞蕾得意地笑了，「我就說吧？很受歡迎的。來，快來這邊。」

迪亞蕾拉著莉莉卡的手。

「哇！」

迪亞蕾不顧周遭地穿過擁擠的人群，那光明正大的模樣讓人感到欽佩。轉眼間，她毫不費力地帶莉莉卡進了劇院。紀念品店已經排起了人龍。

「啊！」

莉莉卡看到擺在一旁的吊墜，驚訝了一下。

『和我的一模一樣！』

那和她真正的吊墜一模一樣。

除此之外，還有狼形玩偶、杯子、小袋子和筆等多種商品。迪亞蕾拿了玩偶和杯子，站到收銀臺前，莉莉卡則一臉好奇地環顧紀念品店。

迪亞蕾結完帳後，笑容燦爛地回到莉莉卡身邊。

「納拉，您不挑點什麼嗎？」

「嗯，我不需要。」

「那我們上去吧！因為是非常好的位置。」

迪亞蕾說得沒錯，座位非常好。莉莉卡從未享受過這樣的文化體驗。從燈光熄滅的瞬間，她的心臟就怦怦直跳，完全沉浸在劇中。所有人歡呼時，她也跟著歡呼；所有人嘆息時，她也跟著嘆息。

當魔法少女莉莉在皇帝的命令下潛入調查，陷入危機時，莉莉卡也忍不住大喊：「後面！後面有壞人！」就像聽到了莉莉卡的話，主角轉頭看去，遭到壞人攻擊，但騎士帥氣現身救了她。

「哇，狼騎士！」

大家都跺腳歡呼。然後魔法少女收集證據，用魔法精彩地制服了壞人，最後得到皇帝的獎賞，並準備踏上新的冒險，故事就此結束。

莉莉卡興奮地鼓掌。她雙眼閃閃發亮地對迪亞蕾說：「超級有趣！真的好棒。」

「對吧？對吧？」

「嗯，那個騎士真的很帥，魔法少女也很厲害。」

莉莉卡不停分享她的感想，迪亞蕾輕笑著道：「我們去附近的咖啡廳聊吧。我知道一個好地方。」

「嗯！」

離開劇院時，莉莉卡買下了紀念品店裡的最後一隻狼形玩偶。她原本覺得那只是個狼型玩偶，很特別，現在卻覺得無比帥氣。

雖然坐馬車也不錯，但走路也同樣愉快。將東西交給馬夫後，兩人在街上漫步。她們站在櫥窗前欣賞商品，

249

偶爾討論戲劇的劇情,迪亞蕾還提到沃爾夫家的人都對覆盆子果醬虎視眈眈,她們最後來到的咖啡廳,是正面裝有玻璃窗的豪華場所。莉莉卡驚嘆地坐了下來,這裡的氛圍和皇宮完全不同,十分新鮮。

隔板適當地遮擋住各個座位。迪亞蕾點了咖啡,也幫莉莉卡點了冰淇淋。

飲料送來後,迪亞蕾用吸管攪拌著飲料,並說:「您之前說過,在使用尖牙前要討論一下吧?」

迪亞蕾微笑道:「嗯,對啊。」

「妳父親怎麼說呢?」莉莉卡小心翼翼地問道。

迪亞蕾聳了聳肩。

「我問過媽媽,她說隨我喜歡。我原本就覺得她會這樣回答,果然如此。」

這是迪亞蕾第一次提到她的父母。這麼說來,之前迪亞蕾說過她是沃爾夫和桑達爾結合生下的孩子。

迪亞蕾若無其事地繼續說:「他們本來就沒有結婚。媽媽的態度也只是既然懷孕了,就生下來。」

「但是沒關係,因為現在⋯⋯」

「無論是沃爾夫還是桑達爾,那些都無所謂。」

「我是覆盆子同盟的成員啊。」

她壓低聲音說完,莉莉卡開懷大笑,「是啊。」

兩人不知道在咖啡廳裡聊了多久,但外面突然吵鬧起來。外面的嘈雜聲讓莉莉卡疑惑地歪著頭,迪亞蕾則立刻進入戰鬥模式,繃緊神經。

「啊啊啊啊!」

這時,刺耳的尖叫聲響起,同時也傳來咒罵聲。

迪亞蕾拉著莉莉卡,就像之前輕鬆推開人群走過一樣,她們在慌張的人群聚集到入口前,就從咖啡廳跑出去了。

「魔獸!」

「是魔獸!」

「快跑!」

「救命啊!」

魔獸!

莉莉卡想起烏巴跟她說過的樹海魔獸,無數恐怖的魔獸!

但不是出現在樹海,而是在首都?魔獸嗎?

她把手伸進口袋,拿出擺錘。

『在危急時刻,最好提前拿出武器。』阿提爾曾經這樣教過她。

就在這時,一聲低沉的轟鳴聲響起,地面震動。

「皇女殿下!」

高大的鐘塔倒塌下來,迪亞蕾撲向莉莉卡。

「啊。」

「盧巴拉!」

感受到迪亞蕾的手臂緊緊抱著自己,莉莉卡艱難地發出聲音。

同時,倒塌的鐘塔就這樣在空中靜止。緊閉著雙眼的迪亞蕾敏銳地察覺到了情況,抱著莉莉卡跑離倒塌的鐘塔下。

回頭一看,斜倒在空中的鐘塔彷彿結凍了,靜止不動。兩人對此嘆了一聲。

「天啊。」

「沒辦法……再……維持了。」

那不是完整的魔法咒語。忍不住脫口而出的古語跟精煉的咒語相比,效果遠遠不夠。該解除束縛嗎?莉莉卡使出最後的力氣,讓鐘塔慢慢地落下。就像巨人將鐘塔提起,輕輕放在地面上。

一些人停下來看著這一幕。這時應該逃跑,人們卻無法移動腳步。

鈴鈴!

這時,清脆的鈴聲響起,莉莉卡抬起頭,看到一個小巧可愛,看似獨角獸的玩偶飄浮在空中。

鈴鈴!

「哦?」

這就是魔獸嗎?

莉莉卡面露疑惑,但那個小玩偶再度動了動前蹄。

鈴鈴!鈴鈴!

「皇女殿下!您在哪裡?」

迪亞蕾突然尖叫出聲,莉莉卡驚訝地轉頭一看。

「迪亞蕾?妳沒事吧?看不見我嗎?我在這裡啊!」

迪亞蕾推開她,「這個怪物!把皇女殿下還給我!」

「什麼?等一下!」

迪亞蕾拿下綁在大腿上的短劍,閃過一擊的莉莉卡大喊道:「坎塔那!」

銅鐵護盾

迪亞蕾犀利的攻擊被奶白色的盾牌擋住了。但不僅是迪亞蕾,人們都在尖叫,彷彿將彼此當成了怪物。

鈴鈴!鈴鈴!

『是因為那個聲音嗎?』

莉莉卡不知所措，她還從未同時施展過兩種魔法。

『該怎麼辦？』

她快哭出來了。迪亞蕾的攻擊和人們互相傷害的場面都讓她害怕，雙腿不停顫抖。

『振作起來！既然是聲音造成的，就得阻止聲音才行。』

莉莉卡想起她掛在脖子上的金幣護身符。它曾擋下魔擊槍的子彈，應該也能抵擋迪亞蕾的攻擊。

她在製作隔音戒指時，曾發明過遮擋聲音的魔法，要反轉它很簡單。

解除自己防護盾的同時，莉莉卡大喊：「坎薩！」

一個圓形的防護罩罩在迪亞蕾的頭上，就像魚缸一樣。迪亞蕾的劍猛然從頭上揮來，莉莉卡緊閉起雙眼，但沒有感覺到疼痛。

什麼聲音都聽不到。她偷偷睜開一隻眼睛，看到迪亞蕾一臉驚慌地說著什麼，但她聽不到。

「那、不對，這怎麼辦？」

聲音盾牌不僅隔絕了外界的聲音，還阻擋了內部的聲音。

莉莉卡驚慌失措的時候，迪亞蕾抓住她的雙肩，張大了嘴。

『請說句話。』

啊！可以讀唇語！

莉莉卡開始大聲清楚地說：「好像是那個玩偶發出的鈴聲引起了幻覺。我施了魔法，讓迪亞蕾聽不到那個聲音。」

迪亞蕾皺了皺眉，指著自己的頭，又指向空中的獨角獸。

「對它施放這個魔法怎麼樣？」

「啊！」

莉莉卡只想阻止迪亞蕾，以至於沒有想到那麼遠。

她轉身看向還在發出鈴聲的獨角獸。她手上的擺錘發出清脆的聲音。

像泡泡一樣的圓形護盾在獨角獸周圍形成，鈴聲同時停止。

莉莉卡緊握起拳頭，迪亞蕾則把她抱起來。比起聲音一停止就立刻脫離幻覺的迪亞蕾，其他人慢了一拍才脫離幻覺。

比起反省剛才對她揮劍的事，她要先帶莉莉卡逃離這個地方。

獨角獸似乎注意到人們聽不到自己的聲音，施展更強的力量。

互相攻擊的人陷入混亂，發出慘叫。

這時，護盾發出嗡鳴聲。莉莉卡倒抽了一口氣，護盾隨時都有可能破裂。

她疊加了兩三層魔法，沒有意識到自己同時運用了多個魔法。

嗡嗡聲驟然停止，獨角獸轉身看向這邊。

「啊——」

「坎薩！坎薩！」

「啊啊啊！」

「啊，不行！」

「成功了！」

「坎薩！」

「砰！砰！」

被發現了。

獨角獸朝她飛來，迪亞蕾跑進複雜的小巷深處。

獨角獸不繞路，直接撞破形成阻礙的建築，以最短路徑飛來。

「天啊，這個瘋子。」

迪亞蕾嘟囔一聲，躍上了屋頂。

獨角獸在轉眼間追了上來，當它出現在眼前的那一刻，迪亞蕾一腳踢飛了它。

踢上獨角獸玩偶時響起的聲音不像踢到玩偶，反倒像擊打皮革大鼓的聲音。它被踢飛一大段距離。

「嘖！」

迪亞蕾咂舌一聲。透過這一下，她察覺到了。感覺就像踢到軟綿綿的棉花玩偶，力道都被吸收了。

「皇女殿下，妳會攻擊魔法嗎？」

「啊？嗯。」

阿爾泰爾斯曾經說過，知道如何使用和完全不會使用截然不同，也說過必須學一些攻擊魔法。

「最好的防禦是進攻。」

迪亞蕾放棄了剛才的逃跑計畫，只憑逃跑，無法甩開那個怪物。

而莉莉卡對迪亞蕾即使抱著她，也能如此行動自如感到驚訝。

「您會什麼魔法？」

「嗯，會結凍的那種。」

「好，先試試看吧。」迪亞蕾將莉莉卡放下來，「它出現後，請您相信我，立刻施放魔法。」

「嗯。」

莉莉卡點點頭。和迪亞蕾在一起，她感到很安心。

穿著華麗禮服的兩人站在高高的屋頂上，非常顯眼。

「皇、皇女殿下？」

「那個難道是⋯⋯」

「魔法少女！」

「是魔法少女！」

「解除束縛。」

莉莉卡解開了魔力限制，但兩人聽不到。

被迪亞蕾踢飛的獨角獸轉了一圈，魔力瞬間如洪水般湧出，又以無法與剛才相比的速度飛過來。但它只是直線前進，莉莉卡直視著對手，大喊道：

「普利卡盧甘！」絕對零度

藍白色的魔法陣形成。飛來的獨角獸穿過魔法陣，被凍得一片雪白，但勢頭並未減弱。

迪亞蕾從屋頂跳下，用全力揮劍。

鏘！

伴隨著粗魯的聲音，帶著扭力和全身力量的踢擊踢碎了獨角獸。

「快點、去死吧！」

隨著怪異的奇異聲響響起，迪亞蕾的劍斷了，同時她又對有了裂痕的獨角獸發動第二次踢擊。

啪嚓——

冰塊破碎的奇異聲響響起，碎裂的獨角獸碎片也散落在地上。迪亞蕾大口喘著氣，而莉莉卡大吃一驚。

「迪亞蕾，妳的腳！」

「什麼？啊。」

踢上獨角獸的靴子被凍得一片雪白。

「該、該怎麼辦？」

「沒關係，我的腳好像沒有完全凍住。」

迪亞蕾前後晃了晃腳來證明。

「太好了。」

莉莉卡鬆了一口氣時，突然有人大喊：「她、她贏了！」

她驚訝地向下望去，三三兩兩聚集的人群開始同時發出歡呼。

「哇啊啊！」

「魔法少女萬歲！」

「皇女殿下萬歲！」

「珍珠騎士！」

莉莉卡感到困惑，「嗯？哦哦？」

她正想退後，迪亞蕾就一把抓住她的手並舉起來。在這個瞬間，又爆出一陣歡呼。

「迪亞蕾！」

「哎呀，我一時沒忍住。」

迪亞蕾咧嘴笑了。莉莉卡還在想該怎麼應對這種情況時，又聽到了細微的鈴聲。

鈴鈴！

「！」

聽力敏銳的迪亞蕾擋在莉莉卡前面並轉身看去，藍色的火焰突然熊熊燃起，熱氣和光芒讓她不由自主地閉上了眼睛。

「直到最後一刻，都要確保魔獸已經斷氣了。坦恩沒教過妳嗎？」

聽到漫不經心又慵懶的聲音，莉莉卡差點流下眼淚。

「陛下。」

莉莉卡因為喉嚨發緊,聲音有點沙啞。

阿爾泰爾斯從燒盡的火焰中,拿出一顆心形寶石。

他皺起眉頭看著那顆寶石時,它突然化成粉末消失了。阿爾泰爾斯甩了甩手,張開雙臂。

「過來。」

莉莉卡跑過去緊緊抱住他。終於回過神來的迪亞蕾迅速單膝跪下。這彷彿成了信號,站在下面的所有人也跪下低頭。

「呼嗯。」

「參見皇帝陛下。」迪亞蕾低聲說道。

阿爾泰爾斯拍著抱在懷裡的莉莉卡的背,一邊回應:「辛苦了。」

莉莉卡在他的懷裡搖搖頭。若不這麼做,她可能會因為放心而哭出來。她不能所有人面前哭。

阿爾泰爾斯握著她的肩膀,低聲說:「如果我把這裡交給妳,妳可以負責指揮嗎?」

「!」

莉莉卡大口喘著氣,但仍抬起頭來,看到阿爾泰爾斯炙熱的眼神。

「是。」

「很好,那麼。」阿爾泰爾斯迅速環視周圍,然後說:「克拉巴斯閣下。」

契約即是信譽,工作即是信譽,為了成為完美的皇女,她就必須做該做的事。首都警衛隊長克拉巴斯驚訝地顫了一下,他從沒想過皇帝會記得他的名字。

「依照莉莉卡皇女殿下的指揮收拾現場,露迪婭應該也很快就會來了。」

「遵命。」

需要指揮的人員中應該有高等爵位的貴族，若有皇族作為指揮官，他們對付這些人會容易許多。

阿爾泰爾斯閉上眼睛，之後緩緩睜開。

「索敵。」

他的瞳孔發出金色光芒，虹膜變得狹長，泛著紅色。

莉莉卡嚇得不禁環顧四周，在場的人們，不，當下整個首都的民眾都感受到了這道「目光」。

「找到了。」

他勾起笑，隨即消失不見。被留下的莉莉卡深吸了一口氣，然後對迪亞蕾說：「協助我下去。」

「能為您效勞是我的榮幸。」

迪亞蕾說出宛如狼騎士的古典臺詞，笑著抱起莉莉卡。

她知道回頭也沒有任何人。

莉莉卡從馬車上下來，命令貴族只能拿擔架來運送傷患。由於馬車眾多，最終導致道路堵塞。各貴族家族的馬車紛紛趕來，確認傷者後接走傷患。莉莉卡從馬車上下來，命令貴族只能拿擔架來運送傷者。

「你知道我們是哪個家族的嗎？」

貴族家族的人們對士兵大吼，聽到士兵說「這是皇女殿下的命令」，就緊緊閉上了嘴。

即使不滿，他們也很難公然反抗皇族。

這時，從馬車上走下來的貴族要求謁見莉莉卡，並請莉莉卡為自己等人優先開道。傷者是位貴婦，她說就算在這種狀況下，她也不想被人看到躺著的模樣——露迪婭到了。

莉莉卡漸漸感到力不從心之際——露迪婭到了。

她在所有人面前呼喚莉莉卡的聲音溫柔又從容。她的一雙藍眼一一掃過站在周圍的人。

「莉莉卡皇女。」

「拜見皇后殿下。」

「找我女兒有什麼事？」

「是，皇后殿下。」

見到周圍的人紛紛彎腰致意，露迪婭說：「妳能去幫助士兵們嗎？他們好像需要魔法少女的力量。」

莉莉卡向露迪婭問候致意後，露迪婭就命令她離開。莉莉卡心想著「得救了」，從帳篷裡走出來。

迪亞蕾緊隨其後。當她們走出臨時帳篷時，看到拉烏布在外頭等著。

「拉烏布。」

「您平安無事真是萬幸。」

「皇女殿下！」

「嗯，迪亞蕾保護了我。」

「皇女殿下也辛苦了。」

他們互相慰勞了一番後，莉莉卡說：「媽媽說有人需要我的力量……」

彷彿聽到了她的話，克拉巴斯急忙從另一頭跑過來。

「聽說皇后殿下下來了……」

「嗯，她在裡面。話說回來，有什麼事是我可以幫忙的嗎？」

克拉巴斯小心翼翼地問：「聽說您是魔法少女。您也可以搬重物嗎？」

「嗯，可以啊。」

克拉巴斯的臉色一下子亮了起來。

「原來是皇女殿下暫時阻止了那座鐘塔倒塌。那座鐘塔把路都堵住了，我有派士兵們去清理，但是……」

「我過去幫忙吧。」

「謝謝您！」

倒塌的鐘塔緩緩升起。

「皮亞娜‧羅恩。」<small>看不見的手</small>

「哇啊！」

眾人發出驚嘆聲。

克拉巴斯喚來附近的警衛隊員，安排他們帶莉莉卡過去。她讓清理鐘塔的士兵們退後，然後拿出擺錘。所有人的目光都集中在擺錘上。

莉莉卡開始小心翼翼地將碎石堆到一旁。因為獨角獸的攻擊，有些石頭完全粉碎了，無法完全恢復成原狀。

她慢慢堆起石堆，將碎石堆到手推車中。周圍的人都發出驚嘆聲，讓莉莉卡臉頰泛紅。

做完這項工程後，莉莉卡對站在一旁發呆的警衛隊員問道：「還有其他事要做嗎？」

「啊，不，沒有了。」

「是嗎？那我們回去吧。」

回到媽媽身邊時，她看到所有貴族都緊閉著嘴離開了，克拉巴斯也神清氣爽，看來事情進展得很順利。

「媽媽，我已經清理完了。」

露迪婭確認周圍沒有其他人後，緊緊抱住莉莉卡。

「莉莉、莉莉，啊，真是的，我該怎麼辦呢？」

「媽媽，您還好嗎？」

「不，我不好。怎麼老是發生這種事？這樣我會不想再讓妳出門啊。」

「我完全沒事啊！您看。」莉莉卡與露迪婭正面對視，「而且如果沒有我，災情應該會更嚴重。」

雖然阿爾泰爾斯很快就趕來了，但在那之前應該會有更多人受傷，首都也會毀滅。

露迪婭皺起眉，雙手用力擠壓莉莉卡的臉頰。

「妳不需要擔心這種事。」

「好的，媽媽。」

莉莉卡可愛地笑了笑，她認為自己已經玩樂夠久了。

看到女兒的反應，露迪婭心感鬱悶。她嘆了口氣，對莉莉卡說：「這裡由我來負責，妳回皇宮吧。」

小孩就應該像個孩子，專注於玩樂。

莉莉卡尷尬地笑了笑，她認為自己已經玩樂夠久了。

人們紛紛為了印有皇家徽紋的馬車讓路，聚集在路邊的人群大聲歡呼：「莉莉卡皇女殿下萬歲！」

「魔法少女萬歲！」

莉莉卡不知所措，但迪亞蕾說：「您要不要打開窗戶，向他們揮揮手呢？」

「哦？」

「這樣總比完全無視他們還好啊。」

聽到迪亞蕾的這番話，莉莉卡點了點頭，她打開馬車窗戶，正好見到在馬車旁騎馬隨行的拉烏布。

「有什麼事情嗎？」

「沒事，我想向他們揮揮手。」

拉烏布很擔心會有魔擊槍開槍射進車窗內，但他覺得自己的反應速度更快，因此點了點頭。

「就一下子，請您別將身體探出車窗。」

「嗯。」

拉烏布讓開後，莉莉卡坐到窗邊對外面揮了揮手。人群再次發出歡呼聲。當她們穿過人群後，拉烏布立刻關上了窗戶。

莉莉卡感覺到心臟正怦通亂跳，這是她第一次聽到這麼多人歡呼。

迪亞蕾笑咪咪地說：「今天肯定會有臨時特刊的。」

「那、那個……」

「希望我也能稍微出現在您身旁。」迪亞蕾笑著說。

不久後，就如她所說，發布了特刊。路過的人們都迅速翻閱過特刊。

第二天，一篇附有插圖的正式報導刊登出來，還畫出了站在屋頂上的莉莉卡和迪亞蕾。

『**真正的魔法少女與狼騎士**』

這是報導的標題。

莉莉卡被描繪得非常神祕，甚至手中拿著的不像擺錘，反倒像個擺盪的香爐。如果她的頭上再戴上頭紗，要說是「聖女」也能令人信服。

看到面露茫然的莉莉卡被畫成插畫，阿提爾放聲大笑，然後扔掉報紙說：「真正的莉莉卡比這個可愛一百倍。」

布蘭同意這句話的同時，也鬆了口氣。

阿提爾當然是皇太子，但莉莉卡──皇女殿下的知名度提升到這麼高時，皇太子通常會感到不安，或許有一天會被其他手足奪走王位的不安。

然而，阿提爾看起來沒有這種不安，也沒有想牽制、消除莉莉卡的意圖。

『就算當事者沒有那個意圖,問題是周圍的人。』

即使本來沒有那個心思,事情發展至此,人心也是會變的。若是周遭的人又在耳邊多嘴,就更是如此。

『不過,皇女殿下和塔卡爾完全沒有任何血緣關係,應該會遇到許多困難。』

如果她選擇菲約爾德‧巴拉特作為丈夫,情況會怎麼樣呢?

『哇。』

他自己都覺得很有可能,泛起了雞皮疙瘩。

阿提爾從座位上站起身,「我知道你在想什麼。」

布蘭聽到這似乎看透了一切的話,看向阿提爾。

阿提爾回頭看向他,露出苦笑。他是無法使用塔卡爾力量的皇太子。

『就算想用。』

他想使用力量時會喘不過氣,然後當時的情景會不斷浮現在腦海裡,讓他眼前一片漆黑。

他會如此厭惡菲約爾德,肯定是……

阿提爾閉上眼睛又睜開。

咚咚。

敲門聲響起,侍從急忙打開門一看,是銀龍室派來的人。

「皇后殿下想見皇太子殿下。」

「我知道了。」

阿提爾回答完後整理了一下儀容,立刻前往銀龍室。

露迪婭正在整理卷軸,看到阿提爾進來後站起來,「阿提爾,快過來。」

「為什麼叫他來?」

粗獷的聲音讓阿提爾驚訝地回頭一看，阿爾泰爾斯半躺在長椅上，似乎剛醒來，一條羊毛織成的薄毯滑落下來。

「您問為什麼叫他來？當然要叫他來了。」

「就如妳所說，他是個孩子啊。」

阿爾泰爾斯說完，露迪婭笑了笑，「是的，同時他也是皇位繼承人，所以有權利聽取調查結果。」

「唉。」

阿爾泰爾斯抹了一把臉，瞪向露迪婭，她則聳了聳肩。

「錯過了。」

簡短的一句話。

「什麼？」

阿提爾疑惑地詢問後，阿爾泰爾斯煩悶地說：「我說錯過了。」

「不是錯過了吧，是已經死了。」露迪婭糾正道。

阿爾泰爾斯面露不悅，阿提爾就顫了一下。

露迪婭說：「他是不想讓你看到難堪的樣子，別太在意。」

「露迪婭。」

阿提爾泰爾斯皺眉低語，而阿提爾依舊面無表情地掩飾尷尬，並回問：「您說您錯過了，是指最近首都出現魔獸的事件嗎？」

「對。」阿爾泰爾斯坐起身，「我找到牠了，但牠已經死了。不知道牠做了什麼⋯⋯搜查之後也什麼都沒找到。還有，留在那個布偶裡的心臟。」

露迪婭低聲說：「果然是那個。」

阿爾泰爾斯咂舌一聲，「我還以為都摧毀了。」

「有修復神器的工匠存在也不是祕密吧？」

阿提爾無法跟上對話，皺起眉頭。他提出了第一個疑問：「是有人故意釋放了魔獸嗎？做得到這種事嗎？首先，要在樹海抓捕魔獸這件事就⋯⋯」

「有的。」露迪婭拿起一份文件，說：「人有了錢，就會想得到用錢也買不到的東西。有人會買下樹海裡的神祕動物。」

「有些人雖然不能使用魔法，卻會研究魔法陣。」

「有這麼愚蠢的人？」

「有。」阿爾泰爾斯這麼說完，抱起雙臂，「比起這個，我更驚訝妳知道那件神器的存在。」

露迪婭含糊地帶過後，好奇的阿提爾最後問道：「那到底是什麼？」

「那件神器叫『心之女王』⋯⋯」阿爾泰爾斯簡短地回答，「它是能從魔獸身上奪取能力的神器，但從未帶來過好事，所以據我所知，它已經被全數銷毀了。」

阿爾泰爾斯的話讓露迪婭咬起嘴唇。

「來得太快了。」

這件神器原本不應該這麼快就出現，也不該在首都出現。而是在地方城市發動攻擊，分散騎士團的注意力，讓騎士團分散、離開皇宮並引起不安，同時透過穩健的策劃，在民眾心中種下對皇室的不滿。

『但為什麼？居然現在出現？』

這是經由烏巴確認的資訊。

露迪婭的腦筋急速運轉。她知道自己已經造成了變數，但沒想到會像這樣引起巨大的影響。

露迪婭深深吐了口氣，對阿提爾說：「我問過克拉巴斯閣下，他說你們認識。」

「是的。」阿提爾稍低下目光並回答。

他在調查莉莉卡差點遭遇到的人口販賣案件時，自然也與他有所接觸。

「所以我想把這次事件交給你做結。」

聽到露迪婭這麼說，阿提爾抬起了頭，露迪婭笑著說：「你可能會覺得，我們把表面光鮮亮麗的部分都讓莉莉卡拿走，將雜務都交給你──」

「不，我不會這麼想。」

阿提爾搖了搖頭。莉莉卡登上報紙版面獲得人氣，與他直接接觸實際執行者、積累經驗並建立起人脈完全是兩碼子事。

「好，我再說一次，我們對繼承皇位沒興趣。」

露迪婭並不期待得到回答，她像宣告一般簡短地說完後，遞給他文件。

阿提爾帶著安心感收下文件，等他離開，阿爾泰爾斯就問：「妳一定要對他說這些話嗎？」

「你在說什麼？我是說，我是認為把一切說清楚比較好，不想含糊帶過。」

「不，我是說，我不想讓他看到難堪的一面那些話。」

「我說得沒錯啊？」

「露迪婭。」

聽到低沉的聲音，露迪婭哼了一聲後說：「阿提爾已經夠敬仰你了，而且他也因此很有壓力。」

「因為我嗎？」

「是啊，因為你擅長以權能壓制敵人，但阿提爾無法使用權能。」

阿爾泰爾斯皺了皺眉。

露迪婭扔下文件並說：「對阿提爾來說，你就像他的親生父親。你們父子之間，為何不試著有更親密的對話

呢？我和莉莉在一起的時候也真的覺得很高興，還能了解到新事物。」

或許花越多時間在一起，最後就能越親近。

露迪婭的話讓阿爾泰爾斯深深嘆了口氣，「我會參考的。」

露迪婭笑了笑後嘆了口氣。

「怎麼了？」

「關於神器的事，我不明白為何要攻擊首都。」

「因為無聊？」

「您以為全世界都跟您一樣？」

「這很難說喔。」

露迪婭看完卷軸上的消息，露出奇怪的表情。

阿爾泰爾斯這麼說後，露迪婭瞇起眼睛，拆開新的卷軸後說：「如果有這樣的人……啊。」

「怎麼了？」

「不，我在想，或許真的有像你這樣的人存在。」

『巴拉特公爵藏起來的女兒雷澤爾特．巴拉特在首都。』

「如果是雷澤爾特，確實很有可能。』

她點了點頭。

雷澤爾特有著巴拉特的美貌，也能面不改色地做出巴拉特的殘忍行為。

阿爾泰爾斯問道：「妳有想到誰嗎？」

「巴拉特。」

「我不認為公爵或小公爵的個性會那麼衝動。」

「據說她有個女兒。」

「哈!」阿爾泰爾斯輕蔑似地笑了笑,露出深感興趣的表情,「妳說女兒吧?還被藏起來了?真想知道她的父親是誰呢。」

私生女總會帶來醜聞。

他很期待作為高等貴族的巴拉特家族會如何解釋。

而與深感興趣的阿爾泰爾斯相反,菲約爾德感覺就像跌到了谷底。

「您好,菲約爾德哥哥。您好,您好。」

雷澤爾特面帶微笑地一再打招呼,像是覺得打招呼這件事本身很有趣。

她有一頭華麗的銀髮和金紅色的眼瞳。和菲約爾德·巴拉特站在一起的話,任誰都能認出他們是兄妹。

「我聽媽媽說過很多關於您的事,我真的很高興能見到您。」

她緊握著雙手,毫不掩飾興奮之情。

菲約爾德困惑地看著她問道:「妳說妳是我的妹妹?」

「妳是我的妹妹。」

「是的,我一直住在鄉下,最近才來首都。我第一次見到這麼多人,所以非常興奮。」

菲約爾德再次低聲說道,雷澤爾特則望著他……「是的,我一直都有聽說關於您的傳聞,大家都說您是最傑出的作品,所以我覺得我也不能輸給您。」

菲約爾德面無表情地看著雷澤爾特。

她上前走近一步，低聲說：「聽說您親自處理掉了那些『失敗的作品』。他們畢竟是您的兄弟，我不曉得有多佩服您——」

話還沒說完，菲約爾德就掐住了雷澤爾特的脖子。她被掐得發出細微的吸氣聲。

菲約爾德說：「既然我殺了所有兄弟，妳覺得妳就不會嗎？」

他的眼神冰冷地沉了下來，「說話小心點。」

那一刻，雷澤爾特的眼睛亮了起來。

「是啊，如果我變成了失敗作，那該怎麼辦呢？呵呵。」

她嘻嘻笑著，菲約爾德就皺著眉頭放開了她。

雷澤爾特摸著自己的脖子說：「您要來我的房間嗎？我有很多玩偶。」

「不了。」

菲約爾德簡單地回答完就離開了，雷澤爾特「唉」地嘆了一口氣說：「真是可惜，我有很多漂亮的玩偶呢。」

菲約爾不聽她說話，逕自走向辦公室。他推開驚慌失措的侍從，自己打開門。

「公爵大人。」

巴拉特公爵的眼睛沒有從文件移開，開口問道：「什麼事？」

「我遇到了一位聲稱是我妹妹的女生。」

「不是聲稱，雷澤爾特就是你的妹妹。」

「她的父親是誰？」

巴拉特公爵這才抬起頭，她光滑的唇瓣勾起一抹笑，「那還用說，當然是你父親。」

伊萬大公爵，前任皇帝的其中一位兄弟。

「我記得我的父親在我三歲時就過世了。」

「雷澤爾特就是那時候生的。因為你父親的死看起來像遭到了暗殺，所以我把雷澤爾特藏起來，撫養她長大罷了。」

她的語氣聽起來就像在讀一份事先準備好的託辭，讓菲約爾德很是無語。

「這件事⋯⋯」

「菲約爾德。」巴拉特公爵打斷他的話，「別想太多了。既然我說雷澤爾特是我女兒，那她就是我的女兒。」

他感覺到自己的目光和蕾絲眼罩後的視線對上。巴拉特公爵用堅定的表情緩緩對他說：「你要知道，你那無趣的把戲，我都看在眼裡。」

菲約爾德垂下目光，「我明白了。」

他回答完後，巴拉特公爵重新拿起筆，繼續書寫。除了筆尖在紙上摩擦的聲音，再無其他聲響。在沉默中站了一會兒，菲約爾德離開了辦公室。

他是外表光鮮的怪物，那麼他妹妹的表皮下究竟隱藏著什麼？

他緊握起拳頭。

『之後就會知道了。』

菲約爾德想起莉莉卡，突然湧上一股想見她的衝動。

好想見她。

他一次又一次地壓下這股衝動，甚至十次中，不曾有一次順從這股衝動去見莉莉卡。

「少爺。」

一名侍從快步走過來，恭敬地遞上銀盤，上面放著一封密封的信件，蓋著巴拉特家最親近的親信──努比拉家族的印章。

菲約爾德接過信件，走上自己的房間。

『那好。』菲約爾德金紅色的眼瞳中泛著更深的紅光,『得讓他們看看巴拉特最傑出的作品能做到什麼程度。』

如果繼承人能夠超越家主並順利掌控家族,那不也是一種樂趣嗎?

還是我的首級會先被砍下?

現在有了雷澤爾特,就算我死了,也不用擔心繼承人的問題才對。

菲約爾德用拆信刀割開了信件。

莉莉卡平時不怎麼看報紙,所以她第一次看的報紙上,自己大大的畫像就占據了一整面。

「這、這是什麼啊!」

莉莉卡發出宛如慘叫的聲音,阿提爾則大笑出聲說,「還會是什麼,那是妳啊。」

「這個?我嗎?怎麼看都不像啊。天啊,旁邊的是迪亞蕾嗎?真是太誇張了。」

莉莉卡緊盯著阿提爾帶來的報紙,隨後抬起頭,「布琳,妳來看看這個。他說這是我!」

布琳一臉嚴肅地說:「我認為比起羅迪亞,薩琳畫得更像皇女殿下。」

「薩琳?」

不同於困惑的莉莉卡,阿提爾露出厭煩的表情,「每一家報紙妳都會看嗎?」

「不,這次是因為皇女殿下會出現在上面……」

布琳說著,悄悄地拿出一本剪貼簿,裡面只剪下了莉莉卡的插畫,收集成冊。

「我看看,薩琳畫的妳看起來更有生氣。」

「啊,沒錯,薩琳畫的妳看起來更有生氣。」

若說阿提爾帶來的報紙是神聖的氛圍,那麼「薩琳」的感覺更活潑開朗。其他報紙的插畫也呈現出了不同畫

家的個性。

「啊啊啊！別看啦！」

莉莉卡用身體遮住剪貼簿，阿提爾則壞笑著說：「為什麼？很可愛啊。天啊，妳現在是名人了，這樣走在路上也會被人認出來，跟妳打招呼吧？」

「阿提爾！」

「這點小事又不算什麼，叔叔和嬸嬸的臉還被刻在金幣和銀幣上呢。」

「那、那和這個又不一樣。」

布琳為結結巴巴的莉莉卡辯護道：「皇女殿下第一次被如此大肆報導，會感到不自在也是理所當然。」

莉莉卡聽完後眨了眨眼，悶悶不樂。她放下剪貼簿，坐回沙發上。

「怎麼了？」

「沒有啦，因為布琳說這是第一次，我想到以後可能還會有更多這種東西。」

「名氣是魔法少女必須承擔的事啊。」阿提爾安撫似地說著，把剪貼簿蓋起來還給布琳，「我今天來找妳不是為了這個。」

「阿提爾為難地清了清喉嚨，慢慢說道：「我被指派處理在首都發生的這起事件。」

「阿提爾嗎？」

「對，有人故意在首都釋放魔獸，還是以玩偶的形態，實在太可疑了。」

「是這樣啊。」

阿提爾再次咳了一聲，「所以我會與首都警衛隊一起調查，但是很難從後方獲取情報，所以，嗯……」

行……」

看到他在斟酌用詞，莉莉卡點了點頭，「您是說貧民區吧？那警衛隊當然不願意幫忙，得餵東西給他們吃才

「餵東西給他們吃?」

「啊,是賄賂啦。」

莉莉卡這麼說完,阿提爾哼了一聲抱起雙臂,眼中帶著銳利的光芒。

「是嗎?妳是說,警衛隊員會收賄賂?」

「是的,我聽說是這樣。嗯,不過那邊……啊,擦鞋大叔在那邊工作很久,或許可以問到詳細的情報。」

「啊,那個人嗎?」

阿提爾很快就明白了莉莉卡說的是誰,因為莉莉卡偶爾會提到他。

「對,我正好想到如果能在這次的秋日節慶上見到他,我要去打聲招呼,所以到時候去問問看他怎麼樣?雖然看到我出現,他應該會很驚訝。」

聽到莉莉卡這麼說,阿提爾點了點頭。

調查人口販賣案件時也是這樣,線索一旦扯到貧民區就沒了下文。那位大叔是擦鞋匠,應該沒辦法問到什麼有用的資訊,但阿提爾也不想讓特意介紹的莉莉卡失望。

『而且如果他在那裡住了很久,或許知道些什麼。』

起碼需要小小的交集。

莉莉卡認真地說:「我沒有加入那個圈子,所以不太清楚,但大叔看起來也跟那些人很熟。」

「那個圈子?」

阿提爾歪過頭一問,莉莉卡點了點頭:「他們會自己組成一個團體,用各種方法獲得最大利益……」

「那就是犯罪組織了。」

阿提爾俐落地總結,而莉莉卡表情複雜地說:

「但是,嗯,他們也會有所克制,不會犯下太嚴重的罪?其實我也不太清楚,因為我一直都很老實地過活。」

咳咳！阿提爾咳了一下，並深有同感地說「是啊」，然後點了點頭。他不想再聽到莉莉卡說那個人的「傳奇故事」了。

莉莉卡問：「不過，魔獸原本就長得像那種玩偶嗎？我還以為牠們長得很可怕。」

之前烏巴告訴她的魔獸，每一個都有著奇怪的外形啊，結果竟然是玩偶魔獸。

「那個啊……」阿提爾舉起手，示意周圍的人退下，然後低聲說：「我聽說有一種神器可以抽取出魔獸的力量，然後把力量重新注入玩偶。」

「有那種神器嗎？」

「對，這是祕密，據說所有資料都消失，神器也都被銷毀了。我也不清楚究竟是誰怎麼弄到手的。」

「這樣啊……」莉莉卡輕輕嘆了口氣，「希望到秋季節慶前不會出什麼事。」

「是啊，希望一切平安。」

不知道能否如願就是了。

阿提爾心裡這樣想著，喝了一口布琳端來的茶。

Chapter. 11
秋日節慶

一如莉莉卡所願，即將順利迎來秋日節慶。

當然，還發生了雷澤爾特‧巴拉特大方現身社交界的事件。

因此巴拉特公爵宣布要正式舉行一個遲來的生日派對。

貴族派的孩子們帶著禮物聚集一堂。

菲約爾德和她究竟差了幾歲？是在大公爵去世後出生的嗎？如果不是，是不是在大公爵去世前一刻才懷上的孩子？這些傳聞也自然而然地傳了出來。

當然，巴拉特公爵的目光銳利，一個眼神就足以讓所有人閉嘴。而且，雷澤爾特的外貌任誰看了都知道是巴拉特家的人。她和菲約爾德站在一起，滿臉笑容，說話開朗，吸引了人們的目光。她在鄉下長大，所以不懂禮節的事看來不是隨便說說。她總是緊緊抱著玩偶走動，這也是讓所有人皺眉的行為之一，但是雷澤爾特總是帶著笑容，不放下玩偶，因此，偶爾也會有孩子以此取笑她，直到那一天。

那天是莉莉卡難得蒞臨天空宮的日子。她收到了很多晉見申請信，雖然數量不多，但也堆滿了一個樸素的信件盒。莉莉卡因此也會定期來到天空宮，和低等貴族們交流。

那些不能到太陽宮的孩子們會圍著莉莉卡。拉烏布和布琳總會陪在莉莉卡身邊，因此偶爾也會有人對拉烏布說「是狼騎士耶」這種話，還有孩子會來書來要求簽名。莉莉卡則表示那不是她寫的，拒絕了。沒有馬車或馬匹的話，那些孩子們會帶書來要求簽名。

天空宮不像太陽宮的花園一樣充滿了神祕感，所以莉莉卡無法理解發生了什麼事一時間，莉莉卡發現雷澤爾特將一個孩子的頭狠狠壓進噴水池裡時，湊巧到令人吃驚。

很難一天逛完整個花園，但其規模之大，令人嘆為觀止。

正值白天，初秋的陽光明亮地照亮四周。

嘩啦嘩啦！

因孩子掙扎而濺起的水花在陽光下閃閃發光。雷澤爾特滿臉愉悅地壓著那孩子的頭，沒注意到莉莉卡一行人。

那孩子躺在噴水池中，而雷澤爾特跨坐在孩子身上，用力按住孩子的頭，孩子則努力掙扎，想抓住雷澤爾特的手臂和手腕。

「住手。」

莉莉卡的話讓雷澤爾特驚訝地抬起頭。兩人的目光對上後，她羞澀地笑了笑。

雷澤爾特放開手，站起身來，那個孩子也彈坐起身。

「呼！呼唔！咳、咳、咳！呼……唔——」

孩子即使不停咳嗽，仍拚命地想遠離雷澤爾特。那是一個和雷澤爾特年紀相仿的女孩，額頭上有擦傷，正流著血。她從噴水池中爬出來，摔在地上，又吐出一口水，然後她發現了莉莉卡，放下心來大哭。

莉莉卡沒有看向那個女孩，只盯著雷澤爾特看，而拉烏布也一樣。雷澤爾特就像是獵物一旦有所行動，就會發動攻擊的野生動物。

閃爍發亮的銀髮和金紅色眼眸。

『他們雖然相似，卻完全不同。』

菲約美上許多。莉莉卡如此心想，注視著雷澤爾特。

雷澤爾特率先向她打招呼：「您好，皇女殿下。」

她行了屈膝禮，之後又做了兩次、三次，像壞掉的玩偶一樣不斷問候。

「您好，您好。」

布琳露骨地皺起眉頭。

雷澤爾特似乎有些不滿，歪過頭，再次行了屈膝禮：「您好，皇女殿下。」

「妳為什麼一直問好?」

莉莉卡問道,而雷澤爾特笑了,「因為我很開心。」

「為什麼開心?」

「有人接受我的問候,讓我非常開心。」

她說得像接受單純的樂趣,但背後能感受到黑暗。不是單純對方忽視她的問候,或者沒有對象可以問候那麼簡單的事。

莉莉卡對仍在顫抖的女孩說:「妳能站起來嗎?去叫御醫來——」

「不、我、我沒事。」女孩搖了搖頭。

「但妳在流血。」

「很快就會止住的,我沒關係。」

即使渾身溼透又瑟瑟發抖,她仍搖了搖頭,表情充滿了恐懼。

莉莉卡皺起眉時,另一邊傳來聲音:「雷澤爾特,妳竟然!」

轉頭一看,是菲約爾德。他看到這個情況頓了一下,與莉莉卡對上目光後露出了微笑。

「很高興見到您,皇女殿下。」

「你好,菲約爾德。」

「妳能站起來嗎?」

菲約爾德問候時,女孩用「得救了!」的語氣大喊:「菲、菲約爾德大人!」

「可、可以。」

淚眼汪汪的女孩抓住菲約爾德伸來的手,站了起來。

而雷澤爾特嘟起嘴,「但是,我的玩偶掉進了噴水池。」

「……」

菲約爾德連袖子都沒挽起就走向噴水池，撿起玩偶。他把玩偶遞給雷澤爾特，她就笑容滿面地緊緊抱住玩偶。

玩偶不停滴著水，但她似乎不在意。

菲約爾德恭敬地對莉莉卡說：「打擾到您了。」

「不，沒關係。」

莉莉卡這樣說完，凝視著菲約爾德一會兒。兩人的目光相對的瞬間感受到了對方的溫度，那會是錯覺嗎？

菲約爾德帶著兩人離開後，莉莉卡嘆了口氣，布琳則尖銳地說：「那種人居然就是巴拉特家的新貴，巴拉特公爵家也衰敗了許多呢。」

如果是從前，巴拉特家會寧願毒死這種不懂禮貌的笨蛋，也不會讓她作為巴拉特家的人露面。

布琳低喃說完，莉莉卡又嘆了口氣。

雖然已經過了兩年，她仍舊不習慣那種「貴族的思維」。

「今天就先回去吧。」

「是，皇女殿下。」

莉莉卡穿越後花園。雖然有許多貴族希望她能過來向自己問候交談，但她只是勾起笑容。

秋日節慶日益接近，以往她只是覺得「大家都好忙啊」，並感受著其他人愉悅的心情，但這一次她成了享受節慶的人。

「節慶！出宮！」

只是想想就興奮得直跺著腳。

她偷偷問阿提爾，是否得到了媽媽的許可，阿提爾臉不紅氣不喘地回答：「我看起來像有得到允許嗎？」

「那、那您打算怎麼辦？」

「沒關係，我可以出去，偷偷帶妳一起出去就好了。」

「嗯⋯⋯」

莉莉卡只悄悄告知布琳和拉烏布這個計畫。拉烏布立刻說要跟著去，但莉莉卡鄭重拒絕了。

布琳說：「但是，我們還是偷偷跟去比較好吧？」

莉莉卡聽了呵呵輕笑，「你們可以偷偷跟來，但不行被發現喔。」

「我會躲起來的。」

雖然媽媽應該會擔心，但對節慶的期待掩蓋過了這個擔憂。

「而且媽媽不知道就不會擔心吧？真的要偷偷溜出去再溜回來！」

莉莉卡為了偽裝準備的衣服已經掛在房裡了，那是一套華麗又可愛的節慶服裝，不是用高級布料製成的，而是花了很多時間精心刺繡、縫製而成的，莉莉卡不停繞著節慶服裝轉圈。

布琳笑了，「您這麼喜歡嗎？只要再睡一晚，就可以穿上嘍。」

拉烏布原本陰沉的表情頓時變得明亮。布琳也不打算讓莉莉卡自己離開，布蘭肯定也一樣。布琳隨意選好了日期，也寄信通知了菲約爾德。因為擔心，莉莉卡還向菲約爾德確認過，他也回信表示他知道這件事。

「嗯，我非常喜歡！」

莉莉卡不自覺地直跺雙腳，布琳則輕聲笑了。

莉莉卡望向太陽開始西沉的窗外，心想一天竟然這麼漫長。這時，偽裝好的拉烏布尷尬地出現在門邊。莉莉卡瞪大了眼睛，而布琳上下打量了拉烏布一番後，狠毒地說：

「不覺得很像巷子裡的罪犯嗎？」

「布琳！」

「我說得沒錯吧？就算是偽裝，你為什麼要穿成這樣？應該有更普通的衣服才是啊。」

「……」

「畢竟拉烏布長得高，外貌也很引人注目啊。」

「是的，所以打扮成那樣只會像個罪犯，或是巷子裡的傭兵。」

莉莉卡清了清嗓子，「那布琳，妳可以幫幫他嗎？」

「您說我嗎？」

「嗯。」

布琳眨了眨紫色的眼睛，「既然皇女殿下這麼命令我，我也只能聽命了。」

「畢竟是皇女殿下的要求。」

布琳迅速離開了房間。莉莉卡踮起腳尖，拍了拍沮喪的拉烏布手臂。

布琳哼了一聲，走過拉烏布身邊時說：「明天我會帶新衣服來給你。」

「謝謝妳。」

「沒關係的，沒關係，我覺得沒有那麼糟糕。」

「我會更努力的。」

「哈哈。」莉莉卡輕輕笑了笑。

就在這時，侍從來通知阿提爾到了，莉莉卡立刻走出臥室。

「啊,您換了衣服嗎?」

「我想穿來給妳看看。」

阿提爾也完成了偽裝,穿著遠比莉莉卡樸素的衣服。儘管如此,從他潔白無瑕的臉龐和毫無傷痕的手就能看出他出身自貴族。

「怎麼樣?」

「很適合您。」

阿提爾笑了笑,對莉莉卡說:「也給我看看妳的衣服,說不定妳會準備奇怪的東西。」

「那是布琳幫我準備的。」

莉莉卡用不可能會出錯的語氣說完,帶阿提爾走進臥室。

一名侍女問:「要端來茶點嗎?」

「嗯,幫我放在會客室。」

阿提爾揮揮手示意侍女離開後,侍女們都退出了臥室。

布琳回來時,聽到阿提爾已經換好衣服了,就笑了出來。會客室裡準備好了可愛的茶點。但兄妹倆不知道在聊什麼,一直沒有從臥室出來。等候許久的布琳站起來,恭敬地說:「皇女殿下,您在換衣服嗎?需要我幫忙嗎?」

沒有人回應。

有種不祥的預感,烏鴉的直覺發出警告,但布琳仍禮貌地敲了敲臥室的門,再次問道:「皇女殿下、皇太子殿下,兩位在裡面嗎?我要開門進去嘍。」

一片沉默。

布琳猛地打開門,臥室裡空無一人。

「！」

布琳馬上發現偽裝用的衣服不見了。

莉莉卡大口喘著氣。不同於相當不安的她，阿提爾很是從容。

他突然要莉莉卡換衣服，然後拉著她的手，從祕密通道逃了出去。他們甚至悄悄躲在一輛要離開宮殿的馬車上，此刻已經身在宮外。

「看到了吧？進來的時候會很嚴格地檢查，出去時卻很馬虎。」

這似乎不是阿提爾第一次這麼做，他的臉上充滿了自信。莉莉卡環顧四周，更用力地抓著阿提爾的手，阿提爾則笑著緊緊牽著她的手。

「布蘭現在不會再上當了，但有妳在，他還是被騙了。」

莉莉卡甚至戴了假髮。金色的頭髮輕柔地蓋住了她的臉。

「可以這樣做嗎？」

「不然妳可能說要偷偷跟來，卻帶著一支部隊出來啊。啊！在那裡！快走吧！」

他們看到了立在廣場入口的柱子，因為是收穫節，柱子上綁著大麥和小麥作為裝飾。

「哇——！」

莉莉卡頓時發出驚嘆。蜂擁的人群、攤位、歌聲和充滿活力的氣氛，與皇宮截然不同，若說皇宮是夢幻世界，天上人間，那這裡就是親近莉莉卡、她曾生活過的現實世界。

她在狹窄的巷弄間，一直很憧憬的地方。

呆愣地看著時，突然回過神來的莉莉卡問：「對了，那菲約爾德呢？」

他們提前一天來沒關係嗎？

看到莉莉卡擔心，阿提爾一臉苦澀地舉起手指。順著他的手指看去，能看到站在柱子下的男孩。即使深深戴著帽子，莉莉卡也立刻認出來了。

「我沒有騙妳，他是我們的同盟成員啊。」

莉莉卡聽到阿提爾咂舌一聲後這麼說，緊緊抱住阿提爾。阿提爾咧嘴笑起，並拉著她走。正有禮貌地拒絕一群女孩搭話的菲約爾德一發現莉莉卡，燦爛地笑了。

他快步走過來，說：「您今天也非常可愛呢，知更鳥小姐。」

「嘿！」不管旁人做何反應，莉莉卡用另一隻手緊緊牽起菲約爾德的手，「那我們現在就去逛逛吧！」

聽到莉莉卡興奮的聲音，兩個男孩都忍住笑意，點了點頭。

街頭樂隊的輕快歌聲、人偶戲，以及將剛收成的水果高高堆起的攤販。阿提爾仔細留意著莉莉卡的視線，在路邊買了一袋榛果遞給她。莉莉卡就咀嚼著香脆的榛果，看著四周。

即使在擁擠的人群中，莉莉卡可愛的打扮和舉止也引來許多目光。男孩們下意識地投來目光，但一與菲約爾德或阿提爾對上目光，就果斷放棄，並迅速走開了。

當然，不只男孩們拋來目光，阿提爾和菲約爾德不管走到哪裡都很帥氣，也十分引人注目。如果他們各自行動，或許不會這麼顯眼，但像這樣一起逛街使他們更加顯眼。然而，這兩個少年毫不在意，因為他們的身分本來就很習慣人們的關注。

莉莉卡則完全被節慶的裝飾和華麗的攤位吸引了注意力，沒有注意到這些目光。

『哇、哇啊！』

莉莉卡在心中連連發出驚嘆。

這裡有現場將麥芽糖裹到木棒上的攤位，賣棉花糖的攤位周圍也擠滿了人。

雖然價格不菲，但受到節慶的氛圍影響，莉莉卡還是打開了錢包。看棉花糖製作的過程也很有趣。

莉莉卡看著一個大棉花糖製作完成，瞪大了雙眼。她接過和自己的臉一樣大的棉花糖，露出幸福的表情。

她來回揮動棉花糖，棉花糖十分輕盈，形成完美的圓形。輕輕撕下一塊放入口中，甜味也令人驚豔。

「唔嗯！」

「有這麼好吃嗎？」

「嗯，非常好吃！給您！」

莉莉卡遞出棉花糖，阿提爾就用手撕下一小塊來嘗嘗。

「那當然啊，畢竟是用糖做的。來，菲約也試試。」

「根本就是糖。」

「我就不用了。」

「快點。」

在莉莉卡的催促下，菲約爾德也嘗了一口棉花糖。

「很甜呢。」

「很好吃吧？」

莉莉卡笑了。菲約爾德看到她的笑容，也跟著笑起來，「好吃。」

對他來說，只要能像這樣與她一起散步，平淡地聊天就十分滿足了，他應該能一次又一次地，反覆回味一輩子。

阿提爾說：「妳有想玩的嗎？」

「什麼？」

「看那邊。」

阿提爾指去的地方擺著各種遊戲攤位，有用玩具弓箭射物品的遊戲，還有從遠處扔出圓環，完全套進去就可以得到點數和獎品的遊戲。為了吸引眼球，這些攤位裝飾得五彩繽紛，充滿童趣，也非常符合節慶的氣氛，成功者的歡呼聲、失敗者的嘆息和嘲笑聲混雜在一起傳來。

「可以玩套圈圈嗎？」

阿提爾點了點頭，「當然。」

付錢後，老闆給了她一堆圓環，菲約爾德則靠近一臉沮喪的莉莉卡，抓住她的手臂，扔出一個圓環。圓環出乎意料地無法順利套中，距離看起來沒有很遠，但不知道為什麼一直套不進去。

阿提爾笑著，老闆給了她一堆圓環，菲約爾德則靠近一臉沮喪的莉莉卡，抓住她的手臂，扔出一個圓環。

喀喀！圓環套中了目標。

「套中了！」

「您懂了嗎？」

「嗯！」

「好可愛。」

「真是沒用，真是的。」

「那阿提爾很會玩嗎？」

莉莉卡瞪大眼睛問，阿提爾就哼了一聲，「讓妳看看我是多麼厲害的神射手。」

莉莉卡雙眼發亮，開始扔剩下的圓環。這次比一開始進步了很多，她得到了一個橡樹木雕作為獎品。

阿提爾掏出硬幣，拿起弓箭，問過莉莉卡想要什麼後拉弓。

莉莉卡站在阿提爾的背後看著時，菲約爾德悄悄牽住她的手，像是找藉口似地說：「不能把您弄丟了。」

莉莉卡笑了，「你隨時都可以牽我的手喔。」

她緊緊握住他的手，然後將視線移回阿提爾身上。

但她一直感覺到有人在看她，莉莉卡最終轉頭，再次看向菲約爾德，「很奇怪嗎？」

「什麼？」

「頭髮，我明明特意準備了金色的假髮。」

那頂金色假髮雖然不像媽媽那麼亮麗，但還是很相似。戴上之後感覺很像媽媽，所以讓她有點自豪，但果然很不自然嗎？

「很可愛。」

「哦？」

莉莉卡一回問，菲約爾德就笑著說：「我一直覺得您很可愛，甚至可愛到像甜甜的餅乾，想咬一口然後吞下肚喔，我的知更鳥小姐。」

莉莉卡的臉頰變得通紅，「菲約真的……」

她明白他為什麼受歡迎了。

她正想這麼說時，阿提爾不知何時走了回來，用手刀切開他們牽著的手。

「妳在做什麼？要仔細看著我的英姿啊。」

「啊，抱歉……啊！」

阿提爾將一個大玩偶塞進莉莉卡的懷裡，讓她抱著。

「給妳，妳說想要的。」阿提爾望向菲約爾德，「你和我談談吧。」

此時日落西山，四處都點亮了提燈，晚上的慶典與白天或黃昏時分截然不同，一切宛如夢境世界，變得更加朦朧。所有髒亂的地方都被隱藏起來，只有被溫暖燈光照到的地方閃閃發光。

阿提爾買了一份看起來就很辣，加了許多香料的燉菜，莉莉卡拿來一個木箱踩上去。不曉得是因為時隔許久沒吃到刺激性食物，還是因為在戶外，食物感覺比平時更美味。

由於桌子非常高，莉莉卡拿來一個木箱踩上去。不曉得是因為時隔許久沒吃到刺激性食物，還是因為在戶外，食物感覺比平時更美味。

他們三人來到一間擺了很多桌子，可以站著享用料理的臨時餐廳，也能到周遭的餐館或攤位買食物來吃。阿提爾買了一份看起來就很辣，加了許多香料的燉菜，莉莉卡選擇了炒麵，而菲約爾德拿著三明治站在桌前。

她也嘗了一口阿提爾遞來的燉菜，但辣得她掉下眼淚。菲約爾德馬上遞水來，讓她漱口，但嘴裡還是火辣辣的。

阿提爾聳了聳肩說：「沒有那麼辣啊。」

菲約爾德只吃著手中的三明治，問：「您想聊什麼？」

「啊，對了。你是想做什麼？」

聽到阿提爾的問題，菲約爾德頓了一下，之後露出標準的貴族微笑說：「我不明白您的意思。」

「哇，別在這種地方也用這種說話方式，露出那種表情好嗎？如果周圍的人發現我們是貴族，百分之百都是你的責任。」

莉莉卡不自覺地點了點頭，菲約爾德大概穿著乞丐的衣服，看起來也像個貴族。

「這就是我啊。」

菲約爾德對阿提爾的話不為所動。

阿提爾哼了一聲，然後說：「所以，你是想做什麼？看你剛才的舉動，我不懂你的腦子裡在想什麼。」

「⋯⋯」

菲約爾德看著阿提爾，阿提爾則用湯匙攪動著燉菜，並說：「由你來接近莉莉？那說得過去，這是個不錯的方法。但你如果不打算利用她，那是想做什麼？」

菲約爾德的視線看向莉莉卡，又固定在阿提爾身上。

「莉莉說她相信你。但我不知道，不過不管你有什麼打算，我可以聽你說說看。」阿提爾低聲清楚地說：「你到底想做什麼？」

菲約爾德最後總算開口了。

菲約爾德似乎在思考該說什麼，一直垂著目光，而阿提爾等著他。

莉莉卡吞了吞口水，這似乎是她不能插嘴的話題，因此她只專心地用叉子輕輕捲起麵條。

菲約爾德輕輕地勾起笑容。他的肩膀放鬆下來，接著說：「這樣說吧。我大概是想來場個人的復仇。」

「個人的復仇？」

「是的。」

「我呢。」

他不自覺地看向莉莉卡。莉莉卡則把塞了滿嘴的麵條吞下肚，稍微舉起握著叉子的手，像在為他加油。

菲約爾德輕輕抬起他既長又漂亮的銀色睫毛說：「我想讓她被自己的傑作摧毀。」

莉莉卡眨了眨眼，阿提爾則皺起眉：「所以是青春期的叛逆嗎？」

「聽起來像那樣嗎？」

菲約爾德微微一笑，使阿提爾的臉色依舊不悅，又問了第二個問題。

「好吧，就當作那是你的叛逆好了，那雷澤爾特呢？」

「這一次我真的不懂您的意思。」

「那傢伙真的是你的妹妹嗎？」

「公爵是這麼說的。」

「哈！」阿提爾把手肘撐在桌上，擺出流氓的姿態：「這樣你就接受了嗎？」

291

「這是什麼意思？」

「你想毀掉她的話，得多了解她一點。再這樣下去，你只會被當作巴拉特的傑作，最後被砍下首級掛在牆上吧。」

「謝謝您的建議。」

菲約爾德微微一笑後，阿提爾點了點頭。

「算了。對。」阿提爾伸手抓住菲約爾德的衣領，將人拎起來，「你要是敢動我的莉莉一根手指，我就殺了你。」

菲約爾德聽到這番話，舉起一隻手，然後不快不慢地伸向前，戳上莉莉卡的臉頰。

莉莉卡和阿提爾都瞬間說不出話來，菲約爾德卻平靜地說：「我已經動到她了呢。」

阿提爾傻眼到說不出話，從來沒有人敢在他面前做出這種事，直到今天為止。

「啊，是嗎？那你就去死吧。」

菲約爾德閃過阿提爾揮出的拳頭，「我可不會被打到第二次。」

「要是你能如願，我就不會揮拳了！」

「你們兩個都住手！」莉莉卡從木箱上跳下來，拉了拉阿提爾的衣服，「大家都在看啊。」

聽到這句話，阿提爾頓了一下，他感受到了周遭深感興趣的目光。阿提爾咂舌一聲後放開手，菲約爾德則整理了一下衣服。

「什麼啊，就這樣結束了嗎？」

「不是為了愛情在吵架嗎？」

「真是無聊的小鬼們。」

「是男人就要堅持到底啊，嗯？」

酒醉的人們各自發表意見。阿提爾用銳利的目光環顧了周圍一圈，「給我閉嘴」這句話都到了嘴邊，但他忍住

如果在這時和人爭吵,會把莉莉卡牽扯進來,他不想毀了和妹妹的首次外出。如果再待下去,他可能真的會先揮拳。菲約爾德最後輕輕動了動手指。

背離店內的笑聲,一行人離開了那個地方。

他拉起莉莉卡的手,離開了那裡。

「走吧。」

了。

啪嚓!匡啷!

男人們的桌子突然裂開,食物和酒杯都掉到地上。

「這是怎麼回事!」

「該死!」

菲約爾德露出滿意的表情,阿提爾則說「哇,真的氣死我了」,完全無視了那個情況。

莉莉卡驚訝地回頭看,立刻抱住了阿提爾的腰。

阿提爾笑了。

「怎麼了?」

「沒有,謝謝您。」

她以一句話表達了她對所有事情的感激之情,阿提爾又笑了笑,正要摸摸她的頭時停了下來。

『這是假髮。』

為了避免假髮掉下來,他捏了她的臉頰後鬆開,當作替代。莉莉卡抬頭看著他嘿嘿笑著,阿提爾也咧嘴笑了。

「啊,真是的。聊著聊著就餓了,再吃點什麼吧?」

「有股好香的味道。」

「那邊有人在賣香腸。」

是燒起炭火，當場燒烤各種食材的燒烤攤。他們一人拿著一支剛烤好，不停流下肉汁的香腸，一邊走著。走到更深處，也看到了一些布置得相當精緻的商店。

為了配合節慶，店家掛滿了燈飾，每根欄杆上都裝飾著花卉和藤蔓⋯⋯

「！」

莉莉卡驚訝地停下腳步。身旁的兩個男孩都敏感地察覺到了，分別問：「怎麼了？」

「您怎麼了？」

莉莉卡轉身離開，兩人都不明所以地跟了上去。

她躲進附近的狹窄巷子裡，阿提爾驚訝地睜大了眼睛，然後說：「媽媽在這裡。」

「嗯。她也像我一樣做了偽裝，但是就算這樣也騙不過我的眼睛。」阿提爾驚訝地睜大了眼睛，菲約爾德則問：「皇后殿下也在這裡嗎？」

「她在哪裡？」

「我們差點經過的茶館露臺上。」

阿提爾和菲約爾德一起從巷子中探出頭來。莉莉卡也從最下面探出頭來說：「就是那裡，那裡。雖然她用頭巾遮住了，但我認得出來，就是那位戴著藍色頭巾的人。」

兩個男孩認真地看向欄杆內側，輕易地找到了露迪婭，甚至令人懷疑剛才為何沒有注意到她。那對藍眼在同色的頭巾下更加顯眼，即使穿著簡樸的衣服，白皙的手腕和頸項也很引人注目。金色的頭髮全部盤起，用三角巾蓋住，但美貌是無法隱藏的。

「啊。」

「唉。」阿提爾短短地嘆了口氣後說，「而且在她對面的好像是叔叔。」

莉莉卡和菲約爾德再次探出頭來。雖然看不清楚長相，但的確像是阿爾泰爾斯。

看到周圍的人們對露迪婭瞥了一眼，之後看向男人就迅速將視線轉回原處，再也不往那邊看就可以看出來。

更何況男人還像傭兵一樣，在背上掛著劍。

「嗯⋯⋯要回去嗎？」

聽到菲約爾德這麼說，兩人都點了點頭。巧遇可能會引發不好的結果，莉莉卡想像了一下媽媽會多嘮叨。

這次可能真的會把她關在房間裡。

三人悄悄地離開了那附近，再次回到廣場上。因為人很多，莉莉卡就踮起腳尖。

菲約爾德把莉莉卡抱起來。

「來。」

「你幹什麼？把她交給我。」

「您的手會痠，由我來代勞吧。啊，那樣會掉下去的。」

「就這點重量嗎？快老實地把她交給我。」

「不行。」

「喂，妳看到了吧？這就是他的真面目。」

「我早就看過菲約任性的一面了喔。」

「什麼？」

驚訝的菲約爾德看向莉莉卡，但莉莉卡的視線定在前方，還摀住自己的眼睛。

「天啊，是魔法少女人偶戲。」

「在哪裡？啊，真的呢。」

「我、我沒事，我不想看了。」

阿提爾輕笑著抱起雙臂，而且人偶戲將最近發生的事件改編得有模有樣。

「為什麼？只是為了添增趣味而已啊。」

聽到阿提爾這麼說，莉莉卡瞪大了眼睛，菲約爾德則小聲笑著。

當邪惡的獨角獸出現，魔法少女大喊「竟敢欺負人們，無法原諒！」時，阿提爾放聲大笑。

莉莉卡滿臉通紅，她小聲地堅持說：「我絕對沒說過那種話。」

「我當然知道，哈！」

莉莉卡回頭看向菲約爾德，「菲約，你相信我吧？對吧？」

「是的，當然。」菲約爾德輕笑著回答。

莉莉卡皺起眉說：「對了，我們現在該去見擦鞋大叔了。」

「現在就要去？」

「擦鞋大叔？」

莉莉卡點了點頭。她瞥了阿提爾一眼，阿提爾就問菲約爾德⋯⋯「你能保密到什麼程度？」

「我完全不會洩漏。」

即使遭到嚴刑逼供也不會開口。

聽到菲約爾德的話，莉莉卡露出悲傷的表情。看到她的表情，菲約爾德咬牙忍住了想親上圓潤可愛的奶油色臉頰的衝動。如果他這麼做，阿提爾真的不會放過他。菲約爾德不怕阿提爾，但他怕莉莉卡會站在阿提爾那邊，離他遠去。

抱在懷裡的莉莉卡沉得恰到好處，又暖呼呼的，感覺就像一隻熊玩偶，而且散發著像孩童般可愛的甜餅乾氣味。

他不想放開她，所以不想破壞這個氣氛。

聽到菲約爾德的話，阿提爾走出人群，輕彈了一下手指，「帶路。」

他對莉莉卡這麼說完後，開始解釋。

莉莉卡以為菲約爾德會放她下來，看了他一眼，但意識到他沒有那個打算後嘆了口氣。

於是莉莉卡抱著阿提爾剛贏來的玩偶，開始指路。

「走那邊。」

菲約爾德跟著莉莉卡的指示走，聽著阿提爾簡潔的解釋。為了調查在首都發生的事件，他們需要貧民區的人協助，因此決定問問莉莉卡熟識的擦鞋大叔。

擦鞋大叔是在她過去經歷中經常出現的人物，因此菲約爾德也知道他。

『但他只是個擦鞋匠吧？能幫上忙嗎⋯⋯』

不過似乎也找不到其他方法。

莉莉卡拍了拍菲約爾德的手臂，「現在放我下來吧。」

菲約爾德說「太危險了」，莉莉卡回答：「菲約爾德的手臂不能用的話更危險。」

菲約爾德忍住遺憾，放下了莉莉卡。

他們越深入小巷，人潮就越少。剛才還是充滿活力的首都，聲音和光線在轉眼間都遠去了。

兩個男孩緊張不已，莉莉卡的步伐卻堅定有力。

這個比耀眼的街道更熟悉的地方。

『也許是因為好久沒來，這裡感覺變得比那時更暗了。』

但現在是慶典期間，賣花的孩子們應該會出現在橋上，卻一個也沒看到。

「真奇怪。」

莉莉卡嘟囔時，阿提爾皺眉說：「我知道首都有這種地方，但親眼看到又是另一回事。」

這時，對面的巷子裡有幾個男人走來，一看就像惡棍

菲約爾德向阿提爾低語：「請帶莉莉卡躲起來。」

阿提爾皺起眉，正想說「我為什麼要聽你的話？」時，菲約爾德立刻接著說：「因為我不想讓她看到。」

阿提爾很清楚他不想讓她看到什麼。他拉起莉莉卡的手。

莉莉卡毫不畏懼地直視著那些走過來的惡棍。男人們不知道是喝醉酒還是吸了毒，眼神渙散。這時，莉莉卡才稍微瞇起眼睛。

「把女孩也留下來。」

男人們威脅地握住腰間的刀柄，用木棍敲打地面。

莉莉卡說：「我是來見擦鞋約翰的。」

她堅定的話讓那些男人頓了一下，準備馬上採取行動的兩位少年也停下腳步。

「擦鞋⋯⋯？」

「約翰？」

男人們用喝醉的目光相互看了看，然後大喊：「抓住她！」

莉莉卡嚇得倒抽一口氣。

阿提爾德立刻把她抱在側腹，拔腿就跑，而菲約爾德擋在想追上他們的男人們面前。

「去死！」

「既然來了，就把所有東西都留下吧。」

「什麼啊？有富家子弟來觀光嗎？」

「！」

菲約爾德輕鬆躲過揮來棍子的男人，露出陰森的微笑。

「你們一個也別想過去。」

進入狹窄的巷道後,阿提爾開始迷路。由於貧民區會不斷擴建老房子,道路會突然中斷,或是出現在意想不到的地方。

「妳的膽子還真大。」阿提爾把她放下來後說。

莉莉卡喘著氣回答:「大、大家都知道擦鞋的約翰,也很尊敬他⋯⋯應該不會有事啊⋯⋯」

「喂,就算那樣,他不就是個擦鞋的嗎?」

「是這樣沒錯,但⋯⋯」

莉莉卡把手放在驚慌的心臟上,四處張望後她嚥下一口氣。

「菲約爾德呢?他還好嗎?」

「妳不用擔心他,如果我⋯⋯」

阿提爾含糊帶過。

「如果我也有權能,就不會逃跑了。」

似乎猜到了他接下來要說什麼,莉莉卡緊緊閉上嘴,阿提爾則搔了搔後腦杓。

「我們暫時留在這裡,等等再出去和那傢伙會合,今天就先回去了吧。」

「好。」

莉莉卡點了點頭。

就在這時。

「咯咯咯咯咯……」

奇怪的聲音傳來，同時，鐵鍊在地上拖曳的聲音也響起。

阿提爾將莉莉卡藏到背後。

「咯咯咯咯……」

「那個」出現在小巷的盡頭。那個人頭上戴著像死刑犯會戴的棉布套，雙腳銬著腳鐐，上頭的鐵鍊被拖行著，發出聲音。他身上穿著奇怪的服裝，看起來只是連身裙，但又不曉得那是不是衣服，總之打扮得很奇怪。

莉莉卡感到背脊發寒，不自覺害怕得抓住了阿提爾的衣角。

「咯咯咯、咯嘿！咯咯、咯──」

他頭上明明戴著棉布套，卻像能看到這邊，他轉過身發出似笑非笑的聲音。

阿提爾的全身響起警報，神經緊繃。

無論怎麼看，這傢伙都不正常。

「咯哈！」

對方一蹬地面，以驚人的速度衝來。阿提爾拉著莉莉卡躲開。

匡啷！剛才在兩人身後的木屋無力地被穿出了一個洞。莉莉卡的雙腿僵住，但阿提爾沒有。

「快跑！」

阿提爾推著莉莉卡的背大喊，這時她的腳才動起來。莉莉卡開始奔跑，她懷裡的玩偶掉到地上，又轉過了好幾條既熟悉又不熟悉的巷弄。

怎麼會這麼空蕩無人？她記得不是這樣的啊。

不顧一切奔跑的莉莉卡停了下來。

「呼、呼！呼……」

她喘著氣轉頭一看。

「阿、阿提爾……?」

她還以為阿提爾會跟上來，卻沒看到他的身影。她眼前頓時一黑，全身不停顫抖。

她丟下了阿提爾和菲約爾德。

他留在那裡。

為了應付那個，阿提爾留在了原地，她卻毫不知情地逃跑了。

『該、該怎麼辦?怎麼辦?』

頭腦一片空白。莉莉卡雙腿發軟，當場癱坐在地，就快掉下眼淚了。

『不行!不要哭!莉莉卡，不要哭!現在不是大哭、失去力氣的時候。』

雖然感覺到睫毛逐漸被濡濕，莉莉卡仍緊握起拳頭。

『去找警衛隊，然後……不，那樣太遲了，太晚了，該怎麼辦?』

莉莉卡開始深呼吸。深吸一口氣，再長地吐出來。

她從口袋裡拿出擺錘。

──妳能殺人嗎?

阿爾泰爾斯的聲音清楚地在耳邊響起。

莉莉卡雙手緊緊握住吊墜。

「加油，莉莉卡。加油。妳可以的，沒問題的。腿啊，站起來。」

她用拳頭敲打大腿，站了起來。

「跑吧，莉莉卡‧納拉‧塔卡爾，沒事的，跑!」

莉莉卡一蹬地面。

阿提爾露出苦笑。魔擊槍擊中了兩發，對方卻絲毫不為動。

他的雙腿發軟。

看來是剛才稍微打中太陽穴的那一擊造成的。阿提爾努力穩住搖晃不穩的視線，注視著對方。

明明中槍的地方血流如注，對方看起來卻毫無痛苦。

『如果我在這裡死去，應該會變成世上最愚蠢的皇太子。』

笑聲從棉布套裡傳來，彷彿在嘲笑阿提爾。那聲音極其惱人。

阿提爾握住槍。雖然這樣應該會損壞，但用它來打擊對方似乎能造成更大的殺傷力。

他絲毫不打算死去，更沒有乖乖去死的打算。即使要死，也要咬住對方的咽喉。

阿提爾這麼想著，瞪著對方。

『他能瞬間快速移動，但沒辦法控制那股力量。我必須在閃避後立即反擊。』

為了壓低重心，他滑動一隻腳，拉開步伐的瞬間，對方衝了過來。

「咯哈！」

阿提爾僅憑轉身就躲過了攻擊，用槍托敲擊對方的頭部。他用力敲擊到手指發疼，但對方像是有一顆石頭腦袋，絲毫不為所動。

「咕啊！」

他轉身試圖用雙臂抱住阿提爾，阿提爾馬上蹲下躲開，同時踢向對方的腳踝。

「咯！」

一聲碎裂聲響起，失去平衡的對手身形搖晃。阿提爾想馬上滾離原地，但倒下的對手抓住了他的腳踝。

男人的握力大到能捏碎腳踝。阿提爾咬緊牙，踢上對方的臉。

隨著一聲巨響，對手的頭部往後仰，但手仍不放開。

「咯咯、咯咯。」

「這混蛋真是的！」

阿提爾大喊一聲，繼續踢他。然而，握住腳踝的力量更強，讓他以為腳踝會就這樣被捏碎。

「瑟瑟堂斯！」

這時，一群閃亮耀眼的蝴蝶停在怪物的布面上。

「咯啊啊！」

怪物第一次發出尖叫，用雙手摀著臉在地上翻滾。

「阿提爾！」

「妳為什麼來了？」

阿提爾怒吼道，莉莉卡也不示弱地回吼：「我當然要回來！」

她跑過來擋在他前面。耀眼的蝶群消失後，對手似乎更加憤怒地咆哮著衝了過來。

「坎塔那！」

噹！

怪物被乳白色的盾牌擋住，無法進來。他用身體撞擊防護罩，大聲吼叫。

莉莉卡穩住呼吸。

妳可以的。

必須要做到。

雖然是魔獸，但攻擊一個絨毛玩偶和真正的生物完全不同。如果握著劍時有一隻大型犬撲過來，有多少人能不假思索地反覆刺上它？何況對手有著與人類相似的外形。

莉莉卡緊閉上眼睛，大聲喊道：「普利卡盧甘！」<small>絕對零度</small>

一個藍白色的魔法陣形成後，對方迅速躲開。阿提爾噴了一聲，拉住她。

「睜開眼，笨蛋！」

「哦？啊？」

莉莉卡睜開眼睛，發現對方躲開後十分驚慌。

「坎、坎塔那！」

她再次念出防禦咒語，怪物就拉開了距離，似乎在思考著什麼，這莫名的對峙持續下去。

「哦？」

一道藍色的光線發射出來，直擊防護罩。

怪物朝這邊伸出手並張開，手掌中刻著一個魔法陣。

魔力急遽被吸走，莉莉卡無法保持冷靜，防護罩破裂。

阿提爾從後面一把扯過喘著氣的莉莉卡，鉤狀的手指在她眼前掠過。

「呼、呼！」

「振作點。」

阿提爾咬緊牙關，感覺得到懷中的莉莉卡在不斷顫抖。

「坎塔那！」

莉莉卡再次設下防護罩，努力使自己冷靜下來。

阿提爾的雙臂加重力道，緊緊抱著莉莉卡。她為了保護他而回來，施放的攻擊魔法卻沒有任何效用。

真的，真的是⋯⋯

阿提爾‧薩烏‧塔卡爾，你要讓她殺人嗎？

有時候是逼不得已，也許會有那樣的時刻。

但她明明和我在一起。

她明明和我在一起啊。

心臟開始猛烈跳動，感覺像有人在血管裡打著鼓，太陽穴像在咚咚作響。全身都在顫抖，血液像暴風雨肆虐般快速竄流。

莉莉卡拿起吊墜。就在那時，阿提爾搗住她的眼睛。

「別看。」

他低喃的聲音如雷鳴一般低沉沙啞。驚慌的莉莉卡聽話地停了下來，遮住她視線的手十分熟悉。

攻擊沒有襲來。

沒有襲來──

「咯啊啊啊！」

慘烈的尖叫聲響起。莉莉卡想要摀住耳朵，同時聽到了劈啪作響的聲音，接著燒焦味飄散開來。

啪嚓⋯⋯喀嚓。

同時，某種東西撕裂、掉落的聲音傳來。

「哈哈──」

耳邊傳來笑聲。血腥味撲鼻而來,猶如動物被屠宰的慘叫聲不斷響起。

莉莉卡全身發顫,但阿提爾沒有發現。火花迸發而出,包裹住他向前伸出的手臂,阿提爾緩慢地扭轉伸直的手,每當他轉動,對手的身體就被巨大的力量撕得四分五裂。

一瞬間,尖叫聲停止了。

阿提爾收回手臂,碎裂的身體嘩啦啦地掉在血泊中。

啊,這是什麼?原來是這樣嗎?這麼容易嗎?

曾經覺得太過強大,以為無法戰勝的對手,耳邊嗡嗡作響,暴風在耳邊盤旋。感覺爽快極了,非常舒暢。

笑聲從嘴裡流洩。

釋放一切之後,強大的力量纏繞著他。

莉莉卡大口喘著氣,遮住她眼睛的手十分可靠。

狂風吹來,她的裙襬像站在激烈的暴風中一樣飄揚。假髮瞬間被風吹飛,棕色長髮如火焰一樣向上飛起,在風中飄盪。

很危險。不知道是什麼,但是感覺很危險。

她用雙手緊緊抓住阿提爾的手和臂膀。

「阿提爾、阿提爾、阿提爾!」

在風聲和笑聲中,她的聲音不曉得是否有傳到對方耳裡,莉莉卡大聲呼喊⋯

「哥哥!」

這一刻,笑聲停止了,但暴風還在繼續。

「怎麼了,莉莉卡?」

提問的聲音十分溫柔。莉莉卡吞下一口口水後說:「我好害怕。」

沉默降臨。

過了一會兒，他長嘆了口氣。暴風平息，阿提爾摟著她的眼睛並坐下，用另一隻手摟過她的腰。

莉莉卡驚訝地跌坐下來，坐到他的腿上。沒有痛楚，驚嚇的感覺更甚。

「呀啊！」

心跳怦通亂跳，阿提爾卻像靠在她的背上，使她的身體變得沉重。

「我累了。」

他的低吟聲讓莉莉卡頓時放鬆下來，「我也是……」

她小聲說完後，聽到一道笑聲。阿提爾嘆了口氣，抬起身體。

「你來得太晚了。」

「抱歉，我也是把事情處理完才來的。」

菲約爾德從容的聲音傳來後，阿提爾告訴他：「你的臉上沾到血了。」

「哎呀。」菲約爾德驚慌地辯解：「我隨便應付過他們，但他們就是不退讓。不知道吃了什麼藥，也感覺不到疼痛……所以我可能做得太過火了。」

他拿出手帕，將臉擦乾淨。

莉莉卡問：「我、我現在可以看了嗎？」

「等一下，我把那邊清理一下。」

阿提爾將「碎片堆」輕推到巷子的暗處，然後放開摀住莉莉卡眼睛的手。

莉莉卡倒抽了一口氣。地上滿是血泊，她感到一陣頭暈。

菲約爾德像避開水窪一樣，繞過血泊走過來。

「您能站起來嗎？來。」

她抓住伸出來的手站起來後，雙腿發顫。她不想看，視線卻瞥向角落。在昏暗的燈光下，瞥見了一隻手從堆積物中伸出來的影子。

心臟猛烈跳動，胃部像被人緊緊揪著。

阿提爾淡定地說：「那麼，現在我們該怎麼辦？」

「那位擦鞋大叔好像已經沒戲唱了。」

「啊，我又餓了，連香腸都沒吃完。莉莉卡，妳還想吃點什麼嗎？」

「現在那兩位應該離開了那個地方，去間像樣的餐廳怎麼樣？」

兩人的對話格外悠閒，讓莉莉卡感到怪異，一股反胃感湧上，莉莉卡最後殘存的理智使她往反方向奔跑。

「嘔——！」

「莉莉！」驚訝的菲約爾德跑過來抓住她的頭髮。

「啊，真髒。」

阿提爾不停抱怨道，而莉莉卡一直吐到再也吐不出東西來。

「沒關係的。您嚇到了吧？」

她第一次對溫柔撫過背的手感到抗拒，莉莉卡的身體一縮，躲過那隻手，菲約爾德就把手收了回去。阿提爾從口袋裡掏出一條皺巴巴的手帕遞給她：「妳沒事吧？」

莉莉卡點了點頭。

莉莉卡不停喘著氣，抬起頭來。

莉莉卡抬起頭，蒼白的臉在月光下搖了搖。

菲約爾德凝視著她問：「您不喜歡嗎？」

「您不喜歡嗎？很可怕嗎？」

308

菲約爾德的問題很簡潔，他的表情毫不動搖。

阿提爾皺了皺眉，下一秒才明白菲約爾德在問什麼。

『為什麼不喜歡？』

我只是殺了那些想殺害我們的人。雖然做法有點過火，但他對殺了對方沒有感到一絲不適，反而覺得很愉悅。

他還以為莉莉卡也會為此感到高興。

阿提爾看向莉莉卡。莉莉卡緊緊握著手帕，直視著菲約爾德說：「我不喜歡，也很害怕。」

她直白的話語使菲約爾德臉上的笑容消失。他該露出什麼表情才好呢？混亂從破碎的面具縫隙中湧出。

就在阿提爾準備發火的時候，莉莉卡說：「但我還是喜歡你們。」

莉莉卡的聲音沙啞。她看了一眼小巷。

他們做出了這種令人無法直視的事。

她不是因為他們殺了人而大驚小怪，也不是認為殺了人就應該感到痛苦。菲約爾德肯定也殺了那裡的所有人，沒有抓起來，也絲毫沒有想過要交給法律處理，這已經成了他們的本能反應，彷彿沒什麼大不了。

莉莉卡隱約知道菲約爾德和阿提爾的能力，所以也知道他們刻意選擇了特別殘忍的方式殺人，讓血液飛濺。

這感覺就像看到孩子抓捕昆蟲後解剖，但是⋯⋯

她的聲音發抖。

「菲約爾德和阿提爾，那種事、很恐怖，但是，即使如此⋯⋯」

她仍然愛著他們。

她愛著對此不以為意的這兩個人。

她愛上了能冷靜地殘忍殺人的人。因此，這份痛苦是屬於她的，不需要向他們坦承。

莉莉卡勾起笑來。

「我也曾試著攻擊他們，所以我不是在責怪你們殺人。」

啊，原來如此。

莉莉卡看著菲約爾德，又看向阿提爾。這兩個人這麼泰然自若……

『反倒令人悲傷。』

菲約爾德聽到莉莉卡的回答，反而露出鬆了口氣的表情。

如果莉莉卡冷靜地說「沒有啊？壞人就應該去死，都該殺光」，那他反倒會感到奇怪。因為她是「不殺人」的人。

『儘管如此。』

她喃喃說著愛他們、喜歡他們的話語太過甜蜜，感覺一切都要融化了。

她沒有別開目光，沒有迴避，也沒有認同他們，正面看著兩人，毫不逃避地說。

菲約爾德用燃燒著金紅色光芒的眼睛看著莉莉卡。正當他想握住她的手時，阿提爾先緊緊抱住了她。不曉得他抱得多用力，莉莉卡感覺肺部一下子受到擠壓，空氣被擠出喉嚨，發出奇怪的聲音。

「咕咦！」

「哎呀，真是熱鬧啊。」

阿提爾放開了她。菲約爾德轉頭看去，阿提爾也同時朝那個方向看去。

他笑著肆意撫過她的頭髮，莉莉卡則拍了拍他的手臂：「我喘不過氣……」

「啊，抱歉。」

「妳竟然說這麼可愛的話。好，我知道了，我以後會克制的，好嗎？」

黑暗中，一個男人帶著笑意說道。他站在黑暗的小巷中，看不太清楚長相，莉莉卡眨了眨水汪汪的眼睛。

啪嚓！

點火聲響起，一道微光閃爍後消失。點燃香菸後，男人走了過來。菲約爾德和阿提爾面露警戒，同時也很從容。

男人輕聲笑著，吐出一口煙，「妳好啊，小不點，好久不見了。」

莉莉卡感覺喉嚨深處被什麼堵住了。

「大叔！」

她想衝出去時，阿提爾攔住了她，張開雙臂的男人露出遺憾的表情。

「那是誰？」

聽到阿提爾這麼問，莉莉卡回答：「是擦鞋大叔！我跟你提過的！」

聽到莉莉卡的話，兩位少年不由自主地對望了一眼，然後轉頭看向男人。一眼就能看出他的外表華麗。在昏暗的燈光下也能清楚看到一頭鮮紅長髮，時髦地束成公主頭。耳朵上戴著耳環，手上戴著許多戒指，手臂上還有刺青，明顯就是個流氓。而且年紀大約二十五歲，頂多只有三十出頭。

「哪裡像大叔啊！」

聽到阿提爾的話，「擦鞋大叔」不以為意地回答：「哎呦，對小孩來說，我當然是大叔啊，年紀差多了。」

菲約爾德傻眼地說：「哪有像你這樣的擦鞋匠？」

「怎麼，不能有我這樣的擦鞋匠嗎？現在可是講求獨特個性的時代啊。」

他挑釁地說著，從腰間拿出帽子。看到兩人十分驚訝，他揮了揮帽子，像在說「這不是槍，是帽子」，然後熟練地將長髮塞進帽子裡，深深戴在頭上。

「像這樣再拉下袖子，白天就是個認真的擦鞋匠了。總之，我們先離開這裡吧。作為特別服務，我會讓孩子們來清理的。」

兩人不自覺地看向莉莉卡，莉莉卡點了點頭，兩人就無奈地嘆了口氣。因為有很多好奇的事，阿提爾和菲約

爾德決定跟著他走。

阿提爾一放開手，莉莉卡就跑向那男人，男人則笑著將她抱起。

「哇，妳真的完全變成千金小姐了呢。我原本還很擔心妳過得好不好，真的太好了。」

「嗯，我過得很好。」

莉莉卡一掌打在男人的嘴上，讓他轉頭看去。

「不能隨便罵別人的媽媽。」

「啊，但是妳媽媽……不，我什麼都不說了。」

莉莉卡再次舉起手，男人就轉過頭去。

聽說妳成了皇女殿下後，我嚇了一大跳，還以為那個女人把妳賣掉了呢，哈哈哈。」

菲約爾德和阿提爾感到非常不悅。那位「擦鞋大叔」和莉莉卡看起來非常親近，這兩人曾共享過一段菲約爾德和阿提爾不曉得的時光。

感受到男孩們銳利的目光，男人微微一笑，放下了莉莉卡，「再抱著妳就不好了，我們走吧。」

他熟練地穿過複雜的小巷，不停道歉，同時開門穿過別人的家。繞來繞去，他們最終走進一棟大樓的後門，裡面有幾個看起來像流氓的人。

阿提爾和菲約爾德讓莉莉卡走在中間，不放鬆戒備。

「來來來，這邊請。」

他打開一間小房間的門，裡面的環境相當舒適，一點也不像黑社會老大的辦公室。地毯老舊，架子上擺著老舊的裝飾品，一塵不染的光滑家具讓人感覺像在樸素的家中。

坐到桌邊後，他親自泡了茶，先喝了一口再遞給莉莉卡。

莉莉卡拿起茶杯時，菲約爾德伸出手。莉莉卡沒有說什麼，把杯子遞給了他，菲約爾德就自己喝了一口，等

了一會兒才把杯子還給莉莉卡。

除了莉莉卡的份，男人沒有再遞茶杯給任何人，但沒有人介意。

莉莉卡將溫暖的茶水吞下肚，剛才發生的一切感覺就像一場夢。

「呼——」

莉莉卡不自覺地呼出一口氣，男人對她勾起了笑，「所以？妳在那裡做什麼？小不點竟然做出這麼危險的事。」

「既然你知道眼前的人是誰，說話有禮貌一點怎麼樣？」

阿提爾態度放肆地說完，擦鞋匠約翰舉起雙手：「哎呀，因為我沒學過多少禮儀，我會努力的。那麼，您在那裡做什麼呢？這樣很危險。」

「我在找大叔……」

「找我？」他露出疑惑的表情，「為什麼？請問果然發生了什麼事吧？」

「你該不會覺得加個『請問』就是有禮貌了吧？」

約翰咧嘴笑了。

阿提爾一臉惱怒，莉莉卡則輕咳了一聲，「不是，嗯……」

莉莉卡看向阿提爾後，阿提爾說：「妳說吧。反正他好像都知道我們是誰了。」

阿提爾抱起雙臂說完，莉莉卡說：「我想請大叔幫忙阿提爾調查一些事。」

「話說回來，剛才那是什麼？看不出來是不是人類。」

「啊，您是說想用力卸下少爺的關節，直到快死了才願意鬆手的傢伙嗎？他確實是人類。」

「你——」

阿提爾緊咬牙關，桌子隨之震動。莉莉卡顫了一下，阿提爾就吐出一口長氣。

冷靜點。我不是五歲的小孩了吧？完全不會再像那時一樣愚蠢地失控了。

「那麼，那種人是從哪裡來的？是用藥上癮的人嗎？還是你的同伴？」

阿提爾的話使他歪過頭，對莉莉卡露出愧疚的表情，「小不點，妳還好嗎？」

「什麼？我是嚇到了，但沒事，阿提爾保護了我。」

他脫下帽子。在燈光下，紅色頭髮光是顏色就十分華麗了。

「其實各位應該認為我是個擦鞋匠，但我的正職工作是這個，在晚上我是個情報商。」

他為了隱瞞身分的事向莉莉卡道歉之後，莉莉卡歪著頭回答：「嗯，我覺得你不像普通的擦鞋工。」

「啊，真的嗎？」

「我也待在這裡好幾年了，眼力很好嘛。」莉莉卡勾起笑，「提到大叔的名字，大家都會悄悄讓開啊。」

「啊，那是因為我作為擦鞋匠的經歷太豐富了。」

約翰尷尬地說完，將目光轉向阿提爾和菲約爾德。

「所以大部分的事情我都知道。皇太子殿下、菲約爾德公子，很高興見到您們，我是情報商威爾。」他恭敬有禮地問候了一聲，「今天發生的事，對我們來說也是個意外。我們明明把他關在倉庫裡，他卻把鐵鍊扯斷，殺害我的同伴後逃跑了。」

他從口袋裡拿出香菸，叼到嘴裡要點火時，看到莉莉卡便作罷了。嘴裡叼著未點燃的香菸，約翰・威爾──

約翰淡然地解釋了情況。

「我不曉得他是從哪裡來的，是有一天突然被放到後巷來的。我們雖然抓到了他，但還在調查發生了什麼事。」

威爾對阿提爾說：「殿下應該也有事想問我，要不要單獨談談？」

「好。」

阿提爾從座位上站起身。他現在無所畏懼，態度冷靜。

威爾對莉莉卡眨了一下眼，和阿提爾走進內室。

莉莉卡摸了摸口袋裡的擺錘時，菲約爾德說：「現在殿下作為繼承人，已無可挑剔了。」

因為他恢復了權能。

「啊？啊！我忘了祝賀阿提爾。」

莉莉卡驚慌地說完，菲約爾德笑了，「在那種情況下，很難開口恭喜他。」

「嗯，但多虧了你，我現在發現了，還好。」

菲約爾德輕輕把椅子拉到莉莉卡旁邊，而莉莉卡勾起笑容，「菲約，你覺得呢？」

「您是指什麼事？」

「啊，對了，你沒看清楚。我是指攻擊我們的那人⋯⋯」

莉莉卡說明了那個人的外貌和情況，菲約爾德皺起眉頭。他最不喜歡莉莉卡重新跑回來的舉動，但似乎不打算對莉莉卡多說什麼。

「真是危險呢。」菲約爾德只說了這句話。

「菲約呢？」

菲約爾德稍微皺起眉，「我遇到的那些人都像吃了什麼奇怪的藥，尖叫著逃跑。因為就算是喝醉酒的人，嘗到一次苦頭都會本能性地逃跑才對。」

就如他所說，通常他們都會露出一下子清醒過來的表情，尖叫著逃跑。

「但這次他們反而衝了過來，受傷了也不管。」拉長了尾音後，菲約爾德接著說：「感覺這兩件事有關聯。」

「嗯，應該是這樣吧？」莉莉卡嘆了一口氣，小聲對菲約爾德說：「剛才很抱歉。」

「這是什麼意思呢？」

「我剛才不是說我不喜歡，也很害怕嗎？」莉莉卡垂下眉尾。

菲約爾德微微一笑⋯⋯「您為什麼道歉呢？我很高興您跟我說實話啊。」

「唔，不是，我不應該那麼說的，應該有更好的表達方式⋯⋯但我或許讓阿提爾或菲約不高興了。」

即使說話直白，說話方式也很重要，直接並非總是對的。

菲約爾德伸出雙手，輕柔地捧起莉莉卡的雙頰：「但您也說還是喜歡我們啊，那樣就夠了。」

莉莉卡笑了：「嗯，菲約和阿提爾對我來說都很重要。」

看著那雙宛如火焰舞動的金紅色眼眸，莉莉卡低聲說：「愛著月亮，也要連月之海一起愛。」

若是只愛耀眼的部分，怎麼能說是愛著月亮呢？

菲約爾德的手微微用力，想沉入那雙羞澀笑著的藍綠色眼睛裡。沉入深處，然後窒息而死。

還是說，他已經深陷其中了？

他的身體慢慢向前靠去，莉莉卡「喔喔？」地喊了一聲時，他圓潤的額頭輕碰上她的額頭。

距離很近，使莉莉卡倒抽了一口氣。

他低聲說：「那就讓我沉溺至死吧。」

莉莉卡皺起眉，不曉得他突然間在說什麼，「菲約，那是——」

砰！

這時，一聲巨響傳來。莉莉卡驚訝地縮起身，而菲約爾德跳了起來，將她護在身後。

「這個臭流氓！把我女兒藏到哪裡去了！」

砰！啪嚓。

無情的破壞聲響起。

「快給我出來！」

那聲音很熟悉，莉莉卡呆愣地低語：「媽媽？」

莉莉卡的話讓菲約爾德大吃一驚。會那樣罵人的是皇后殿下？他從未見過她罵人的模樣。

阿提爾和威爾打開門走出來，阿提爾問：「發生什麼事了？」

「媽媽好像來了⋯⋯」

「什麼？」阿提爾驚訝地說。

這時，外面傳來罵人的聲音，阿提爾也大感震驚：「妳說那是嬸嬸？」

「是的。」

聽慣了那道聲音的莉莉卡點了點頭，威爾也點頭，臉上露出為難的表情：「我一直裝作沒看到啊，真是的。」

「裝作沒看到？」

莉莉卡轉頭看來，威爾咧嘴一笑：「因為我不想見大人物啊，他們不曉得有多自負。」

他嘲諷地笑了笑，大喊道：「讓她進來吧！」

話音剛落，門被猛力推開，露迪婭衝了進來。

「莉莉？莉莉！」

「媽媽。」

四處尋找的露迪婭發現了莉莉卡，衝過去緊緊抱住她，「啊啊，莉莉，媽媽真的很擔心妳。」

「我沒事喔。」

莉莉卡安慰著媽媽，接著進來的阿爾泰爾斯以看待問題兒童的眼神看著三個孩子，嘆了一口氣。

這是難得的約會遭到打擾的嘆息。

威爾問他：「您殺了人嗎？」

「我沒有殺人。」阿爾泰爾斯做出從背後拔劍的動作⋯「我是用劍背打的，頂多骨折，不會死人。」

「太好了。」

엄마가
계약결혼 했다
Mother's Contract Marriage

威爾剛放下心來，露迪婭就抓起他的衣領：「你竟敢拐走我家天真的孩子，把她關在這種地方？你這個臭流氓，我一開始就看出來了！從你說要收莉莉卡為養女的時候，我就——」

威爾露出不悅的表情：「什麼拐走她，我是讓她躲到安全的地方，收她為養女的提議也一樣。」

「您有清醒的時候嗎？」

「什麼？」

「那是……」

露迪婭的氣勢大減。

莉莉卡跑過去抱住她，並說：「我說過我不要了吧，叔叔為什麼要這麼說？」

威爾對莉莉卡勾起笑：「是啊，是莉莉卡拒絕了我。」

露迪婭放開他的衣領，轉而與莉莉卡相擁。

威爾整理了一下凌亂的衣襟，說：「我很高興能這樣見到兩位。為了安全，我會保密兩位的身分。」

阿爾泰爾斯直盯著他。從他提到要收莉莉卡為養女的那一刻起，他的心情就變得非常糟糕。

『就憑你？』

他也不喜歡威爾提起自己不知道的過去。

「阿提爾。」

阿爾泰爾斯一喚，阿提爾臉色緊張地走了過來。

「你說，發生了什麼事。」

阿提爾正在苦惱該從哪裡開始說起，是不是應該從他帶莉莉卡逃離宮殿的事情講起來，威爾說：

「如果您不介意，可以由我來解釋嗎？我的所見所聞或許能更客觀地說明，而且——」他看向露迪婭，「您肯定也有話要說。」

露迪婭眼睛一瞇。明明她之前不管怎麼要求見面，都沒有得到任何回應。

即使她怒視著威爾，他仍一臉從容。這是貧民區的居民特有，即使面對死亡也無所畏懼的膽量。

露迪婭在腦海中整理思緒，她確實有許多事情需要弄清楚。

「沒錯，我們有很多話要談。」

露迪婭摘下頭巾，扔給了他，像要發起挑戰。她拿下髮夾，一下放下頭髮。

儘管只是金色頭髮華麗地流洩而下，露迪婭就壓制了氣氛。她不再是穿著樸素衣服偽裝的人，是神情驕傲的皇后。

露迪婭非常擅長利用自己的外表。她轉身看向孩子們，「那得先送你們回去……」

「他們三個應該能安全回去。」

阿爾泰爾斯的話讓露迪婭皺起眉。阿爾泰爾斯不喜歡她在這裡放下頭髮。

「您說他們能平安地回去？您在做什麼？」

「把妳的頭髮綁起來。有這兩個人當莉莉卡的護衛很足夠了，莉莉卡身上還有神器呢。」

阿爾泰爾斯開始將她的頭髮編成三股辮，而露迪婭一臉難以置信地看著這一幕。

阿提爾斯瞥了阿提爾一眼，說：「恭喜你恢復力量。」

「啊。」

露迪婭這才驚訝地轉頭看向阿提爾，阿提爾有些難為情地表示感謝。

露迪婭眨了眨眼。

『阿提爾恢復了權能？』

原本的阿提爾即使成為皇帝，也沒有展現出權能，所以產生了更多問題……

『這件事居然解決了？』

真是奇妙。露迪婭帶著吃驚的表情說：「真是太好了。」

她必須聽那個流氓仔細說，這究竟是怎麼回事。

阿爾泰爾斯編好辮子後，用手帕將髮尾綁起來，然後放開手。

「你們能把莉莉卡安全地送回去吧？」

「是。」

「當然沒問題。」

兩位少年輪流回答。

威爾指向被阿爾泰爾斯和露迪婭破壞的門口說：「你們從那邊出去，我的部下會帶你們到入口。」

莉莉卡喚了一聲「叔叔」，威爾就勾起了笑，「放心吧。」

聽到他這麼說，莉莉卡點了點頭。她從小就在他的指導下學習心態，他可以說是她的導師。

「謝謝您。」

她將所有感激之情凝聚於這句話中，他聽到後咧嘴一笑，「不客氣。」

露迪婭轉頭看向莉莉卡。

「我本來希望妳一起留下來，但我們可能會談很久，而且孩子們不應該聽到這些事。孩子就應該像個孩子，無憂無慮地玩耍。露迪婭希望她的女兒如此，不再擔憂。」

莉莉卡聽到露迪婭的話，猶豫了一下，然後點了點頭。

「我們走吧。」

阿提爾牽起她的手，彎腰鞠躬後走出門，菲約爾德走在兩人身旁。在外頭，有一個男人鼻青臉腫、跛著腳走來，帶孩子們走向入口。要從這裡離開貧民區並不難，他們很快就再度回到了舉辦熱鬧慶典的廣場。

莉莉卡呆愣地望著這幅景象，廣場上熱鬧至極，明亮不已，彷彿之前發生的一切都是假象，說：「我覺得好累喔。」

「是啊。」

阿提爾呆站著望著燈光，菲約爾德也一樣。感覺就像站在回到現實的界線上。

莉莉卡問：「您在裡面和大叔聊了什麼？」

阿提爾眉頭一皺，「現在可能不太適合說這件事。」

「那麼，等時機合適時，請您告訴我。」

「好。」

菲約爾德問道：「我們去喝杯茶怎麼樣？」

聞言，兩人都同意了。就這樣回宮很可惜。

『反正孀孀沒有叫我們馬上回去。』

他們走進一間正式的店家找位置坐下，而非攤販。慶典期間，難得取消了宵禁，因此街上人來人往，直到深夜。秋夜涼爽宜人，他們三人坐著，默默地喝著茶。

阿提爾深嘆了口氣，「慶典都還沒開始呢，真可惜。」

「但是我太累了，沒辦法再去玩了。」

「我也是。」

阿提爾輕輕舉起手，木製的茶匙開始在他的手掌心旋轉，他一臉得意地望向莉莉卡…「怎麼樣？」

「好神奇喔。」

「對吧？」

阿提爾咧嘴一笑，然後一把茶匙拍在桌上。

『心情真好。』

他洋洋自得地說：「既然今天都已經這樣了，我們就玩個通宵吧？」

莉莉卡猶豫時，菲約爾德笑了，「應該沒辦法。」

「為什麼不行？啊，該死的。」

阿提爾抱起雙臂，莉莉卡好奇地來回看著他們，「為什麼？怎麼了？」

「您覺得是為什麼呢？」

莉莉卡聽到突然從背後傳來的聲音，渾身一顫。她從座位上跳起來，然後慢慢轉頭看向身後。拉烏布就站在身後。他緊咬著牙，清楚地表示：「除了我，其他人也來了。」

簡單來說，這是「你們別想逃」的意思。阿提爾一臉傻眼地說：「你該不會喚來了騎士團吧？」

「那怎麼可能，我怎麼能直接告知他們，兩位不在皇宮呢？」

「呃！」

布蘭出現時，阿提爾發出語塞的短促聲音，然後站起來，「走吧，我們要走了。」

「請起身，皇女殿下。」

「布琳也來了？」

「那當然。」布琳將一頂新帽子戴到莉莉卡的頭上，之後瞪了阿提爾一眼，對莉莉卡說：「這裡很多人，我們該回去了吧。」

「你們是怎麼找到我們的？」

「烏鴉一定能找到的。」

莉莉卡對菲約爾德說：「菲約爾德，那個⋯⋯我們明天還要再見面喔。她的眼神這麼說著。

「是，我知道。」

菲約爾德笑著回答後，莉莉卡也滿臉笑容地點點頭。她輕輕揮手，菲約爾德也向她揮了揮手。

一行人離開露臺後，拉烏布從口袋裡拿出笛子吹起，但沒有聲音。

莉莉卡好奇地說：「沒有聲音耶。」

「這是只有我們族人才能聽見的聲音。我告訴他們找到您了，發出了撤退的信號。」

「不是說沒有喚來騎士團嗎？」

阿提爾無奈地說完，布蘭點了點頭。

「是的，當然，我們有請坦恩閣下協助。」接著又磨著牙說：「沒想到我現在還會被您騙，您還拿莉莉卡殿下當擋箭牌，我真的學到了不少。」

「唔嗯！算了。」

阿提爾隨口回應。現在他已經能使用力量了，所以不需要再刻意躲藏、費力逃跑了。

剛取回力量的他很想使用這份力量，全身發癢。

『要試著逃跑嗎？』

在這種情況下逃跑，不知道會多有趣。

就在這時，莉莉卡緊握住阿提爾的手。他低頭看去，莉莉卡搖了搖頭。

「⋯⋯」

阿提爾發出低吟，也握住莉莉卡的手，「好啦。」

聞言，莉莉卡微微一笑。兩人被不知是負責監視還是護衛的人員圍繞著，莉莉卡先坐上無標誌的馬車，車內竟然坐著宰相。

「連拉特也來了？」

莉莉卡驚訝地一問，拉特嘆了口氣，「我跟隨的是陛下。」

「啊！」

莉莉卡用力地點頭，阿提爾隨後也坐上馬車，一屁股坐下。

「什麼啊？那坦恩也不是為了我們來的吧。」

「是的。」

阿提爾瞇起眼睛，「等等，那我們會被發現是因為坦恩吧？」

拉特勾起微笑，「您這麼認為嗎？」

「拉烏布肯定會來找我們，而拉烏布和坦恩都是沃爾夫家的人。我們也因此被發現，現在只能像這樣被迫逃亡。」

拉特點點頭，「情況差不多。」

「陛下不需要護衛嗎？」

「因為陛下也是人啊。」

聽到拉特這麼說，阿提爾驚訝地瞪大了眼睛，然後閉上嘴。

看到他的表情像在沉思，拉特微微一笑，看向莉莉卡。

「沒想到皇女殿下會惹出這樣的麻煩。」

「嗯，那個……」莉莉卡瞥了阿提爾一眼，然後說：「但我玩得非常開心。」

拉特笑了，「您玩得開心嗎？」

「嗯，非常開心，雖然也遇到了有點可怕的事……」

「啊，我也看到了。」

聽到拉特這麼說，莉莉卡驚訝地問：「您看到我們打架了嗎？」

「不，是打完之後的痕跡。」

「啊。」

莉莉卡點頭。就在這時，馬車門打開，坦恩走上車來。

拉特露骨地皺起眉頭，「你去騎吧，你坐上來就太擠了。」

「擠？這輛馬車多寬敞啊。」

「光憑你這個身材就會讓人窒息，還有野獸的味道。」

「你身上也有腥味。」

坦恩在拉特反駁之前，迅速開口跟莉莉卡和阿提爾說：「沒想到兩位會鬧出這麼大的動靜，我還是第一次看到拉烏布那麼愁眉苦臉呢。」

「嗯，對拉烏布有點抱歉呢。」

「照顧孩子的人們應該經常經歷這種事。」

坦恩敲了敲靠近馬夫的牆，馬車隨之駛動。他苦笑著說：「結果還是被趕出來了。」

「被趕出來了啊。」拉特低喃道。

坦恩問兩人：「兩位究竟為什麼要去貧民區呢？」

「是我說要去的。」阿提爾說，「我很好奇。莉莉卡對那裡很熟悉，所以我請她為我帶路。」

他隱瞞了是為了打探人口販賣情報的事實。兩人看向莉莉卡，阿提爾就伸手摀住莉莉卡的臉。

拉特和坦恩露出狐疑的表情。

「等一下，阿提爾！」

「妳的表情透漏了一切啊。」

「什麼？」

莉莉卡反倒驚慌地摸了摸搗著自己臉蛋的手，「不是的，我是想見擦鞋大叔⋯⋯」

「擦鞋大叔?」坦恩感到困惑。

莉莉卡拿開阿提爾的手,點點頭,「他是從小就很照顧我的人⋯⋯因為很久沒見到他了,我想看看他過得好不好。」

兩人用微妙的笑容點了點頭。

「這麼說也是。」

「是這樣啊。」

「不是,絕對不是你們想的那種擦鞋大叔。」

阿提爾回頭看向莉莉卡,而老實回答了兩人問題的妹妹露出笑容。

『原來即使是事實,只要刪除一部分,就能變成完全不同的故事。』

阿提爾反覆思考這一點時,坦恩又問:「那那些打鬥的痕跡是怎麼回事?」

「那個嘛。」

阿提爾解釋完情況,坦恩和拉特皺起眉頭。

坦恩對拉特說:「真的可以只交給陛下一個人嗎?」

「⋯⋯我們回去吧。」

拉特拍了一下車頂,馬車停下來。坦恩一把打開門走下車,而拉特對兩人說:「兩位請直接回去皇宮。我們需要回去看看。」

「阿爾泰爾斯可能會罵人就是了。」

坦恩帶著笑意說完,拉特嘆了口氣,走下馬車。接著,布琳和布蘭走上馬車坐下。

外面有說話的聲音,他們好像改成騎馬了。莉莉卡有些羨慕。她不經意地摸了摸自己的棕色頭髮,如果像阿提爾一樣是黑髮就好了。

她曾希望擁有像媽媽一樣的金髮，但最近覺得黑髮也不錯。

布琳問：「我們本來想各自詢問的，但看來得一起聽聽了。請問兩位遇到了什麼事？」

阿提爾一樣解釋了情況，但剛才也是如此，他特意不提及自己已經恢復了力量的事。

布琳的表情凝重，看向莉莉卡問道：「您一定嚇到了吧？」

「嗯，我嚇了一跳。」

「但妳還是回來找我了，非常勇敢，做得好。」阿提爾緊緊抱住她說。

莉莉卡輕輕一笑，接著阿提爾搔了搔她的側腹，使莉莉卡的笑聲中夾雜著尖叫。

「皇女殿下？您沒事吧！出什麼事了！」

拉烏布驚慌地敲了敲窗戶，阿提爾就放開她，莉莉卡則氣喘吁吁地說：「是阿提爾欺負我！」

短暫的沉默後，玻璃窗上映出拉烏布逐漸靠近的身影。

「您要不要來騎馬？」

「好啊，好啊。」

「喂，等一下，妳現在想自己逃跑？」

阿提爾瞪大眼睛，但莉莉卡對他吐了吐舌。馬車車門就在行駛的狀態下被打開，拉烏布伸出手，將莉莉卡輕輕拉到他面前。

他關上車門後，布琳和布蘭同時看向阿提爾，勾起微笑。

不論阿提爾是否發出了無聲的尖叫，莉莉卡坐在馬背上晃著腳，享受坐在高大馬匹上的感覺。

「拉烏布，你非常擔心嗎？」

「是的。」拉烏布帶著笑意嘆氣，「至少我確定了我未來的人生絕對不無聊。」

他反倒溫柔地這麼說，讓她的愧疚感更重了。

「那個，拉烏布，我明天也打算出宮，你明天一定要跟我來。」

「明天也要來嗎？」

「嗯，我和菲約爾德約好了。這件事不能跟阿提爾說喔。」

聽到她如此悄聲低語，拉烏布點了點頭。只要她告訴他一切，其他事情都無所謂，沒什麼大不了的，因為他是只屬於她的騎士。

一行人不疾不徐地抵達皇宮。走過第一道門後，一行人從馬和馬車上下來，正要穿過第二道門時，背後突然變得非常明亮。

「！」

莉莉卡驚訝地轉頭一看，有一道光柱從首都的某一處打上天空。

「啊。」

不論別人，莉莉卡全身上下都感受到了魔力的波動。阿提爾瞇起眼睛，而布琳說：「我們最好快點進去。」

「嗯。」

莉莉卡的腦海中浮現皇帝陛下和媽媽的面容。會不會與他們有關？發生了什麼事？她有一種不祥的預感。而且一如往常，莉莉卡的直覺沒有出錯。

「皇女殿下、皇女殿下。」

有隻手輕輕搖了搖她的身體，莉莉卡搖了搖頭，「我、我沒有睡，我不要進去。」

莉莉卡穿著睡衣在沙發上打盹，像在找藉口似地說。

她回來後很是不安，堅持要等到媽媽回來，但今天的經歷加上夜已深，她的身體支撐不住，正半倒在沙發上睡著。

「皇女殿下，皇帝陛下召見您。」

莉莉卡睜開沉重的眼皮，布琳的表情十分嚴肅，讓她驚醒。

「發生什麼事了？媽媽回來了嗎？」

莉莉卡緊緊抓住莉莉卡的肩膀說：「皇女殿下，請您冷靜地聽我說。」

布琳緊緊抓住莉莉卡的肩膀說：「皇女殿下，請您冷靜地聽我說。」

莉莉卡目光震顫地看著布琳，點了點頭。

「您母親受了重傷，所以皇帝召見您，希望您帶上神器。」

「！」

莉莉卡縮起身子，不知道該如何是好，連皇帝陛下說了什麼也無法理解。

「什麼神器？」

「是魔法少女的神器。皇女殿下，您得先去換衣服。您動得了嗎？」

莉莉卡點了點頭。她呆愣地站著，心想幸好有布琳和拉烏布在。

直到上馬之前，她能做的只有點頭。

慶典仍在繼續。她不曉得人們怎麼理解那道藍色光柱，但大家都快樂又幸福。

她在那裡時也既愉快又幸福，現在卻不是。儘管她不幸，世界仍然在運轉。

拉烏布繞過廣場，駕著馬前行。莉莉卡不知道他們將去何處。

她緊緊抓著擺錘，不停心想：『我能做到嗎？我能做到嗎？』

拉烏布停下馬匹。他們來到一條昏暗的小巷，不是貧民區，但他們在一棟破舊的房子前下車，坦恩在那裡等著。

他的臉色黯淡，空氣中帶著血腥味。

是誰的？

坦恩打開門並說：「我不確定這樣做對不對，不，我不多說了。」

現在不是他說三道四的時候。莉莉卡一走進門就是起居室，起居室用窗簾隔開，分出一個房間。拉特和威爾斯站在一旁，窗簾被拉開，可以看到媽媽躺在一張老舊的床上。阿爾泰爾斯坐在身旁，他的手臂上纏著繃帶，面容疲憊，但莉莉卡進來時他睜開了眼睛。

「過來。」

莉莉卡像著了魔一般走過去。媽媽的臉色蒼白，胸部以下蓋著床單，看不見。

血腥味撲鼻而來，她不禁朝床單伸出手，阿爾泰爾斯制止了她。

「不要看。」

「但是！」

「不看也能治療。」

阿爾泰爾斯心想，她看了之後，反倒可能會認為無法治療。

「拿起吊墜。」

聞言，莉莉卡用顫抖的手拿出擺鍾。吊墜落在她的手中，銀色的鏈條閃閃發光。

莉莉卡呆愣地站著，看著媽媽。令人驚訝地，她想不到任何魔法，腦袋一片空白。

她想要後退，想要大喊自己做不到。

莉莉卡直盯著吊墜，隨著時間流逝，阿爾泰爾斯咂舌一聲。莉莉卡的肩膀顫了一下，而阿爾泰爾斯呼喚她。

「魔法師。」

莉莉卡轉頭看向他，阿爾泰爾斯伸手抬起她的下巴，「必須由妳來做，只有妳能做到。還有，妳能做到。」

「開始是什麼?」

莉莉卡的目光直望著他,「一、一開始是光。」

心中的光,能給予勇氣在黑暗中行走的光。

她的吊墜開始發光。

阿爾泰爾斯收回手,看向露迪婭,而莉莉卡緊閉上眼睛。她必須治好媽媽。她曾製作過藥膏,施放過治療傷口的魔法。

但這不是普通的傷。

莉莉卡・納拉・塔卡爾,沒問題,妳能做到。

那我該怎麼做呢?想想看,仔細想想,是希望所有傷口都完美癒合嗎?

『不,不是那樣。』

這時,一個想法浮現在腦海裡,彷彿有人在她的腦袋裡耳語。

『不是治療,而是恢復。』

不多也不少,不求完美,但求完整恢復。

火為三角,防禦為四方。

『那麼,我應該繪製的是……』

集結包羅萬象。

「塔萊德拉巴。」_{完整的圓}

莉莉卡睜開眼睛,她的眼眶發出金色的光芒。

阿爾泰爾斯瞪大了眼睛,露出苦笑。

『沒想到我會再聽到那個咒語。』

金色的光芒迸發，雖然耀眼到所有人都瞇起眼睛，但也不足以讓人移開視線。

那道光芒像冬季陽光一樣柔和又溫暖。

阿爾泰爾斯解開自己手上的繃帶。

『好了呢。』

力量無法凝聚，往四周擴散，這意味著……

阿爾泰爾斯站起身，在光芒熄滅時抱住搖晃不穩的莉莉卡。

『這代表她太勉強自己了。』

莉莉卡深呼吸，手開始顫抖。

這時，露迪婭睜開了眼睛。湛藍的雙眼緩緩眨動，馬上坐了起來。

「莉莉?等一下，這是……」

她猛地掀開蓋在自己身上的床單。在穿了一個大洞的衣服底下，是一片光滑無瑕的皮膚。

莉莉卡大哭起來，撲向露迪婭。

「媽、媽媽，媽！嗚嗚！嗚嗚──」

「莉莉，我沒事，沒事的，好嗎?」

露迪婭一邊安慰著哭泣的莉莉卡，一邊困惑地環顧四周，阿爾泰爾斯則一屁股坐到椅子上。

這令人憎恨的夜晚漸漸流逝。

露迪婭意識到自己正在作夢。

『這樣的夢還是頭一遭。』

竟然作了一場知道自己在夢中的夢。

周圍是一片開闊的沙漠，棕櫚樹在月光下隱約可見。因為是想像中的沙漠，所以既不熱也不冷。

『真奇妙。』

她從未見過沙漠，卻出現在夢中。她走在沙灘上，走向棕櫚樹。綠洲出現在眼前，在月光下發出神祕的藍色光芒。

那幅景象美得令人難以置信。當她呆愣地看著這幅景象時，有人從水中彈起身。水花聲傳來。那是在游泳嗎？這是我的夢，怎麼會出現陌生人？

『不會是在夢中見到自己的那種夢吧。』

如果是那樣會非常討厭。

當她這麼想時，游泳的人游過來並抬起身，梳起長長的黑髮。經過鍛鍊的精實上半身濕漉漉的，在月光下閃閃發光，長得不可思議的頭髮讓人印象深刻。他轉頭看來，瞇起眼睛。

露迪婭驚訝地張大了嘴，「阿爾泰爾斯？」

他撐了撐長髮，嘆了口氣，開始朝她走來。

水面搖曳，露迪婭不禁別開臉，大喊道：「等一下，您為什麼渾身赤裸！」

不對，我是在作這種夢嗎？是欲求不滿嗎？天啊，我的天啊。

所有思緒讓她頭暈轉向。

「有人在夢中游泳還穿衣服的嗎？何況我在現實中也不會穿。」

「那是您的事！為什麼在別人的夢裡也要脫衣服！」

「這是我的夢。」

露迪婭想看他，但又轉過頭去。

「什麼？」

「我說這是我的夢。妳明明都看過了，怎麼現在還那麼驚訝？」他的聲音中帶著笑意，讓露迪婭不悅地說：「這和那個不一樣。」

「是嗎？那把邊的毛巾給我。」

露迪婭從帳篷中拿出一條毛巾，扔給了他。

回頭一看，有一頂剛才沒有的帳篷。那是一頂看起來很像樣的沙漠民族風帳篷。

「真是挑剔。」

阿爾泰爾斯將毛巾綁在腰上，從水中走出來。露迪婭這時才看向他。

「您說這是您的夢？」

「對，這是我的夢，是妳闖進我的夢裡。」

「但我沒有任何能力啊。」

露迪婭說完後，他從帳篷中拿出一件長袍穿上，扔掉毛巾。

他半躺在地毯上，聲音悠然地說：「今天妳喝了我的血。」

露迪婭不自覺地用指尖按住自己的嘴唇。

他的黑長髮看起來乾燥漂亮，看不出曾經濕漉漉的，而且長到遮住了臀部。

「為什麼要那樣做？」

聽到他的問題，她抬起頭來。阿爾泰爾斯側躺著，用一隻手撐起上半身，再次問道：「為什麼要那樣做？」

露迪婭大步走過去，一屁股坐到地毯上，「您在說什麼？」

聽到她這樣回問，他的眼睛瞇起。露迪婭覺得很奇怪，對上他的目光。

一般的夢不會這麼清晰生動，時常會以第三人的目光看到自己的形象，別人的形象更是如此。

但現在這裡是怎麼回事？

她感到神奇，但阿爾泰爾斯以輕柔又強硬的動作，捏著她的下巴和雙頰，逼她直視他。

「妳為什麼要擋在我前面？」

露迪婭眨了眨眼，「我不知道。」

「……什麼？」

她不自覺地給了一個愚蠢的答案，還一臉泰然自若。

阿爾泰爾斯無法置信，「妳本來會死的。」

「或許是吧……」

那是敵人使出的一擊，是為了殺死阿爾泰爾斯，所以威力非常驚人。她的身體就像被巨大的鱷魚咬了一口一樣，瞬間消失了。

「要保護莉莉卡，讓她幸福不是妳每天喊著的使命嗎？如果妳死了，妳要她怎麼辦？」

露迪婭抹了一把臉。

她之所以沒有當場死亡是得益於阿爾泰爾斯的處置，能活下來則是因為莉莉卡是魔法師。如果沒有他們之中的任何一人，她現在已經死了。

想到這裡，她得到了答案。

「如果您死了，我完全無能為力，但如果我出了什麼事，您還可以做些什麼……？」

「為何是疑問句？」

「這個回答很合乎邏輯，但那時候我並沒有想到這件事，就當作是我的身體自己行動了吧。」

他不滿地緊皺起眉，露迪婭對他說：「真的，我不想隨便給出回答，因為我不想說謊。」

阿爾泰爾斯凝視著她，問道：「妳愛我嗎？」

「不愛。」

她回答得太快，馬上就回覆了。讓阿爾泰爾斯一時無話可說。

「您還在說那件事嗎？」

他皺著眉頭，無力地躺下後說：「妳為什麼不接受我？聽過我愛的表白那麼多次，妳也差不多該接受我了吧？」

露迪婭傻眼地躺在他旁邊，阿爾泰爾斯則轉過頭來看著她，「妳不滿意我的哪個地方？」

阿爾泰爾斯的表情很認真，無法隨便開玩笑帶過。

露迪婭慢慢地說：「這不是喜不喜歡的問題。說到底，您本來就不愛我啊。」

「為什麼這麼說？」

「您不喜歡人類吧？」

阿爾泰爾斯露出被戳中要害的表情，露迪婭微微一笑，「況且，我滿同情您的。被不喜歡的對象同情會讓人不悅吧？」

「原來如此。」

「對吧。您不能對這樣的人類說我愛妳……尤其是對像我這麼扭曲的人。」

「妳很扭曲？」

「是的。」

她出奇坦率地脫口回答。是因為在夢裡嗎？露迪婭突然皺起眉頭，迅速坐起身。

「您難不成在操控我的頭腦？」

「什麼?」

「您說這是您的夢。不是您對我做了奇怪的事嗎?」

阿爾泰爾斯看向她,慢慢坐起身。他打量似地握住她的頸項,低聲說道:

「對,這是我的夢。妳的自我進入了我的內心世界,我可以把它完全摧毀。我可以讓妳渴望愛情、向我乞求,也可以讓妳變成白痴。」

他的臉湊近而來,那雙湛藍的眼睛泛著冷冽又炙熱的藍色光芒。

「對不起。」

露迪婭道歉。她的聲音因為顫抖而有些不穩。

「為什麼道歉?」

「您尊重我,我卻懷疑您。」

懷疑龍的盟約。

阿爾泰爾斯放開手,「哈!」短促地笑了一聲,「妳真會找藉口。」

「我就是覺得很抱歉嘛。」

他又躺了下來,「如果我說我是真心愛妳呢?」

阿爾泰爾斯的話讓露迪婭笑了。

「啊,對不起。」

「為什麼?」

「因為我不信任人類。」

她的回答簡單明瞭。

「不信任,又怎麼可能能愛人呢?我信任的只有莉莉。」

「為什麼？」

露迪婭笑著抬起頭，「因為我很美。」

阿爾泰爾斯看著她，她的背後升起纖細的新月，高傲地抬起頭的露迪婭美得令人一顫。藍色的眼睛裡刻著南極大海，頸項潔白纖長，身材勾勒出完美的曲線。

在沙漠的月光下，金色的頭髮燦爛地閃耀著。

「如果有人看見她，一定會以為她是降臨至綠洲的月亮女神。

「我知道。」她低聲說道，「所以我不信任人類。」

「我好像懂，又不太懂。」

「呵呵。」

露迪婭只是笑著，這不是能用言語詳細解釋的事情。因為她的美麗而經歷過的一切。她自己也充分利用過自己的美貌，想利用她的人也不計其數。

光芒越強，黑暗也越深。她體驗過一切，包括被火刑臺上的火焰燒熔。

露迪婭仰望著天空，「真是壯觀。」

星星彷彿會灑落下來。直到無邊無際的天空另一端，星點滿布。

她躺下來望著星空，感覺像在無止境地墜落，又或許正飄上空中。

阿爾泰爾斯翻身撐在露迪婭的上方，用手支撐著身體，俯視著她，黑髮如簾幕一般滑落。

「我不是人類。」

露迪婭眨了眨眼，阿爾泰爾斯問：「妳覺得在龍的眼中，人類的美貌也很重要嗎？」

「那麼在你眼裡，我很普通嗎？」

阿爾泰爾斯的嘴唇微張，呆愣地看著阿爾泰爾斯，然後拉過他的衣領。

她的聲音滿是困惑。她這一生中，從沒聽人說過她不「美麗」，即使有人說她普通，她也能輕蔑地笑著說真會說謊。

但如果是龍的眼光呢？第一次聽到不同種族的評價，她覺得心情有些奇怪。

但她很快就露出了一個嘲笑又傲慢的笑容，說：「這麼說來，您是龍，但也是人類，不是嗎？」

阿爾泰爾斯只是低頭望著她，「那如果我是純粹的龍呢？」

阿爾泰爾斯一瞬間消失，接著一道影子落下，露迪婭睜大了眼睛。

「天啊。」

她不由自主地驚嘆出聲。

一隻巨龍靜靜地站在沙子上，巨大的頭部慢慢彎曲。牠的牙縫中噴出高溫的氣息，若是在現實中，肯定會被燒傷，但或許因為這是夢境，熱雖熱，卻不痛。漆黑的鱗片閃耀著光澤，巨大的翅膀展開就像為世界落下一片暗影。像著魔一般，露迪婭站起身，伸出手。應該很冰冷的鱗片驚人得炙熱，彷彿內部滿是火球。懾人的體型讓她全身發涼，胃部翻滾。即使對方無意傷害，那巨大的體型也能造成傷害。

下一刻，他又變回了人類的模樣。

「阿爾泰爾斯……？」

她小聲一喚，龍便轉過頭來看向她。

蔚藍的眼睛瞳孔直立狹長，毫無情感，冰冷的眼神能看透一切。

龍沒有感情，以冰冷的理性平息在體內猛烈燃燒的火焰。

「怎麼樣？」

「不，那比我想像的……」露迪婭呆愣地看著他，「還美麗。」

阿爾泰爾斯聽到後咧嘴一笑。

「我對妳的感想也是如此。即使是以其他種族的眼光來看，妳也很美麗。但我不只這麼心想……」他大步走

當她伸出手抱住他時,阿爾泰爾斯「啊」了一聲後笑了笑,「在這裡共度春宵算精神上的結合嗎?」

不論是作為龍或是人類,他都心懷烈火吧。

觸碰上來的手十分炙熱,那雙藍色的眼睛湊近過來。驚訝的阿爾泰爾斯趕忙追進來,抓住她的手臂,「妳在做什麼?」

我想用我的火焰吞噬妳。在變成龍的時候不曾有過的這股渴望,該稱為什麼呢?」

近而來,把手掌放在她的腹部,「我也想觸碰妳,想看見妳所有的表情,聽見妳所有的聲音。

「⋯⋯」

「就在這裡睡吧。」

「通常這樣就會醒來了吧?」

「這還是我第一次聽到呢。哦?」

「我不會碰妳的。過來,我只要看著妳睡覺的模樣就夠開心了。」

「這是我的夢,所以我可以做到這點小事。睡吧,露迪婭。」

下一刻,露迪婭躺在軟綿綿的地毯上。阿爾泰爾斯攔住想要起身的她。

露迪婭瞇起眼,阿爾泰爾斯也皺了皺眉。

露迪婭一下收回手臂。氣氛全被打壞了,她走進水裡。水冷得驚人,但她毫不遲疑。

他推了一下她的額頭。

露迪婭望著他,然後閉上眼睛,阿爾泰爾斯就熟練地將她拉入懷中。

在夢中再次入睡有點奇怪,但沙漠的風聲和棕櫚樹搖曳的樹葉聲讓她意外迅速地睡著了。

「嗚、嗚！」

一聲壓抑的哭泣聲傳來，阿提爾抓住莉莉卡的肩膀。

「莉莉卡，沒事的，這都是夢。」

渾身是汗的莉莉卡猛地張開眼睛，阿提爾撥開她額上被濡濕的頭髮說：「要不要叫嬤嬤過來？」

莉莉卡輕搖了搖頭，「不用了，她才剛復原。」

她無法撒嬌。

「那就沒辦法了。」

阿提爾爬上床，拉過莉莉卡的雙臂，讓她環抱住自己的腰。

這個姿勢能把頭深深埋進阿提爾的胸口，莉莉卡困惑地看著他。她的眼睛因為作惡夢而泛紅，讓阿提爾笑了。

「兔子眼睛。」

莉莉卡揉了揉自己的眼睛。

阿提爾的上半身靠在一個柔軟的大枕頭上說：「我會整晚抱著妳的，別擔心，睡吧。」

「真的嗎？」

「嗯。」

「我、我已經長大了⋯⋯」

「十歲還沒長大，我那時候也以為自己長大了。」

也度過了帕爾塔，但他逐漸長大後，才發現那時其實還很小。

莉莉卡猶豫地伸出手，抱住了他。阿提爾的體溫很溫暖，有人在旁邊讓她很安心。

「再這樣下去天就要亮了。快睡吧。」

「阿提爾。」

「怎麼了?」

「隨便說點什麼吧。」

「或者唱搖籃曲給我聽。」

阿提爾一臉不情願,「我為什麼要這麼做?」

「什麼?」

「聽著你的聲音,我可能會更快睡著⋯⋯」

她小聲說著,用泛著淚光的雙眼仰望著他。

阿提爾皺著眉對上她的目光,最終緊閉上眼,「啊,真的是。」

他嘟囔說道,開始輕拍她的背。

「很久很久以前,在深邃的森林中住著一個樵夫,有一天他發現了一個大蜂窩,所以他把蜂蜜拿去城裡賣——」

他流暢地說著故事。莉莉卡感覺到他撫過自己的後背。

『媽媽沒事的,不要緊,那都是夢。』

安心感遠遠大於不安,將不安趕出心裡。莉莉卡深吐出一口氣,全身放鬆下來,沉入柔軟的被褥中。

阿提爾繼續說著故事:「於是樵夫把一隻蜜犬放在那個人面前⋯⋯」

在夢中,莉莉卡被一群蜜犬團團包圍,每一隻都有陽光般的顏色,散發出甜美的蜂蜜香氣。

菲約爾德毫無睡意。他坐起身,穿上睡袍,走下樓到起居室。

沒有燈光的起居室裡,雷澤爾特正蜷縮在沙發上。她的銀髮流瀉至沙發上,人像一顆圓石一樣蜷縮著。

菲約爾德見狀就轉過身要離開，背後卻傳來尖銳的聲音。

「你覺得有趣嗎？」

「⋯⋯什麼？」

他遲了一拍慢慢轉頭回答後，雷澤爾特抬起頭，她的瞳孔中燃燒著烈火。

「你覺得我失敗很有趣嗎？是來看笑話的嗎？」

『果然如此。』

看來雷澤爾特就是騷動的源頭。如果是巴拉特公爵，應該不會這樣直接笨拙地發動攻擊。

「這應該能造成相當大的損失⋯⋯」

雷澤爾特自言自語，咬著牙拿出了一件東西。那是一面破碎的鏡子。

她將一面心形的鏡子遞給他，破碎的鏡子裡映照出許多個他。

雷澤爾特低聲說道：「心之女王，吸收吧。」

藍色光芒像要籠罩住鏡子，卻隨即消失了。同時，銀板完全粉碎，落到地上。

雷澤爾特神經質地將鏡子扔掉。

「如果沒有你，我也會⋯⋯」

雷澤爾特搖搖晃晃地站起來，一步一步蹣跚地走近。

她的手抓住他的長袍衣領，「為什麼？我明明一直很乖，為什麼？」

然後她開始嚎啕大哭。菲約爾德無奈地直望著她。

一瞬間，雷澤爾特止住哭聲，狠狠瞪著他並低吼道：「殺了你，我會殺了你。當我變得更強大，我會殺了你，然後、然後，我會成為最好的，我會成為媽媽心中最好的女兒。」

菲約爾德努力不說出「隨便妳」或「我不需要那個」這些幼稚的話，反倒抓住她的手腕，想將她推開。

雷澤爾特發出一聲呻吟，菲約爾德就一把拉過雷澤爾特的手，捲起她的袖子。雖然還沒有形成瘀血，但皮膚上明顯可以看到許多被打的痕跡，被衣服遮擋住的部分一定渾身青紫。他也曾多次經歷過這種事，所以非常清楚。

被打到無論躺哪一側都痛苦到無法入睡。

「是公爵做的嗎？」

雷澤爾特聽到後抽回手，放下袖子，露出一個完美的微笑，「這是我和媽媽之間的事，你不需要知道。」

雷澤爾特長嘆一口氣，將手放在臉頰上。

「我太激動，不小心失態了。在這方面，媽媽總說我比你差，不過。」她愉悅地說：「比起被塔卡爾迷惑的你，我好多了吧？今天多虧你，我才能執行我的計畫。謝謝你，謝謝你。然後我失敗了。」

雷澤爾特一邊說一邊從地上撿起鏡子，鏡子在她的手中旋轉。

「如果媽媽真的相信我，願意送我這個……」

將鏡子抱在懷裡的雷澤爾特勾起笑容。

「你等著瞧吧！我總有一天也會殺害手足的。」雷澤爾特捏著裙子，做作地行了屈膝禮，「到時候，媽媽也會承認的，她最偉大的作品不是你，而是我。」

看著雷澤爾特轉身離去的背影，菲約爾德忍住苦笑。

啊，是啊，他終於明白自己為何會如此不悅了。

「就像在看過去的自己啊。」

彷彿看到了過去的自己，將巴拉特公爵當成神一般仰望的自己，讓他十分不悅。

『之後再慢慢厭惡同族吧，畢竟這是第一次見到的神器。』

最好調查一下。

菲約爾德這樣想著，彎下身撿起掉到地上的鏡子碎片。

『明天能見到莉莉嗎？』

鑒於目前的情況，或許應該為她著想，告訴她明天無法見面也沒關係，或是等有空時再約。

但他不想這樣做。

他想見她。

他想和她單獨共度時光。

自私的想法湧上，令人吃驚，他也無法控制自己的心。明天要見面，光是想到這一點就讓他如此開心。

『不過，也許應該調整一下計畫。』

既然無法安心睡覺，那就擬訂其他計畫吧。

坦恩嘆了一口氣，拉特的臉色也很疲憊，約翰·威爾的表情則像吃了發霉的麵包。他為了進宮而身穿正裝，但不像貴族那麼華麗。然而由於他的髮型和外貌，看起來還是很華麗。

「我要被吊死了嗎？」

露爾迪婭無視他的問題，說：「這是您人生中最大的危機嗎？」

阿爾泰爾斯摩娑著下巴，慵懶地靠到椅子上：「雖然不是最大的危機，但也一樣危險。」

「沒想到『心之女王』對人類也有效。」

「我也不明白它為什麼會突然冒出來，之後想去收回的時候，它已經不見了。那明明就壞了。」

威爾聽到兩人的對話，抱怨道：「不是，所以說，我會被吊死嗎？」

阿爾泰爾斯看向他。

情報界之王，約翰・威爾——這個太明顯的假名，反而讓人覺得他很坦率——從他那裡得來的情報很值得冒險。

但問題就從那時開始，他的一名部下拿著一件神器走來，硬塞給他。

那是心形的鏡子，頂端戴著一頂王冠，通常應該放入銀版的反射面是黑色的。

「心之女王，吸收吧！」

男人大喊一聲，一道藍光射出。阿爾泰爾斯感覺到自己的「力量被吸走」，但那股吸引力並不強。藍色光柱意味著心之女王未能吸收力量，因此迸發出來。如果力量繼續被吸走，反而是鏡子會損壞。

但問題不在此，而是自己的身體僵住，動彈不得，無法使用力量也無法活動。

只有一瞬間，他曾心想這是不是陷阱？但看到約翰・威爾的表情，他明白這不是陷阱。

威爾的臉上掠過驚恐。

敵人將心之女王反轉過來。

反面是銀板。在被吸收的力量凝聚並準備發射的瞬間，他原以為好好躲著的露迪婭衝了過來。

她站在他和光柱之間。

耀眼的頭髮、纖細身軀的輪廓在藍色的逆光中，鮮明地映入眼簾。

下一刻，他抱起倒下的身體。出乎意料地輕，側腹和胸膛正中間有一個洞，大約孩童的頭部大小。

思考頓時停止。

「陛下！」

「阿爾泰爾斯！」

外面的呼喚聲讓他回過神。阿爾泰爾斯咬破自己的舌頭，讓流出的血液流入露迪婭口中。

「唔啊啊啊！」

失敗的部下衝過來時，約翰鋒利的薩姆西爾劍揮出白光。頭顱落地的瞬間像發出了信號，他們受到一連串攻擊。在這場打鬥中，無法辨識誰是部下，誰是叛徒。阿爾泰爾斯的劍也掉到地上，但他用手臂擋下攻擊。

砰！

「阿爾泰爾斯！」

渾身是血的坦恩衝了進來，他一路砍殺外面的人跑來。他看到露迪婭時十分驚訝，但很快就跑到阿爾泰爾斯身邊，站在他前面。

阿爾泰爾斯推開坦恩，將露迪婭交給他。

「我能做的處置都做了。她還有呼吸，快去叫莉莉來。」他舔了舔滿是鮮血的嘴唇，笑了笑，「現在我要結束這一切。」

「燃燒吧。」

他的部下們下意識地趴下，其他人則被攻擊蒙蔽了雙眼。

這一秒，察覺到異狀的約翰·威爾大喊：「趴下！」

短短一句話，蒼白的火焰燃起，一切都化為灰燼。

看到敵人來不及尖叫就連骨頭都被燒成灰，友軍也一陣驚慌，如同玩具突然消失的狗一樣不知所措，然後看向阿爾泰爾斯。

約翰·威爾冷靜地整理好狀況，就像事先計劃好的一樣，他藏起驚訝，安撫他的部下。

現在你看，他在這種情況下還能硬著頭皮問「要殺我嗎？」。

阿爾泰爾斯非常欣賞他。

他沉默地看著約翰，約翰·威爾就聳了聳肩，「我該提交的都提交了，該說的也都說了。」

他不想在皇帝面前卑躬屈膝，但也不想做出蠢事。他作為「約翰‧威爾」能做的都做了，現在要被吊死、拷問還是被火焰燒死，都取決於對方，畢竟是他的部下攻擊了皇帝。

最傷他自尊的是，情報公會內有巴拉特的勢力。

約翰別過目光，看向露迪婭。在貧民區的巷弄間也美得驚人的她，與皇宮十分相配。

『至於莉莉卡⋯⋯』

與他的擔憂相反，她看起來很幸福。

『太好了。』

想到這裡，他不由自主地露出微笑。

露迪婭將手放上阿爾泰爾斯的肩膀，上前一步後露出微笑：「那我們交換其他的情報吧?」

「您有我不知道的情報嗎？皇后殿下。」

約翰嘲諷地加了敬稱，但露迪婭的眼睛連眨也不眨，「對，我知道一些關於情報公會擴展根基的事情。」

約翰身體一顫，露迪婭則微微一笑。他一直忽視她寄去的書信，或許可以欺負他一下——

『不過，一想到回來之前的事情。』

當她還是巴拉特的手下時，約翰曾在皇宮舞會上來找她說話。

「莉莉卡呢？」

問題僅此而已。露迪婭因為沒認出對方而困惑地道：「請問您是？」

他咂舌一聲，用手梳起自己的頭髮，但露迪婭仍然沒有認出他。儘管在那之後彼此仍針鋒相對，但他確實很關心莉莉卡。

『就稍微折磨他一下吧。』

露迪婭手扶著臉頰，像上一世一樣邪惡地笑了。

Chapter. 12
七個鐘聲

「烏巴!」

莉莉卡跑向許久未見的烏巴,他仍戴著附有珠子裝飾的船長三角帽。烏巴摘下插著大羽毛的帽子致意,途中見到莉莉卡跑來,就笑著將她抱起。

莉莉卡開朗地笑了,烏巴抱著她轉了一圈後放到地上。

「您每次都如此歡迎我,我都不知道該如何是好了。」

「你又去樹海了吧?幸好有安全回來,你不是說,不用再做這麼危險的事了嗎?」

「但冒險在呼喚我啊。」

他仍舊用戲劇化的語氣說完,眨了一下眼。

「是嗎?但樹海很危險,你要小心喔。」

認真點頭表示擔心的皇女殿下依舊沒變,烏巴露出溫暖的微笑。

「你難得來皇宮,這次是為了什麼事呢?」

「是皇后殿下召見我,為了談抓捕樹海魔獸的問題⋯⋯」

「抓捕魔獸?」

烏巴含糊地說「還有很多原因」後,把手伸進胸口衣服裡,「對了,我帶了這個來送給皇女殿下。」

他從懷裡拿出來的玻璃瓶中,裝著一顆圓圓的種子。

「請您看看。」

「這是什麼種子?」

「您等它長大就會知道了。」

「它會長得很高嗎?」

「不會,它長大後,跟皇女殿下差不多高。」

「那很大呢。」

聽到莉莉卡這麼說,烏巴「啊」了一聲點點頭,「說得也是,很大呢。」

「嗯,那我要種在花園裡。謝謝你,烏巴。」

「好的,那我先告辭了。」

「這麼快?」

「下次再說冒險故事給您聽。不,應該是我來聽您說冒險故事才對,魔法少女莉莉卡殿下。」

「是的,我十分以您為傲。」

「啊!」莉莉卡從座位上跳起來,臉頰漲紅,「烏巴也知道嗎?」

烏巴笑著戴上帽子。莉莉卡目送他致意離開,之後看著玻璃瓶裡的大種子,非常期待它會長成什麼。

『但今天更重要的是……』莉莉卡緊握起拳頭,『要和菲約爾德一起度過節慶。』

『事實上,大家應該都很擔心,甚至會反對,但她還是想見他。』

『今天布琳和拉烏布都說會偷偷跟來。』

她非常清楚在這種情況下堅持已見是不對的,沒有必要,甚至是件壞事。

『但我還是想見他。』

換作完美的皇女殿下,大概不會做這種事吧。莉莉卡緊握著玻璃瓶,看著布琳。

「布琳,我今天要去見菲約爾德對吧。」

「是的。」

布琳像平常一樣以柔和的聲音回答。莉莉卡猶豫著,不知該說什麼。

「不會有事吧……?」

她的聲音很小,但布琳聽到了,也明白她的意思。布琳將手放在嘴邊,煩惱了一會兒後說:「阿提爾殿下在

「八歲時,第一次離家出走。」

「哦?」

「我記得布蘭一臉苦惱地到處找他。之後他也經常逃跑,讓布蘭吃了不少苦,跟胃藥成了好朋友。您跟殿下一起離開宮廷時,不覺得他很熟練嗎?」

「我的確這麼覺得。」

「對吧?而且殿下的父親——就是前任皇帝陛下也曾消失了一個月呢。當然,那是在加冕後發生的事。」

莉莉卡張大了嘴巴。

布琳笑了笑,「這對索爾家來說都是小事,如果是被塔卡爾捉弄——抱歉,是因此嘗到的苦頭的話,講一夜都說不完,這就是我們索爾家族。」

布琳猛然轉頭看向拉烏布,「沃爾夫家也有這種故事嗎?」

拉烏布看著莉莉卡。莉莉卡雙眼發亮地看著他,眼神說著「真的嗎?是這樣嗎?」。

「有很多。這是以前發生的事,但聽說有一次所有皇族成員一齊出走,每個人都往不同方向,沃爾夫家就動員所有人,像獵犬一樣嗅聞氣味,追蹤他們⋯⋯」

「所有皇族嗎?」

「是的。皇太子殿下和皇女殿下等所有人一起策劃,然後一齊⋯⋯他們有狼的驕傲,像獵犬一樣嗅著氣味追蹤的事由於這是沃爾夫家的丟臉事蹟,拉烏布最後說得支支吾吾。不過,看到主公閃閃發亮的眼神,他不得不說出這件事。

令他感到很難為情。

「結果呢?大家都被抓到了嗎?」莉莉卡問道。

拉烏布低吟了一聲,接道:「他們在逃跑時設了很多陷阱,導致一些人無法使用嗅覺,據說經過一週的追蹤,最後都被找回來了。」

布琳點了點頭，「所以，這種小事對我們來說不算什麼。我是幸運的索爾家族成員。」

莉莉卡聽到後忍不住笑了出來，心情變輕鬆許多。

「之前也曾有人隨意使用權能，毀了一半的宮殿，還把太陽宮和天空宮切割開來。甚至有皇族成員說過如果其中一座宮殿被毀了，就搬到另一邊去住就好了。」

「這種程度的魯莽行為，以塔卡爾來說是小事一樁吧。」

「原來如此……」

莉莉卡原本覺得需要努力成為一位完美的皇女，但不知為何，塔卡爾的完美皇女有點不一樣。

『難道我是有什麼誤會？』

莉莉卡為這些奇怪的事情苦惱時，一名侍從從遠處小跑過來。

「皇女殿下，巴拉特小公爵來了。」

「菲約爾德來了？現在？」

她疑惑地回問，侍從就恭敬地回答：「是的。」

「這是怎麼了？」

雖然感到疑惑，莉莉卡仍立刻前往會客室。

在會客室等候的菲約爾德站起來，「皇女殿下。」

見到優雅問候的他，莉莉卡笑容滿面，「這是怎麼了？你這麼早就來……」

她瞥了一眼周圍，低聲說道。

菲約爾德笑著回答：「因為我覺得，要在晚上時兩個人一起逃出去不太可能，所以我想改變一下計畫，您能接受嗎？」

「我是沒關係……但你想怎麼做？」

對於莉莉卡的問題，菲約爾德微微彎下腰，低語道：「去首都外面如何？」

秋天的森林十分豐饒。在溪谷旁生起篝火，放上水壺。

拉烏布看著打扮得像鄉村少女的布琳，覺得她不適合這樣的裝扮，卻又莫名地相襯。但不論他說什麼都不像是稱讚，所以他緊緊閉上嘴。

遠處傳來兩人的腳步聲，隨著嘰嘰喳喳的談話聲，莉莉卡帶著燦爛的笑，與菲約爾德並肩走來。

「你們看！布琳、拉烏布！這裡有這麼多栗子和橡實！」

莉莉卡攤開她的裙襬說道。正如她所說，有相當多果實。

「橡實和栗子要分開來。栗子要剖開，橡實就讓拉烏布敲碎吧。」

「嗯！」

莉莉卡以前住在貧民區，沒有機會離開城市。她會喜歡野生莓果、覺得森林很有趣，無疑都是因為這樣。親自體驗只在書本上看過的事，是非常愉快的事。

菲約爾德接續道：「那這些交給他們處理，我們去抓魚好嗎？」

「抓魚？」

「是的，聽說這個季節可以抓到很美味的魚。」

「好啊！好啊！」

莉莉卡捲起袖子。

溪谷既深又寬廣，菲約爾德指著一條魚悄聲說道：「您有看到那條背部是藍色的魚嗎？那叫巴蘭魚，聽說到了秋天就會有很多油脂，味道很美味。」

「很大呢。」

那條魚大概長如三隻她的手臂。兩人當場削了一根樹枝，製成魚叉。

手持魚叉的莉莉卡神情謹慎。菲約爾德建議她秋天的溪水很冰，站在石頭上抓魚更輕鬆，因此她在石頭上用魚叉插了好幾次，但魚不易捕獲。

最終，她脫下鞋子跳下去。

「好冰！」

「我說過您不用下來的。」

「不行，下水應該更容易抓到。菲約爾德就已經抓到了兩條啊。」

菲約爾德是在水中抓魚，所以抓了很多。莉莉卡再次舉起木製的魚叉。

「嘿！嘿！嘿～！」

她的吆喝聲劃破空氣。然而，魚當然不會乖乖地被遲鈍的動作捕獲。

菲約爾德說：「莉莉，不能直接朝魚刺下去。因為水有折射效果，要考慮魚會怎麼移動，像這樣。」

菲約爾德像閃電一般刺下魚叉，一條活跳跳的魚被魚叉刺中，拉出水裡。

「我、我再試一次。」

莉莉卡瞪大眼睛，舉起魚叉，「嘿！」

她用力刺出魚叉，卻因為腳下的石頭上滑倒了。

「！」

她噗通一聲，跌坐在水裡。

「莉莉！」驚訝的菲約爾德走近，「您沒事吧？」

莉莉卡抓住他的手站起來，然後伸手到口袋中取出擺錘。渾身溼透的莉莉卡用陰沉的聲音說：「如果用魔法來捕魚⋯⋯」

「那樣您會滿意嗎？」

菲約爾德輕笑著問，莉莉卡就看著他，嘟起嘴來。

那當然不會。

「您全身都溼透了，最好先去弄乾。」

「嗯⋯⋯」

莉莉卡的身體開始發抖，她努力地說：「不過找到橡實是我的功勞。」

「對，您採的果實也比我多。」

菲約爾德坦率地承認，使莉莉卡紅了臉頰。菲約爾德把她抱起來，莉莉卡吃驚地抓住他的肩膀。

「菲約也會溼掉的。」

「我沒關係。」

就在不遠處的布琳和拉烏布接過莉莉卡。他們乘坐的馬車上裝了許多物品，其中也包括了替換衣物。莉莉卡換上乾爽的衣服，將溼衣服掛在樹枝上。

此時，短暫的日光開始西下。夜晚來臨，氣氛變得更愉快。他們將麵團捲在樹枝上，放在旺盛的篝火中烤。水壺中的水煮沸後，他們得以享用熱茶。

所有堅硬的橡實殼都由拉烏布敲碎，之後由布琳放到兩片烤網間，在篝火上前後翻烤，最後倒入盤中。莉莉卡品嘗著香脆的橡實果實，挨著菲約爾德坐下來。

「菲約也吃吧。」

「好的，我正在吃。」

篝火的光芒溫暖了一切，能看到布琳正在處理抓來的魚。

她將俐落切下的魚塊放到平坦的石板上，然後分一些篝火出來，開始烤魚肉。

熱氣從滾燙的石板上升起，魚肉開始熟了，油脂不停從雪白的魚肉中冒出，滋滋作響，布琳在上頭撒了一點鹽。

「可口的香味四溢。」

「看起來很好吃。」

莉莉卡小聲地說完，菲約爾德也點了點頭。莉莉卡面帶愧疚地向他低語：「但不是只有我們兩個人……這樣可以嗎？」

「比起那個，莉莉開心更重要。」

「如果只有我和菲約在一起，我也會很開心啊。」

聽到莉莉卡的話，菲約爾德輕聲笑了，「那下次吧。」

「約好了喔。」

「我當然會遵守。」

菲約爾德認真地回答。與此同時，烤麵包也開始飄出誘人的香味。

莉莉卡咬了一口烤至褐色的麵包。

「好燙。」

「請小心。」

布琳勸告道，並將烤好的魚放到盤子上。明明只撒了一些鹽，肥美的白肉魚彈性十足，入口即化，十分美味。

既新鮮，又完全沒有淡水魚特有的土味或腥味。

用麻花捲麵包和魚肉填飽肚子後，拉烏布將劃了幾刀的栗子放到篝火上。

夜色深沉，篝火的火星高高飛起。

莉莉卡說：「那個，菲約。」

「嗯？」

「你和雷澤爾特的關係怎麼樣？」

「這個嘛……」

菲約爾德不知該如何回答才好，含糊地說著。

莉莉卡輕輕地「嗯」了一聲，「畢竟她是菲約的妹妹，我不能多說什麼，但她好像有點奇怪……」

莉莉卡瞥了一眼菲約爾德的臉色，而他看到莉莉卡說得猶豫不決，便笑了，「是的，我也知道。」

栗子在烤網上受熱，發出迸裂的聲響。

莉莉卡看著他的笑臉。

她有媽媽，還有阿提爾、迪亞蕾和陞下……還有坦恩和拉特，他們都是好人，派伊也是。但是一想到在那個家裡，菲約爾德孤單一人，她就感到非常心疼。她自己有時候也會覺得孤單，不是嗎？

「菲約，如果你覺得很難受就告訴我。我，嗯~我能做到的不多，但我會陪在你身邊。」

「您曾經承諾過會來找我啊。」

「嗯，我們是覆盆子同盟嘛。成員絕對不會拋棄盟友。」說完後，莉莉卡又躊躇地補道：「有時候也會想逃跑吧？那種時候也沒關係……」

菲約爾德看向篝火，聲音柔和樂音，「如果要逃，我早就逃了，但我不會逃。巴拉特不會逃離巴拉特。」

他臉色複雜，轉頭看向她後往前傾身，低聲在她耳邊說：「而我也是巴拉特。」

莉莉卡眨了眨眼。

她遇到的所有貴族都以自己的姓氏為榮，以自己的血脈為傲，不論好壞都緊抓著不放。莉莉卡也在努力成為

塔卡爾，但那和貴族的自豪完全是兩回事。對於那種自豪，莉莉卡無話可說。

「但我希望你把自己看得比巴拉特還重要。」

菲約爾德點點頭，「我會的。」

莉莉卡凝視著菲約爾德，伸出手緊緊抱住他。

「皇女殿下？」

菲約爾德驚訝地看著她，莉莉卡說：「你看起來無精打采的，所以我要分一點我的活力給你。」

她的力氣真的很大，菲約爾德靜靜地看著莉莉卡，然後輕輕靠上她的頭。

「我好像真的有力量了。」

「是嗎？」

「是的，以後需要的話，可以跟您說嗎？」

聽到菲約爾德的話，莉莉卡笑著放開他，「好啊。」

菲約爾德咧嘴笑著對莉莉卡說：「栗子好像都烤好了。」

「說好了喔。」

「嗯，說好了。」

「我是第一次吃烤栗子。」

「我也是。」

初次嘗到的烤栗子味道很棒。莉莉卡心想，下次要撿更多栗子，分給家人品嘗。

最後喝下一杯茶壺裡完全融化的熱巧克力，全身的緊張也消失了。雖然慶典和夜市也不錯，但像這樣悠閒地度過時光也非常愉快。莉莉卡自然而然地哼起歌，不是皇宮裡唱的歌，是平民唱的簡單旋律的歌。

她的聲音像個孩子，清澈透明又響亮。

歌曲結束後，布琳拍起手，讓莉莉卡紅了臉頰。

「您唱得真好，我都不知道您有唱歌的天賦。」

「沒有啦，沒有那麼誇張⋯⋯」

「不，您的聲音真的很美。請再唱一首給我聽。」

連菲約爾德都開始鼓勵她，莉莉卡猶豫了一下，唱起第二首歌。

唱到第三首歌時，她站了起來。她用肩上的披肩作為道具，像街上看到的舞者一樣輕快地轉了一圈。莉莉卡布琳仰頭看了看天空，說：「我們現在差不多該動身了。慶典時，城門也會開放到晚上，但不是無限制的。」

「嗯。」

莉莉卡迅速站起身。她和菲約爾德去溪谷取水的時候，布琳和拉烏布收拾好了場地。他們把取來的水倒入簍火中，確保餘火完全熄滅。

唱完歌後，行了一個屈膝禮。掌聲響起時，她莫名感到害羞，馬上坐下並舉起杯子，遮住臉。

莉莉卡和菲約爾德並肩坐在他們來時搭乘的馬車後座，擔任馬夫的拉烏布則坐在前面，布琳坐在他身旁。馬車開始顛簸地行駛，莉莉卡晃著腳，仰頭望向夜空。

秋天的夜空中，星星仍閃閃發光。冬天時，星座會更加璀璨耀眼，但秋夜有這些星點就足夠了。

進入首都後，菲約爾德在中途表示要下車。他像往常一樣不是走正門，而是從窗戶進入房間。出乎意料地，巴拉特公爵正在裡頭等著。

「公爵大人。」

菲約爾德像沒有犯下任何過錯般，向巴拉特公爵致意。

「請問您來我房間有什麼事嗎？」

巴拉特公爵上下打量著菲約爾德，之後說：「你最近都心不在焉的。現在就別管那個小Y頭了，既然阿提爾已經恢復了他的權能，用其他方法會更妥當。」

公爵用手杖敲擊地毯，「他將保姆四分五裂後，大約有十年都無法使用力量吧？聽說他很疼愛那個賤民？」

要是他把妹妹四分五裂，不知道會無法使用力量幾年──如此喃喃自語的巴拉特公爵走過來，抓住菲約爾德的頭髮，露出微笑。

「目前得讓你無法胡思亂想，是時候重新雕磨我的傑作了。」

「心之女王。」

背後傳來聲音。菲約爾德只轉動眼球看去，雷澤爾特帶著愉悅的微笑，手中握著之前看過的鏡子。

「吸收吧。」

隨著這道清亮的聲音，視野陷入黑暗。

體內像著火般灼熱，活生生遭到燃燒的痛苦，無論何時經歷都是種折磨。

視野閃爍，即使在黑暗中，他也知道自己被囚禁在地下牢房裡。笑聲從嘴裡流洩而出。

哈哈！他本想輕聲一笑，耳邊卻傳來歇斯底里到驚人的笑聲。

他瘋狂地一笑再笑，淚水不停流下來。是因為可笑？還是因為痛苦？他無法給出任何答案。

自己也會像之前親手殺死的手足一樣死去嗎？

他不能就這樣死去。

即使不期望，死亡本來就會虛無地到來，但他不能因為無法忍受痛苦而放棄理智，吞下的生命必須有其價值。

他努力平息體內席捲而上的火焰。他將手伸向鐵欄杆，需要抓住東西才能站起來。這時，一根釘子刺穿了他的手。他沒有感到痛苦，因為正在經歷的痛苦太過強烈，新的痛苦反倒讓他感到涼爽，釘子的冰冷令他感到舒服。

他抬頭看去，看到了自己的臉。是錯覺嗎？

這時，那張臉獰笑著。

「神器真是了不起，對吧？從現在起，我就是菲約爾德了。我還以為你被火焰吞噬死了，沒想到你還活著。」

變成菲約爾德的雷澤爾特低語：「怪物。」

她站起身。利用神器變成的模樣，任誰看來都是菲約爾德，或許是因為兩人原本就很相似，效果相當不錯。

她以一條腿為中心，輕輕轉一圈後笑了。

「媽媽答應過我，成功的話，會一直讓我當菲約爾德。」雷澤爾特低聲說，「那麼，再見。」

你知道自己現在有多醜嗎？

替代自己有什麼好處？他抓住鐵欄杆，努力站起身。他抬起上半身時，視線突然一轉。

『蠢蛋。』

跑出地下室的腳步聲輕快，菲約爾德忍不住笑了。

噠噠噠！

頭暈和疼痛使他大口喘著氣。他向後仰起頭。

從巴拉特公爵的性格來看，他大概知道對方想做什麼。

──你隨時都會被替換，最好小心一點。

大概是這樣的警告。不僅如此，她也在多方測試雷澤爾特。她不是做一件事只想得到一個結果的人。

菲約爾德拔出釘子，然後扔掉。那麼，現在他只需要等待。

巴拉特的最傑出作品，菲約爾德・巴拉特。

『我至今為止的人生，無法輕易被取代。』

他閉上眼睛，眼底看到了火焰，也許是昨天見過的，或者是幾天前的篝火。

他想起了莉莉卡的歌聲。

冷冽的山谷、夜空中的星星，還有那雙美麗的眼睛。感覺到痛苦稍微舒緩，他深吸了一口氣。深呼吸時，喉嚨感覺像要燒起來了，若是連這份痛苦都能帶走就好了。

『只拿走了外表嗎？』

這有點奇怪。菲約爾德開始檢查自己的身體狀態。

『啊，糟糕。』

怪不得他感到不對勁，完全無法使用力量。一意識到這部分被奪走了，他頓時全身無力。

他曾經那麼厭惡那份力量，卻也對那感到十分自豪嗎？

他露出苦笑。

『心之女王啊。』

若要選出最了解神器的家族，那就是「印露」。完全遠離中央，居住在極北地帶的印露家族從不踏足中心。

最後的守護者，冰川之族。

——人們會向彼此問候。如果妳也被當成人類，妳也能有自己的名字並互相問候。妳明白嗎？

雷澤爾特回想起在黑暗中聽到的聲音，望著手中的鏡子，她成為了自己渴望成為的那個人。

菲約爾德，菲約爾德，菲約爾德·巴拉特。

她輕碰上鏡子，鏡中的菲約爾德微笑著。因為幸福又愉快，雷澤爾特──不，菲約爾德笑了。

『媽媽終於也認可了我。』

認可我是真的，認可我是最愛媽媽的那個。

她抱著一個大熊玩偶，在房間裡不斷旋轉。之後她和熊玩偶一起倒到沙發上，用雙手緊按著臉頰。

『不行，菲約爾德不會這樣笑，要更優雅。』

因為我是菲約爾德·巴拉特。

巴拉特邸的人都非常親切，也能自由進出皇宮。大家都向我鞠躬，用溫柔的聲音與我說話。以菲約爾德的身分活著，十分輕鬆愜意。

「媽媽。」

優雅地問候後，媽媽轉頭看來。透過蕾絲，能感受到冷冽的目光。

她是否有一天會摘下眼罩，直視我的眼睛，然後緊緊抱住我，親吻我說「我家菲約爾德果然是最棒的」？

雷澤爾特滿懷希望地想著，恭敬地問道：「您找我嗎？」

「莉莉卡皇女殿下嗎？」

「去見那個女孩。」

「見面後不管談什麼都好，聽聽她說什麼。如果遇到阿提爾，就盡量與他對立，能讓他在女孩在場時使用權能更好。」

「盡量造成他的心理創傷。」

雷澤爾特這麼想著，制定了計畫。

就算激烈打鬥也沒關係，趁那時處理掉莉莉卡皇女殿下，讓人分不清是你的力量還是阿提爾的力量所為。

「是的，媽媽。」

完成這件事後，她肯定會成為巴拉特最偉大的傑作。菲約爾德·巴拉特是她的名字。

就像進出皇宮一樣容易，要見到莉莉卡皇女殿下也不費吹灰之力。起初皇女殿下似乎有些驚訝，但在那之後，皇女殿下也與雷澤爾特見了好幾次面。但阿提爾沒有出現，據雷澤爾特所知，他們三人以前常常見面。

『是時機不對嗎？』

她十分焦急。

在花園散步時，莉莉卡皇女走在花壇欄杆上。這種愚蠢的行為不符合皇女殿下的身分，但雷澤爾特像菲約爾德一樣不在意，微笑著說：「不過，最近都沒見到阿提爾殿下呢。」

「他很忙。」

「這樣啊。」

「你想見他嗎？」莉莉卡停下腳步問道。

雷澤爾特頓了一下，然後笑了，「不見最好。」

「是嗎?」

「話說回來,皇女殿下,您知道阿提爾殿下為何會無法使用力量嗎?」

「不知道。」

莉莉卡搖了搖頭,雷澤爾特就勾起笑,「那是因為……」她十分興奮,因此語調有點雀躍,但她接著說:

「殿下小時候有刺客闖入房裡,當時哄殿下入睡的保姆為了保護他,奮不顧身。殿下也為了救保姆,使出了力量,結果……」莉莉卡臉色難看地看著雷澤爾特,彷彿不小心得知了不該知道的事情。

「這是一段悲傷的故事。」雷澤爾特結束了話題。

沒錯,這是個非常悲傷的故事。

『只因為這點小事就無法使用力量,他到底有多脆弱啊。』雷澤爾特斜眼瞄了莉莉卡一眼。她很疑惑只是殺死繼妹,會不會造成他的心理創傷,但保姆死去這點小事都能造成心理創傷了,殺死手足當然也會。

『塔卡爾充滿了弱點呢。』

她深深嘆了一口氣時,莉莉卡開口:「但是我一直有個疑問,終於可以問你了。」

「是什麼事呢?」

「您怎麼了?」雷澤爾特歪過頭,再次問道。

她溫柔地笑著一問,莉莉卡一下跳到石柱上,與她平視。

莉莉卡突然臉湊近,「妳為什麼一直在模仿菲約爾德?」

那雙藍綠色的眼眸彷彿能看透自己,過近的距離讓她不自覺地嚇了一跳,向後退去,同時突然意識到。

在這種情況下，菲約爾德‧巴拉特不會退縮。

「皇女殿下……唔！」

她試圖扭轉局面，但有東西突然掐住她的脖子，開始加重力道。

驚慌失措的皇女殿下映入眼簾。

她試圖行動，但完全動彈不得，喘不過氣。儘管試圖用力反抗，掐住喉嚨的力量仍絲毫未減。

『為什麼？』

她的腳尖在半空中踢著，視野逐漸模糊，最終陷入黑暗。

「阿提爾！」

啊，是皇太子嗎？那就用力量，用力量——

在貧民區附近一家廉價餐廳的地下室中，有三人聚在一起⋯莉莉卡、阿提爾和約翰‧威爾。莉莉卡一到這裡就換上了方便活動的衣服。

「真的沒事嗎？」那位大叔帶著憂慮的表情問道。

莉莉卡點了點頭，「沒事的。」

來收集情報的約翰‧威爾忍住一聲呻吟。他像往常一樣將長髮都藏進帽子裡，還揹著擦鞋匣，一身「擦鞋大叔」的打扮，而阿提爾扮成賣報童的模樣，站在身旁。

他嘟囔道：「真是搞不懂，你們為什麼要去救他？反正她應該不會殺了他，頂多拔掉幾片指甲，或者燙一下。」

「⋯⋯這就是問題，所以我們要去救他。」

莉莉卡的話讓阿提爾更緊皺起眉頭。他完全無法理解。

「雷澤爾特都變成這樣了，公爵現在沒理由殺了菲約爾德，說到底，我們是覆盆子同盟，我說過會去救他。」莉莉卡這麼說著，抱起雙臂，勾起笑容，「而且只要有阿提爾送的神器，任何阻礙都不是問題。」

「但他一直在受苦啊。我們是覆盆子同盟，我說過會去救他。」莉莉卡這麼說著，抱起雙臂，勾起笑容，「而且只要有阿提爾送的神器，任何阻礙都不是問題。」

「真不該送的。」阿提爾語氣不悅地說。

「乾脆讓別人去怎麼樣？」

「但如果我不去，菲約爾德就絕對不會跟著走。」

「那當然，畢竟他是巴拉特。」阿提爾平靜地說。

大家都不曉得，阿提爾送莉莉卡的生日禮物是可以搖晃的小金鐘。金鐘的外型可愛，十分討喜。

那是神器，七鐘。

莉莉卡拿出鐘時，阿提爾再次詢問約翰：「情報確定無誤嗎？」

「是的，我確認過很多次了。事實上，我也讓部下埋伏在路途中了。這條路是通往巴拉特邸的祕密通道之一。」

這間餐廳位在貧民區附近，所以很靠近城牆，雖然簡陋卻附有馬廄。據說，餐廳裡的這條路能通往巴拉特邸，所以不僅可以騎馬，也能取得方便逃跑的各種物品。最重要的是，這裡人來人往，四通八達，能輕易混入其中。

最令人吃驚的是，巴拉特家的祕密通道延伸到這麼遠的地區讓人十分驚訝，但也是完美的逃脫處。

阿提爾十分佩服，「你仔細調查過了巴拉特邸的內部呢。」

「啊，我是靠買來的昂貴情報，抓住了他們的根。」

約翰以厭煩的表情看向莉莉卡。莉莉卡與他對上目光，就對他咧嘴一笑，露出看似少年的笑容。

他無奈地回以笑容。如果沒有莉莉卡，他就算被砍頭也不會與露迪婭合作，但再次見到的露迪婭為了莉莉卡十分努力。

『人類通常不會輕易改變啊。』

真是奇怪。約翰摸了摸下巴。

「只剩下一個鐘時，一定要逃出來，明白了嗎？無論有沒有救出那傢伙都無所謂。」

阿提爾握著莉莉卡的雙肩，再次要求她回應。

莉莉卡點了點頭，「我知道了。」

她也不想在這裡被抓住。

打開地下室地板上的木門後，出現了一道梯子。她慢慢地走下梯子，向上面的兩人揮揮手，示意一切安好。

最後，她再次檢查了腰間口袋，然後搖了搖金鐘。

「鳴響吧，七鐘。」

清亮的鐘聲響起，同時她的眼前也出現了一排七個小鐘。

叮鈴！叮咚！噹咚！叮！

七個鐘各自發出高低不同的音調，合奏出柔和又多樣的聲音。猶如彩虹的鐘聲非常美。

莉莉卡隨著鐘聲低語：「目標是菲約爾德・巴拉特。」

一排金鐘滑動，在她背後排成半圓形，之後她面前出現了一個金色三角形箭頭。

第一個鐘聲響起。

叮鈴！

與此同時，第一個鐘粉碎四散。

『成功了。』

莉莉卡握起拳頭,開始在狹窄的筆直通道中爬行。指出菲約爾德所在方向的金色箭頭發出明亮的光芒,照亮了路。如果沒有這個箭頭,這裡頭應該暗到什麼也看不見。

當她爬到手臂痠痛,感到悶熱時,出現了一個可以正常行走的空間。牆面凹凸不平,但寬度足以讓兩個成人並肩行走。

『很好。』

莉莉卡開始奔跑。

神器「七鐘」的效果既簡單又出色。設定一個偷竊目標後,在七個鐘都鳴響之前,使用者可以在不被敵人發現的情況下通過所有障礙。不過,鐘聲響起的速度也會依據難度改變,而這個效果只能保證十分鐘。目前只用了一個鐘,但依據接下來的警備情況,不知道鐘會如何消失。

使用神器時,禁止攻擊其他人,也不能同時使用其他神器。

聽阿提爾說,曾有人大膽地去皇宮偷東西,但七個鐘居然在皇帝面前一口氣全數碎裂,所以這件神器被沒入了皇家庫房。

『如果不能使用神器,狀況緊急時,或許我得揹著菲約爾德逃出去。』

辦得到嗎?

她在心中如此大喊,大步奔跑,無需擔心警衛的腳步聲或陷阱,她的手一碰到上鎖的門也能輕易打開。

『不,最糟的狀況下,我得揹著菲約爾德出來。』

我做得到!

「唔⋯⋯」

惡臭味和腥味刺進鼻腔。四處散落著巨大玻璃管的碎片,散發出難聞的氣味,莉莉卡被嗆得差點流淚。她努

力不去看陰暗處，前往下一個房間。

下一個房間非常乾淨，有酒精的味道。出於好奇，她環顧四周，發現牆上掛著令人毛骨悚然的工具。上面掛著被染黑的皮帶、各種尺寸的刀、鎚子和鉗子等等，中間有一張鐵桌。

『唔，當作沒看見好了。』

接連都是這種令人害怕的房間。途中，她經過一間漆黑的房間時，因為太過害怕而無法前進，眼淚也湧上眼眶。雖然沒有真的出現光，但她能感受到自己心裡一直有著發光的力量。她驅使顫抖著的雙腿，擦去淚水，繼續前進。之後出現了幾個分岔路，莉莉卡仔細記著門的位置，跟著箭頭走。

『要走到什麼時候？』

幸好金鐘沒有減少，但這段路太遠了，而且一直處於緊張的狀態，讓她的精神開始變得敏感。她嘆了好幾口氣，打開一扇生鏽的門走進去。那一刻……

叮鈴！叮鈴！叮鈴！

三個鐘同時鳴響後消失。莉莉卡結凍似的站在原地。

巴拉特公爵站在眼前。

燈光在黑暗的地下牢房中微弱地發亮，她不自覺地用雙手摀住了自己的嘴。

巴拉特公爵看向這邊。

「！」

莉莉卡看著金鐘，自從三個鐘連續響起後，就再也沒有聲音了。

『不要緊，不要緊。』

心臟在體內怦通狂跳，像要從嘴裡跳出來了。

「你不覺得很有趣嗎?」

她似乎正看著莉莉卡與她說話,但莉莉卡一動也不動。

「只看外表,大家都以為雷澤爾特是你。雖然她很蠢,但也有愚蠢到讓人覺得可愛的地方。」

「這樣說自己的女兒十分狠毒,但如果是巴拉特公爵的話……」

『她果然沒有看到我。』

隱約響起的鐘聲仍舊是那三個音階。莉莉卡太害怕了,無法從巴拉特公爵身上移開目光。

她吞下一口口水,努力將視線從巴拉特公爵身上移開,看向牢房的鐵欄裡。

「!」

她勉強抑制住想喊出「菲約爾德!」的衝動。菲約爾德的模樣看起來十分悽慘,倒臥在牢房內。

牢房前放著一個香爐,從中升起淡粉色的煙霧,不曉得是什麼,但看起來不是什麼好東西。

她得鼓起勇氣向前走,卻無法邁步走過去。

『總不能一直這樣任時間流逝……』

叮鈴!

鐘聲再次響起。這樣對峙下去,金鐘果然會快速消失。

現在只剩下兩個鐘了。

巴拉特公爵的目光看向牢房,又看回莉莉卡。她彷彿能精確地看著她,讓莉莉卡渾身一顫。由於看不到被蕾絲遮住的眼睛,無法判斷她是不是在看她。

公爵慢慢走近,莉莉卡將手放到掛在腰帶上的吊墜上。

如果,如果真的被發現了。

三步,兩步,一步……

372

接近的公爵從她身邊經過。莉莉卡迅速轉頭看去，公爵轉動掛在牆上的提燈，她走過的通道就關上了。莉莉卡差點跳起來，但巴拉特公爵沒有任何反應，再次轉動提燈。

通道再度打開，房內響起轟隆隆的聲響。

「那麼，你就享受愉快的時光吧。」

公爵這麼說完就消失在通道中。莉莉卡深吐出一口氣，立刻跑進牢房，牢房的門對她來說不是問題。她將倒在地上的菲約爾德拉過來，讓他躺在石板地上她會心疼，於是她將他的頭放在自己的腿上。

「菲約爾德？菲約。」

起初她輕聲呼喚，害怕大喊出聲會消耗金鐘。她從皮革包裡拿出一瓶藥水，倒進菲約爾德的嘴裡。

幸好有提前準備好。莉莉卡如此心想，並嘆了口氣，輕輕搖晃菲約爾德。

「菲約，醒醒。菲約爾德。」

菲約爾德沉入了湖底，在無盡的黑暗中，一直沉入湖底，被拉往照不到光的深處。

在黑暗中，不知道時間過了多久，一切都十分生動鮮明，彷彿能聽到氣泡聲。

他往黑暗的湖底沉去，沉到湖底。

但奇怪的是，視野周遭開始變亮了。他疑惑地睜開眼，周遭十分明亮。光芒從下方升起，湖底竟然會發光。

他困惑地看向下方，湖底的沙子發出潔白的光芒。

這意外的情況讓他十分不解，但隱約聽到了一個聲音，是他不可能忘記的聲音。

「菲約爾德，清醒點，菲約爾德‧巴拉特！」

彷彿有人抓住他的後頸，將他的頭拉出水面，他瞬間恢復了意識。他深吸一口氣後吐出，在模糊的視野中，他看到了剛剛沉入的湖泊。

宛如湖水的藍綠色眼眸。

「菲約爾德！你還好嗎？醒了嗎？知道我是誰嗎？」

菲約爾德眨了眨眼，視線變得十分狹窄。看來他的眼睛受傷了。他呆愣地看向莉莉卡，她露出擔憂的表情。

菲約爾德終於逐漸明白了狀況，周圍的環境對他來說很熟悉，簡單來說，他是在地下牢房。

然後莉莉卡在這裡。他現在似乎正躺在莉莉卡的腿上，簡單來說，他是在地下牢房裡躺在她的腿上。

「⋯⋯?」

是夢嗎？他眨了幾下眼，情況依然沒有變化。

莉莉卡低頭望著菲約爾德，揮了揮手掌，「菲約爾德，看得見嗎？能說話嗎？」

「是⋯⋯」

聲音很沙啞，但能清楚地回答。莉莉卡的表情立刻亮了起來，「太好了！」

這笑容讓菲約爾德下意識地用手臂遮住自己的臉。

「菲約?」

「請您別看我⋯⋯現在我非常⋯⋯」

雷澤爾特確實曾說他是「怪物」。他已經很久沒有服用藥物了，那層華而不實的外皮應該已經剝落，變成了醜陋的模樣。

他不想被莉莉卡看到。她最喜歡的不就是自己的外貌嗎？

這時，莉莉卡猛力捏住他的兩頰，將臉湊過來。

「世界上最美麗的人是我媽媽。」

聽到這難以理解的宣言，菲約爾德十分困惑。

莉莉卡續道：「所以外表無所謂！」

這話說得理直氣壯，讓他不知道該如何回答，呆愣地看著莉莉卡，腦袋無法運轉。

契約皇后的女兒

374

彷彿看出了他的困惑，莉莉卡笑著說：「現在我要帶你出去。但菲約你走不動，所以我會想辦法帶你出去。來，把手環到我的肩上。」

「那是不可能的……」

「要試試看才知道啊。」

莉莉卡用帶來的布將菲約爾德的兩隻手腕綁起來，然後將自己的頭穿進他的雙臂之間。她使出全力，將菲約爾德揹到背上，接下來只要站起來就好了。

『我能做到，我能站起來，我站得起來！』

她將三節棍展開，當作拐杖。

「咿啊！」

之後隨著吆喝聲鼓氣，一口氣從地上站起來。

「站、站起來了！做得好，莉莉卡。妳真棒，莉莉卡。」

她鼓勵著自己，緊緊抓著菲約爾德的手臂，以防他滑落。兩人的身高差距大，因此他的腿在地上拖行。

變高的視線中，有一個散發出甜蜜香氣的香爐。菲約爾德知道那是什麼，於是吞下苦笑。

那香爐總是、總是讓他夢到可怕的夢，也有強烈的成癮性，那麼莉莉卡會不會有事呢？還是說，這一切果然也是一場夢？

莉莉卡發出低吟聲，開始往前走。為了防止菲約爾德滑落，她向前彎著腰，一步一步地移動。

站起來是最困難的，走路還勉強可以做到。

他轉動視線，看到她的周圍漂浮著兩個金鐘。莉莉卡氣喘吁吁地解釋情況：「那是阿提爾送的，生日禮物。」

「我說要偷取菲約爾德。」

只要搖動金鐘，使用者就能偷取一樣指定的物品，在偷竊的過程中不會被發現。

「竟然做這種蠢事⋯⋯」

「什麼？」

「她不會殺了我的。」

莉莉卡忍住想立刻把菲約爾德扔出去的衝動。

看到他被放任不管就知道了。他的手足也被放任不管，直到自然死亡。這應該是想收集情報到最後一刻的手段。

「但是，菲約在這段期間一直很痛苦，很難受吧？我不喜歡那樣。」

菲約爾德眨了眨視線朦朧的金紅色眼眸。

「冷靜點，沒事的，莉莉卡。」

『哇！』

該怎麼說呢？感覺就像吃了太多甜食，很難受的感覺。

「這果然是一場夢吧。」

他正在作一場逼真的夢，還能聞到香氣，那股露骨明明總會帶來痛苦的夢啊，怎麼會這樣呢？

這麼露骨的想法讓他自己都感到羞愧。不，露骨到這種地步，根本是一場自我撫慰的夢。他不就是希望莉莉卡來救自己嗎？希望她來這個可怕的地方把自己拉出去，緊抓著他手臂的手，因為讓他的腳拖在地上而感到抱歉，不停往前走的自己太過膚淺，菲約爾德大笑出聲。

揹著自己的小小後背、拚命的步伐，為了不讓他掉下來、由於想像著這種事的自己太過可愛又迷人，簡直就像他的慾望結晶。

莉莉卡困惑地問：「菲約？你還好嗎？」

他感覺到她的聲音在顫抖。即使是夢，連這種地方都感覺很真實。

原來妳很擔心我啊。

雖然沒有將這句話說出口，但那根本無所謂。

「莉莉卡。」

「嗯？」

「我真的很喜歡妳。」

「！」

小小的背突然一顫，在只有一半的視線中，能看到她的耳朵變紅了。

「真是的，菲約竟然在這種時候⋯⋯啊，真是的。」莉莉卡嘟囔了一番後回答：「我也喜歡你。」

畢竟如果不喜歡，怎麼可能會來這裡？

對於嘟囔碎念的她，菲約爾德很想問「我排在第幾位？」，但這是夢，無論答案是什麼都會令人非常不悅，所以他沉默下來。

莉莉卡望向地下通道。如果在那裡遇到巴拉特公爵⋯⋯兩個金鐘同時響起的話，一切就結束了。莉莉卡咬緊了牙。

「菲約，那邊上去會有什麼？」

「辦公室。」

「是嗎？辦公室裡有很多人嗎？感覺公爵不會讓人靠近⋯⋯」

「不會有人進去辦公室的，從辦公室的窗戶逃走就好了。」

他坦誠地說出逃脫路徑。

莉莉卡瞪大眼睛，「果然如此。那麼⋯⋯」

不如去辦公室吧。在巴拉特公爵回來前去辦公室，從那裡的窗戶逃出去。

這是一個大膽的決定。她開始身形搖晃地爬上地下牢房的階梯，氣喘吁吁，中途甚至一度跪了下來，汗如雨下。

「菲約看起來很瘦，但是好重啊。」

聽到莉莉卡氣喘吁吁地說，菲約爾德笑了出來。巴拉特邸出奇地毫無人氣，這也是夢的效果吧。即使是夢，卻開始感到心痛。

「莉莉，我沒事。」

「我有事。」莉莉卡喘著氣說：「我答應過你，就算你在遠方，我也會來找你的。」

「嗯⋯⋯」

「所以，呼、菲約你⋯⋯喘一口氣，睡一覺，醒來時，一切應該就結束了。」

『變得更重了。』

她的聲音聽起來也像在鼓勵自己，十分可靠。就這樣睡去醒來，還會在那個地下牢房嗎？如果是那樣，他不想入睡，但他也不想夢到像這樣被她揹著，永遠在巴拉特邸徘徊的夢。

菲約爾德閉上眼睛。感覺到他的身體突然放鬆下來，莉莉卡倒抽了一口氣。

清醒時和失去意識時的重量果真不一樣。莉莉卡側眼看著剩餘的兩個金鐘，打開通道的門。

幸運的是正如菲約爾德所說，辦公室裡沒有其他人。能安全走到這裡真是太好了。

是巴拉特公爵的辦公室。

鐘仍然剩下兩個。

她打開玻璃落地窗，走到陽臺上，早已渾身都是汗水。她跨過陽臺欄杆，跳進灌木叢中，被菲約爾德的重量壓倒在地。

眼淚不禁掉下來。

「呼啊！」

她再次用力吆喝，讓自己站起來。但是，現在該怎麼辦？該往哪個方向走？

『菲約啊，不該讓你休息的。』

太過虛張聲勢了，莉莉卡十分後悔。她小心翼翼地呼喚菲約爾德，但他沒有回應。

『那先躲起來吧。』

巴拉特的花園像迷宮一樣錯綜複雜，正好適合兩人藏身。莉莉卡躲進灌木叢中，放下菲約爾德並擦去汗水。可能是因為藥物的作用，菲約爾德的身體狀況比一開始好多了。如果可以用魔法治療就好了，但在「七鐘」發動的期間也不能使用魔法。

她再次讓菲約爾德喝下藥。

她差點不自覺地大喊出聲，因為菲約爾德不知何時醒來了，從背後抱住她。

「菲約，你醒了？」

但莉莉卡很高興，開心地向他說話。

菲約爾德還是很燙。不，剛才還好，但似乎又發燒了。

『我先自己去探查一下……哦？』

他的手臂加重力道，臉頰蹭了蹭她的臉。

「等等，菲約，你在幹嘛？」

莉莉卡轉頭看向他，試圖與他對視。

比起不快，莉莉卡更感到搔癢。而且他似乎還沒完全恢復過來，讓她很擔憂。

「竟然醒來後還在夢裡。以前可能會覺得討厭，但……呵呵！這真是個好夢。」

菲約爾德低喃著吻上莉莉卡的臉頰，使莉莉卡的臉頰泛紅。

「這不是夢。」

「是嗎?」莉莉卡對上他笑著的雙眼,他的目光迷離。

「啊,這個……」莉莉卡呆愣地說。

不能指望他了。他的狀態和喝醉酒或吸毒後昏昏沉沉的人一樣。即使他能正常交談和行動,到了明天很有可能會一臉呆愣地說「什麼也不記得了」。

莉莉卡開始溫柔地安撫他,對於安撫醉鬼,莉莉卡自有一番見解。

「菲約,你先冷靜下來。我們不能讓其他人發現。」

莉莉卡怕他會突然做出不可預測的行動,所以沒有厲聲制止他,而是溫和地提醒他。他們的身體緊貼在一起,可以感覺到他的臉頰在她的頭上磨蹭。他的聲音像發燒了一般輕飄飄的。

「為什麼不能被發現?」

「在逃跑時被發現就完蛋了,不能讓菲約一直被困在地牢裡。你先跟我一起逃出去,之後再決定要不要回來這裡。」

「嗯……」菲約爾德像陷入沉思般低吟,隨後像想到了什麼好主意,小聲說道:「把他們都殺掉就好了。」

「啊?」

「把宅邸裡的人都殺光,就不會被發現了,完美滅證。」

「不是……」

菲約爾德燦爛地笑了,「我一直很想殺了他們,想把他們都消滅掉,不管是我還是您說不要破碎吧?因為莉莉這麼說,那我只好摧毀對手了。真的一個都不留地全部殺光,讓地上滿是鮮血,不停流淌……」

他不停地說著。莉莉卡皺起眉,試圖在他懷裡轉過身,伸手抱住他的頭。

「嗯，菲約，辛苦你忍了那麼久，做得很好。」

菲約爾德咬緊牙關。

「！」

這個人真的是……為何在這種夢裡也如此……為什麼她一直、總是……我輸了嗎？

她理所當然地說出了他一直很想聽到，卻無法說出口的話。

對方是個這麼小的女孩，只有自己感到快樂，讓他覺得不甘心。他怒視著她，但莉莉卡緊緊抱著他，根本無法對上目光。他聽到心臟快速跳動的聲音。

她嬌小的身體上有些微汗水的氣味，現實感慢慢地湧上。

他輕柔地用雙手抓住她的手臂，推開她後對上她的目光。

怦通、怦通、怦通。比平時還要快一些。

「莉莉？」

「嗯。」

他看到莉莉卡一臉從容地回答。那一刻，彷彿有人從頭上澆下冰水，菲約爾德清醒過來。

「呀啊！」

突然被推倒在地，莉莉卡發出小聲的驚呼。菲約爾德壓在她上方欺近，低吼道：「您到底在做什麼？您是怎麼來到這裡……不，從什麼時候開始是現實的？」

「啊，你清醒了，太好了。」

莉莉卡鬆了一口氣，露出燦爛的笑容。菲約爾德呆愣地看著她的表情，然後轉過頭去掩住自己的嘴。

『天啊。』

他胡言亂語的情景歷歷在目。他的臉頰發燙，忍不住用雙手搗住臉，想找個地方自我反省一會。

「菲約，你還好嗎？」莉莉卡摸了摸他的額頭，「你果然發燒了。」

「我、我沒事。」

他支支吾吾地說道，完全無法直視她。

菲約爾德・巴拉特的人生中有過這麼丟臉的時候嗎？

他低聲嘟囔時，莉莉卡溫柔地說：「菲約，如果你不舒服，可以休息一下。我去看看情況就回來。」

那一刻，菲約爾德注視著莉莉卡。他都快發瘋了，莉莉卡卻十分平靜。

她那張稚氣的圓臉上滿是汗水。他感到不甘、憤怒，並自我反省了一番，然後深吸了一口氣。

「我來帶路。」

「但是——」

「請讓我來吧，您都來到這裡了。」

菲約爾德緩緩地握起拳頭又張開，確認自己的身體狀態。雖然發燒了，但不至於影響行動。四肢都能正常運力，沒有任何骨折或損傷。

菲約爾德看了看飄在莉莉卡身旁的兩個金鐘，然後抱著她站起來。莉莉卡驚訝地抓住了他的肩膀。

菲約爾德一手抱著莉莉卡，讓另一隻手自由活動，而莉莉卡不滿地瞪了菲約爾德一眼。

她揹菲約爾德時真的很重，但他即使生病了，仍能一手將她抱起，真是不甘心。

菲約爾德對瞪著自己的莉莉卡回以微笑，莉莉卡見狀，目光也變得溫和。

菲約爾德轉了轉腳踝，低聲說：「請抱緊我。」

「嗯。」

莉莉卡雙臂環抱著他的脖子，菲約爾德開始迅速奔跑。

「！」

莉莉卡被他出乎意料的速度嚇得緊閉上眼睛，身體不斷快速上下搖晃。

他精確地在某個地方停下、藏起來，然後再次奔跑。菲約爾德穿過巨大的玻璃溫室，走向小溫室。在一排小溫室中，他選了其中一個走進去，移開大花盆後，地上出現了一個洞。

「往這邊。」

他先讓莉莉卡進去，然後跟了進去。把花盆放回原位後，四周變得一片漆黑。莉莉卡失去了方向感仍向前走。幸好有發出金色光芒的箭頭。這箭頭指著菲約爾德，因此沒有指明方向，但一直照亮了周圍。一瞬間，一個寬大的空洞出現，她差點向前摔倒。

「啊！」

「請小心。」

這是一個非常寬闊的隧道。雖然有下水道特有的苔蘚和水味，但地面只是潮溼，沒有積水。

一下來到這裡，菲約爾德就癱坐在地。莉莉卡驚訝地抓住他。

「菲約，你還好嗎？稍等一下。這裡可以開燈吧？」

莉莉卡從口袋裡拿出一塊發光的石頭，四周頓時明亮許多，接著她拿出一瓶藥。菲約爾德沒有問這是什麼，接過藥就喝了下去。

莉莉卡擔心地四處張望，「這裡究竟是哪裡？」

「這是首都的地下隧道。因為路被堵住，現在已經不使用了。」

他簡短地解釋後，喘了口氣。

莉莉卡望向她背後的鐘。還剩下兩個，逃到這裡來就安心了。

菲約爾德低聲說道:「可以的話,我希望您先離開。我已經到這裡了,恢復之後可以自己離開。」

莉莉卡給他的藥似乎是速效性的,他很快就感覺到身體狀況在恢復。菲約爾德問:「您是怎麼知道的?」

菲約爾德彎起一隻腳坐著,笑了笑。他將額頭靠在膝蓋上,稍微鬆了一口氣。他必須休息,但也無法放鬆戒備。

「那好吧。」

「我要和你一起走。」

「嗯?」

「真的嗎?」

莉莉卡聽了這句話,哼笑一聲,「一看就知道啊。會被騙的人才奇怪。」

「一看就知道?」

「對。」

「是啊。」

「宰相嗎?」

「不,我真的一眼就看出來了。因為那不是菲約,又有菲約的樣貌,所以一開始我嚇了一大跳⋯⋯」莉莉卡發出低吟,然後坐下來,抱住雙膝,「但這樣的話,真正的菲約會在哪裡呢?我也很擔心。我跟拉特說這件事後,他很確定那不是菲約。」

「嗯。」

「是怎麼做到的──菲約爾德刻意不追問,莉莉卡就接著說:「我非常擔心菲約到底怎麼了,所以就去請大叔幫忙,也向媽媽和陛下提過,但他們都要我不要管⋯⋯」

莉莉卡緊緊抱著自己的雙腳,「但如果菲約……」

菲約爾德抬起頭來,在黑暗中,他那雙金紅色的瞳孔如精心琢磨過的寶石一般閃閃發光。莉莉卡沒有注意到他直視而來的目光,依然把額頭抵在膝蓋上說:「因為我不希望菲約自己難受,而且我曾答應過你,無論多遠都會找到你,就私自行動了。」

她嘟囔著,然後抬起頭來。看到菲約爾德帶著熱情的眼神時,她一愣,然後勾起了笑。

「不過阿提爾和派伊幫了很多忙,尤其是阿提爾。」

「我得去向他道謝呢。」

「嗯。」

這時,遠處傳來跑過潮濕路面的腳步聲,莉莉卡跳了起來,菲約爾德則擋在她的前面。後面的路被堵死了,無路可逃。只能再次鑽進那個洞,暫時躲避……

「莉莉卡!」

聽到熟悉的呼喚聲,莉莉卡頓時放鬆下來,「是阿提爾。」

她不由自主地鬆了一口氣。由於沒有光,看不清楚對方的模樣。

叮鈴!叮鈴!

金鐘響起兩次鐘聲,然後碎裂。「七鐘」變回原來的形態,應聲掉到她腳邊——不,在它落地前,有一雙手接住了它。

在黑暗中迅速走過來的是拉烏布。

「主公,您還好嗎?」

緊張感瞬間消散,她的雙腿發軟,身形一晃,走過來的阿提爾扶住了她。

「你怎麼——」

莉莉卡問「你怎麼知道我在這裡？」，但無法順利說出口，淚水不斷落下。

她真切地感覺到自己剛才一直非常緊張。

阿提爾說：「我們回去吧。」

莉莉卡點了點頭。

雷澤爾特不停發抖。她全身發顫，低聲啜泣著。巴拉特公爵的辦公室地毯非常柔軟，吸收了她的淚水後也看不出痕跡。她蜷縮在地毯上，等待著處分。

被皇太子抓住的那一刻起，她就預料到會有這一天了。她無法理解自己究竟是怎麼被發現的，如果死在塔卡爾手裡就算了，儘管她下定決心絕不會因為嚴刑拷打而開口，他們也沒有拷問她。

皇后殿下只笑著溫柔地說：「這是玩笑開得太過火了，對吧？」她像捕到獵物的貓咪一樣，看起來非常愉悅，使憤怒湧上雷澤爾特的心頭。

「心之女王」似乎被搶走了，不見了。她要求歸還時，只得到了一句厚顏無恥的「我沒看過那種東西」。皇帝也從未露面，而皇后問了一些無關緊要的問題後，為她準備了茶。就算過了茶點時間，皇后仍說個不停。最後，皇后還派了一輛馬車送她回巴拉特公爵家。當她回來時，已經超過晚餐時間很久了。

她不知道究竟該如何向媽媽解釋，雷澤爾特能做的，只有祈禱。

「沒用的東西。」

聲音很平靜，雷澤爾特卻像受到鞭打一般顫了一下。她顫抖著抬起眼來。

模樣依舊的公爵坐在辦公室的書桌前，伴隨著處理文件的書寫聲，柔和的聲音傳來。

「看來是我太早帶妳來了。」

「對、對不起，是我錯了，下次我一定會做得更好。」

「現在還敢頂嘴？」

長嘆一口氣後，雷澤爾特緊閉著嘴，趴在地上。巴拉特公爵處理完文件，從座位上起身走向她。看著趴在地上發抖的孩子，她以遺憾的語氣說：「我這麼努力，要把妳塑造成完美的巴拉特，妳卻讓我如此失望。」

「對不起。」

「樹要被修剪、傷到樹皮，經過嫁接才會變強壯。」

殘忍的手指抓住她的頭髮，迫使她抬起頭來。雷澤爾特說不出話。看著不斷掉出眼淚的眼睛，巴拉特公爵咂舌一聲：「菲約爾德絕不會哭泣，那個孩子總是很堅強，他很清楚身為巴拉特的傑作應該做什麼。」

聽到這句話，雷澤爾特努力止住眼淚。

「請您再給我一次機會。

再給我一次機會就好，這次我能做好的，媽媽，我很抱歉讓您失望了，很抱歉我是個不夠好的女兒，是個不夠好的孩子，很抱歉我是個對不起。」

雖然許多話語在嘴裡打轉，但她都說不出口，因為反駁會讓媽媽感到不悅。但她很害怕，相當恐懼，她應該無法承受即將降臨的懲罰。

雷澤爾特雙手合十地祈求，嘴唇不停顫抖。

就在這時，地下通道的門打開，僕人說：「一切都準備好了，公爵大人。」

「下去吧。」

「媽媽，求您、求您原諒我……」

「雷澤爾特，這不是在懲罰妳，是給妳重新來過的機會。還是說妳想放棄？還想回到鄉下嗎？」

雷澤爾特吞下一口口水，搖搖晃晃地站起來。她不能在這時再讓母親失望了。

她喘著氣。她必須像巴拉特一樣堅強地跟上去，但為什麼會這麼緊張呢？

她跟著僕人消失在地下通道中。門關上後，巴拉特公爵輕輕嘆了口氣。

「替代品果然還是行不通啊，雖然她也有可愛的地方。」

想起從地下牢房消失的菲約爾德，她輕聲笑了笑。

她利用雷澤爾特，毫不留情地刺激菲約爾德，還以為菲約爾德會有所反應，但沒想到會是這樣。

即使有無謂的想法，對公爵來說也沒有太大的意義。

她打開了書桌抽屜，柔軟的絲絨靠墊上放著一面心形鏡子。她舉起來，慢慢將鏡子翻過來，對著自己的臉。

想到不了解這個神器的真正能力，連是真品還是贗品都不清楚就得意洋洋地到處揮舞的雷澤爾特，她差點大笑出聲，輕咬著嘴唇。

「愚蠢的孩子真是可愛。」

黑色的鏡面沒映照出任何東西，就像只會吞噬一切的深淵。感覺它映照出了真正的自己，巴拉特公爵露出滿意的微笑。

CHAPTER. 13
乘船出海的父親
遭冬日風暴吹走 I

露迪婭打開信件，信封上印有六角形雪花圖案的印章。

印露。

露迪婭微微一笑。她努力試圖與印露家族取得連繫，雖然她知道對方的弱點，但不想明目張膽地說出口，所以每次都寫了無聊的信。她多次邀請印露擔任莉莉卡的老師，但印露從未回應。大概只有印露家族，能夠厚顏無恥地不回覆皇室的信件，卻仍保持著家族的聲譽。

但今天，終於收到了回信。

『雷澤爾特幫了一個忙呢。』

露迪婭笑著，瀏覽完信件後收起。信中提到印露將派遣人員擔任莉莉卡的老師。

「印露？印露嗎？印露公爵家說要派老師來？」

派伊一再回問。

莉莉卡正在和阿提爾一起吃早餐。阿提爾命令莉莉卡這一週都要與他一起吃早餐，多虧於此，她最近吃得非常好。

「嗯，難道印露公爵家……有什麼問題嗎？」莉莉卡歪著頭。

阿提爾說了一句「真是的」，扔下叉子似的放下餐具，抱起雙臂。派伊則以奇怪的表情說：「皇后陛下的手腕真的好高明，居然能讓印露派人來……」

「他們絕不會插手千預中央的事務，整個家族都關在暴風雪城堡裡不出來，以躲在幕後操縱聞名。他們既不在首都買房子，也從不踏入首都，只在自己的領地上安靜地生活。

不過，他們每年都會購入大量書籍。

「這是一個有很多謎團的家族，據說他們與雪精靈有血緣關係。」

「雪精靈?」莉莉卡的眼睛閃閃發光。

派伊點了點頭,「是的,所以他們的家徽是雪花結晶的形狀。據說他們擁有世上所有的知識,還被人稱為智者家族。最重要的是,嗯……」

派伊看了看阿提爾的臉色。

阿提爾說:「據說印露和塔卡爾之間有一個祕密盟約,但實際上我也不知道,只有陛下知道。」

「哇。聽起來就像真正的古老故事。」

雪精靈一族和龍的契約,這感覺是很久以前的吟遊詩人的歌中會出現的故事。

「雖然是古老的故事,但也不知道是不是真的。啊,還有一個很有名的故事。」

莉莉卡歪過頭,派伊就說:「聽說他們是神器收藏家,在家族創立之初就回收了所有危險的神器,前往北極。」

「真的嗎?」

對於莉莉卡的問題,阿提爾點了點頭,「對。所以他們也被稱為智者,這也是大家不敢惹印露的原因……從北方來的寶石品質非常好,而且,大部分的魔法石都是從那裡來的。妳從陛下那裡收到的寶石,應該大部分都是跟印露購買的寶石。」

這是新的故事,莉莉卡聚精會神地聽著。她問道:「那麼,他們應該有很多人吧,有那麼多寶石的話。」

「嗯,但那真的很冷。在那裡做礦工……有可能嗎?」

「不會凍死嗎?除非帶著神器。」

派伊也說:「在那麼冷的地方嗎?那裡只有雪和冰啊。」

派伊露出厭惡的表情。對桑達爾家的人來說,印露家族居住的極北地區根本就是死地,光是首都的冬天就令人討厭了……只是想到極北地區,派伊就背脊發寒。

「就連裏得嚴嚴實實的沃爾夫家騎士們也會抖個不停。」

布蘭補充說完後收拾碗盤,端上茶點。

雖然覺得剛吃完早餐就吃甜點有些過分,但意外地還是能吃下肚。

莉莉卡切了一塊檸檬蛋白霜派,問道:「那麼印露家族是怎麼採寶石的呢?」

「那是家族的祕密。」

「連採礦地點都不知道。」

莉莉卡越聽越覺得神祕。

阿提爾聳了聳肩,「最重要的是,絕對不與我們扯上關係是印露最大的特徵,現在卻要派人來當妳的老師。」

派伊笑了,「雖然不知道是用了什麼手段,但我知道這件事會讓整個中央大吃一驚。沒想到我能親眼見到印露家族的人。他們什麼時候到達?能請您幫我安排一次見面嗎?」

莉莉卡點了點頭,「嗯,我會看情況安排的。」

派伊聞言,滿足地笑著看向阿提爾。

「畢竟他們是最接近傳說的家族。」

印露公爵家表現出與皇室的堅固關係,應該會讓依次排序的宮廷貴族和低等貴族大開眼界。

派伊十分興奮,沒和任何人接觸,也足以引起漣漪。

莉莉卡一邊品嘗著清爽甜蜜的派,一邊心想:我最期待的是他們會教導我什麼新老師應該知道很多她不曉得的新事物。莉莉卡微微一笑。

就在這時,阿提爾「哼」了一聲,對派伊說:「你先離開一下。」

派伊眨了眨眼，沒多說什麼就從座位上站起身，「遵命。」

揮揮手讓人離開後，只剩下布蘭、布琳和拉烏布在場。

看到阿提爾的臉色嚴肅，莉莉卡也隨之嚴肅起來。

「我不確定該不該說。」

「您這麼說就跟說了一樣啊。」

聽到莉莉卡的話，阿提爾深嘆了口氣，粗魯地摸了摸自己的後腦勺說：「找到了。」

「什麼？」

莉莉卡不自覺地反問了一句。找到了？找到了什麼？

阿提爾的藍眼睛緊盯著她，彷彿不想錯過她的任何反應。

「妳的親生父親。」

一瞬間，她完全無法思考，也可說是花了一點時間理解這一切。

她不由自主地渾身僵住，心臟重重地落了下來。不對，感覺像胃部緊緊揪起。

「我⋯⋯爸爸⋯⋯去世了啊⋯⋯」

「怎麼會？他沒事嗎？是不是失憶了，或者受了重傷⋯⋯」

這種感情該怎麼形容呢？恐懼、憤怒、喜悅、悲傷、思念、怨恨——各種情緒湧上心頭，讓她無法思考。

聽到她下意識地這麼說，阿提爾搖了搖頭，「我也以為是這樣，但其實不是。他躲起來過得很好。」

她不停說著，但總覺得這都是徒勞，因為阿提爾的表情很難看。

「請告訴我真相。」

「我不想聽。」

「我想知道這是怎麼回事。」

我不想知道。

她的心彷彿分成了兩半，阿提爾開始講述，明明很長一段，她卻聽得斷斷續續。

「他說要出海是假的，他欠了一屁股債，假裝出海行騙。錢大概拿去和船東平分吞掉了。」

「聽說他假死，和情婦一起另組家庭活著。」

「他是個人渣。」

「我會想辦法處理。」

「所以妳不用再操心了。」

阿提爾像這樣作出結論，之後觀察著莉莉卡。

莉莉卡對阿提爾露出勉強的微笑，「好的，我知道了。」

她無法再多說什麼。

「印露家族會派人來嗎？」

菲約爾德也一臉驚訝。他的臉龐已經恢復正常，光滑的皮膚上看不到任何傷痕。然而，他的衣著不像巴拉特，莉莉卡也一樣。

莉莉卡深深地拉下帽沿，不得不完全轉過身，看向菲約爾德。

雖然非常不方便，但為了做園藝工作，這也沒辦法。偶爾莉莉卡會把帽子掛在脖子上，享受一下解放感，這時布琳就會過來幫她戴好帽子。

秋日的陽光強烈到刺眼。

莉莉卡點了點頭，「阿提爾和派伊也非常驚訝。他們說了很多關於印露家族的神祕謎團。」

聽到莉莉卡的話，菲約爾德也點點頭，「那確實是一個充滿祕密的家族。想不到這樣的印露家族會派老師來，皇后陛下究竟是怎麼做到的？」

「天曉得。」

莉莉卡也搖了搖頭，表示不清楚。她隱約知道媽媽很厲害，但最近媽媽真的表現得很出色。

『就像預見了未來的人一樣。』

她這麼想著，深嘆了口氣，然後站起身來伸展了一下腰。吃完早餐後，她把所有時間都用來修整花園。聽到父親的事後，她無法靜下心來，想要盡情活動身體。她本來說要一個人做，但菲約爾德還是跟來了。

莉莉卡一直默默地工作，對在沉默中一起工作的菲約爾德感到很抱歉，所以她才提起印露家族的事，沒有再想到其他話題。

『話說回來，修整花園比想像的還辛苦呢。』

她從未想過採收這麼辛苦。蘋果樹上結了不少飽滿的蘋果，她小心翼翼地摘下完美無損的蘋果，放進桶子裡。篩選出好的蘋果後，她用力搖晃枝幹，讓剩下的蘋果全部掉下來。這些蘋果要用來榨成果汁。蘋果很重，拿著籃子不停來回十分費力。

大南瓜也一樣。她出於好奇，種了甜菜和胡蘿蔔，但要挖出它們比想像的困難許多。由於地面變硬，需要挖得很深才行。除了這些，她也挖了地瓜。

「好、好餓……」

腰痛，手也痛。但看到食物堆在地窖裡，她很滿足。

早餐明明吃了那麼多，她還是餓得等不及午餐。

菲約爾德一臉疲倦。巴拉特竟然在挖地瓜,根本會被當成笑話。

「這不是園藝工作,更像是農場的工作。」

「嗯……因為我想節省食物開銷……」

「什麼?」菲約爾德不禁回問。

莉莉卡沒辦法告訴他這是為了離開皇宮時進行的訓練。

「如果連皇女殿下都要擔心食物開銷,那帝國就快滅亡了吧?」

他認真地說著,望向莉莉卡。而莉莉卡尷尬地笑了笑,別開視線。

菲約爾德瞇起眼。

這時,布琳揮了揮手,「兩位都來吃飯吧。」

「嗯!」

莉莉卡高興地跑過去,走進小屋前拍掉靴子上的泥土,並將手洗乾淨。

他們像剛完成訓練的饑餓新兵一樣,努力地將食物塞進嘴裡,吃了好幾塊塗滿奶油的鬆軟麵包、肉汁四溢的香腸、加了奶油和糖的馬鈴薯泥,還有加了香料的冷奶油,淋在覆盆子派上一起吃。

布琳稍微提前準備的這頓農場風午餐獲得極大的好評。菲約爾德靈巧地用刀叉吃完了所有食物,莉莉卡的武器則是叉子和湯匙,偶爾也會悄悄用手。

她吁了一口氣,臉上露出滿足的表情。

「辛苦兩位了。」布琳端茶來時說。

莉莉卡點了點頭,「嗯。不過還要清理所有乾草和雜草,然後用耙子蓋上厚厚的樹葉。」

否則冬天時,根部說不定會凍死。

儘管烏朗會幫忙，莉莉卡還是希望盡量自己來，沒有比實際操作更好的學習方法了。將來請人來工作時也需要知道這些，接到報告時也能發現不對勁的地方。

菲約爾德輕輕咂舌一聲，但沒有像阿提爾一樣斥責她，「請不要太勉強自己。」

他只溫和地這麼說。莉莉卡點了點頭。

菲約爾德覺得，自己或許沉浸在這平和的氣氛中太久了。這是他待在皇宮的第三天，莉莉卡曾說要出借白龍室的一間臥室給他使用，但全家人都大為跳腳。而黑龍室因為阿提爾咬牙切齒地表示不願意，所以最終將太陽宮中的一間客房讓了給他。

雖然寵愛的臣子留宿於宮中是常事，但是讓孩子留宿十分罕見。關於巴拉特小公爵待在太陽宮的事，各種傳聞不斷，但巴拉特公爵和皇室都保持沉默。

不知不覺間，菲約爾德覺得力量恢復了。比起這些，皇女殿下的狀態從剛才開始就不太好。她緊閉著雙唇，全神貫注地工作。她擔下所有辛苦的工作，與自虐無異。

「皇女殿下。」

「嗯？」

「您今天還要繼續工作嗎？」

這是禮貌性的詢問。莉莉卡望向菲約爾德。明知她的狀態不對勁，菲約爾德卻沒有開口詢問，毫無怨言地跟著她。

腦袋比剛吃完早餐時清晰了一些。

然後，最重要的是——

「那個，菲約。」

「我可以請你幫個忙嗎?」

「無論什麼事都行。」

聽到他堅定的回答,莉莉卡微微一笑。她捧著茶杯,暖意沁入心脾。她看向菲約爾德,又看向布琳和拉烏布,深吸一口氣後說:「聽說我的親生父親還活著。」

菲約爾德歪著頭說:「這樣啊。」

「聽阿提爾說,他是個非常壞的人……」

「是。」

「然後,但是,那個……」

她支吾其詞。菲約爾德知道她想說什麼,但他沒有代替她說出口,而是等著她開口。

經過幾番猶豫後,莉莉卡說:「我想見他。」

莉莉卡的雙眼十分動搖。菲約爾德也好,阿提爾也好,媽媽也好,大家會不會都感到失望呢?然而,她無法跟別人說他們會問,「為什麼想見那個人」吧?

「我想見他」。阿提爾也好,菲約爾德點了點頭,「我明白了。」

會不會傷害到重要的人?

但她並不想傷害任何人,她只是想見他一面,雖然她也不曉得見面之後要做什麼。

菲約爾德點了點頭,「我明白了。」

「真的嗎?」

「是,當然,我們去見他吧。但是,您要怎麼查出他的所在處呢?」

布琳插話說:「我知道。」

398

莉莉卡驚訝地轉頭一看，布琳微笑著說：「您不是也請我們去查查嗎？所以我們一直在調查。」

「我們也是剛知道不久，與皇太子殿下相同，因此兩位應該是在差不多的時間下令調查。」

「妳是什麼時候知道的？」

「原來如此……」

莉莉卡突然想到「媽媽知道嗎？」這個問題。突然間，許多擔憂湧上心頭。

如果親生父親還活著，媽媽會怎樣？

這場婚姻會怎麼樣？會失效嗎？會引發大麻煩？

陛下會原諒我們嗎？不，就算陛下原諒了，但在那之後呢？會不會受到處罰？

菲約爾德端起茶杯，說：「您不用擔心皇后殿下。」

「哦？」

莉莉卡驚訝地瞪大了眼睛，而菲約爾德說：「殿下處理事情不會那麼草率，陛下也是一樣。」

「但如果她真的不知道……」

「就算她不知情，因此與陛下結婚了，您父親也被視為死亡，所以不會有什麼問題，您不用那麼擔心。」

聽了菲約爾德的話，莉莉卡的心情輕鬆了一些。

她猶豫地問道：「那我們什麼時候去見他比較好？他會不會住得很遠？如果是這樣……」

「坐馬車大概需要一天的時間。」

聞言，莉莉卡深深吸了一口氣。由於阿提爾說會自行處理，那她想在那之前與父親見面。

布琳察覺到莉莉卡的臉色，說道：「我會儘量安排最早的日期。」

「嗯，謝謝妳。」

莉莉卡這麼說完，長長地呼了一口氣。

天氣很冷。即使是秋天，空氣依然寒冷。空氣越冷冽，天空似乎就越清澈，莉莉卡深吸了一口氣。

從首都出發，搭馬車需要一天車程的這座城市緊鄰著一條大河。因為沿著河川來往的船隻會在此卸下貨物，再搭馬車運往首都，所以是個相當繁華的地區。

這是一個以商業買賣維生的城市，所以感覺與首都很像，但也感覺更輕浮。

順從莉莉卡的話，菲約爾德、莉莉卡、拉烏布和布琳下了馬車，開始步行。

他們的打扮整齊乾淨，看起來像富有商人的孩子。而布琳是隨從女僕，拉烏布是護衛。雖然很引人注目，但在這個城市裡，這似乎不罕見，那些目光很快就消失了。當然，停留在菲約爾德身上的時間比較久。

但是，莉莉卡緊張得注意不到周遭。

菲約爾德停下腳步，他們站在一家相當大的雜貨店前。莉莉卡感覺心臟怦通一跳。

「就是這裡。」

「真大⋯⋯」

「我想走一走。」

「因為他拿走了很多錢。」

菲約爾德的語氣中沒有帶刺，溫和地說出事實。儘管如此，莉莉卡還是像遭到鞭打一樣，身體一顫。

正面鑲嵌著昂貴的玻璃窗，木板加工得細緻又堅固，表面光滑閃亮。金光閃閃的銅牌像每天都會擦過，上頭寫著「埃倫德雜貨店」。埃倫德是那條河的名字。

透過展示櫥窗，可以看到裡面陳列著相當高級的商品，莉莉卡踮起腳尖，假裝在看展示櫥窗，偷看店內。

看似雜貨店店主的男人正忙著招呼客人。他的頭髮是棕色的，但與她的不同。他蓄著整齊的小鬍子，面帶和善的笑容，不斷與顧客攀談。

「要進去看看嗎？」

聽到菲約爾德這麼問，莉莉卡用力搖搖頭。她不知道該說什麼才好。

「那我進去看看吧？」

莉莉卡心生猶豫。既然要見面，就應該由她進去見他，但是、但是……

菲約爾德微微一笑，說「我馬上就回來」，然後走進雜貨店。

莉莉卡很好奇菲約爾德想做什麼，想偷看又不想看，於是她決定問布琳。

「菲約爾德在做什麼？」

「他在買東西。」

「買東西？」

「是的，嗯……應該是蠟燭吧？」

「店主呢?怎麼樣？」

「他很恭敬地接待客人。嗯，現在正在包裝商品。啊，少爺好像說了什麼。天啊！」

「什麼?怎麼了?怎麼了？」

「少爺出來了。」

菲約爾德拿著用黃色紙張和繩子包裝的商品，走出雜貨店。他像平常一樣笑著，但明顯帶著冰冷的氣息。

「你跟他說了什麼？」莉莉卡焦急地問。

菲約爾德低聲說：「我們一邊走一邊聊吧。」

菲約爾德快步走進商店前的人群中，說：「我只是問了一個問題，問他是否認識莉莉卡・凡斯小姐。」

莉莉卡張大了嘴。菲約爾德握住她的手，他的手既大又溫暖。

他溫柔地握著她的小手說：「他說不認識這個人。」

莉莉卡緊咬住嘴唇，臉色變得一片蒼白。菲約爾德說：「我們休息一下怎麼樣？」

莉莉卡搖了搖頭，結結巴巴地說：「我、我要去那個人的家看看。」

「好的。」

「哦？」

菲約爾德沒有多說什麼，點了點頭，然後他們繞了一點路，朝住宅區走。

來到男人家附近時，拉烏布說：「應該就是那個人。」

莉莉卡看著男人匆忙跑來，跑進一間房子裡，前面有個準備秋收的小花園，是莉莉卡也夢想過的那種房子，一個附有小花園，乾淨整齊的家。

在花園裡醒來的孩子看起來和莉莉卡年齡相仿。

「爸爸！你怎麼這麼早就回來了？」

孩子笑著跑向男人，問他有沒有客人。

有什麼東西湧上喉嚨，莉莉卡的眼眶瞬間發燙。她解除了魔法，跑到那棟房子前。

男人看到突然出現的一行人很驚訝，然後他才注意到莉莉卡，將自己的孩子藏到背後。

「各位來這裡，有什麼事嗎？」

莉莉卡迅速拿出吊墜，小聲詠唱咒語：「瑪娜漢塔娜。」

一行人停下腳步，站在透明的盾牌裡。創造出盾牌後不能移動是這個魔法的缺點。

莉莉卡看著男人匆忙跑來，跑進一間房子裡——

透明盾牌

布琳則面無表情地說：「少爺試探過後他嚇了一跳，應該馬上就關上雜貨店回家了。」

他如此問道，讓莉莉卡倒抽了一口氣。一隻溫柔的手放到她的肩上，是菲約爾德的手。

「您不認識莉莉卡·凡斯嗎？」

男人像被釘在原地一樣，猛然一震。他的臉色白得像見到鬼一樣，看著莉莉卡大喊：「我不認識！」接著激動地說：「我真的是第一次聽到這個名字，真的，真的！」

這時，玄關門打開，一位女人探出頭來，「老公？發生什麼事了？」

男子身後的孩子看起來很驚訝，馬上露出厭惡的表情看向一行人，似乎認為他們是來為難父親的人。

「別出來！進去！艾莉，妳也快點進去！」

莉莉卡努力不讓自己流淚。在這時候流淚就輸了。

我絕不會哭，也不會對你說出「討厭」或「怨恨」這樣的話。

我不會表現出一絲情感，不會為你表現出任何情緒。

「是嗎？」莉莉卡點了點頭，「我明白了。」

她這麼說完後轉身離去，動作快到連她自己都覺得十分僵硬，但她別無他法。

菲約爾德望向那個男人，他困惑的臉上充滿了恐懼，很是不安。

菲約爾德淡淡一笑。那個男人絕對無法輕鬆地死去。

菲約爾德迅速跟上莉莉卡。

莉莉卡小跑著轉進第一個巷子。一轉進巷子，拉烏布立刻抱住她。莉莉卡像在等著這一刻，被他抱住後將臉埋進拉烏布的肩膀，身體顫抖。

一行人盡可能快速移動，讓莉莉卡和菲約爾德坐上馬車，布琳和拉烏布則坐上馬夫座。

馬車門一關上，眼淚就撲簌簌地從莉莉卡的眼中落下。

「嗚、嗚嗚！嗚──」

菲約爾德坐在她身邊，緊緊抱住她，「您不必忍耐。」

莉莉卡在他的懷裡開始嚎啕大哭。

哭了很久、很久後，莉莉卡說：「我、我太、太……可憐了。」

挨媽媽打時，在漏雨的貧民區用水充饑時，也從未如此悲慘，沒有人能讓她……讓她這麼悲慘。她曾相信自己等著的父親，總有一天會回來，期待他會給予她一點點愛。自己太卑微又悲慘至極，太心痛了。痛得難以忍受，眼淚不斷流下。

莉莉卡不停哭著，而菲約爾德摟著她，撫著她的後背。

莉莉卡的心和思緒逐漸變負面，越來越嚴重。

那個女孩看起來和她年紀相仿，從玄關探出頭來的女人和媽媽相比，一點也不美麗。到底為什麼？為什麼拋棄了我、拋棄了媽媽？是少了什麼？她們做錯了什麼？

「莉莉。」菲約爾德彷彿聽到了她的心聲，輕聲說道：「莉莉沒有做錯任何事，家庭是大家一起努力建立的，不是只有一方努力就能實現的。」

菲約爾德想起了自己的媽媽，他的聲音低沉而柔和。

「要建立一個家庭，需要所有人都出力。莉莉雖然和皇太子殿下沒有血緣關係，但他也是家人對吧。即使有血緣，也不一定就是家人。」他接著語帶冷意地說：「而且，他那樣做太骯髒、太卑劣了，簡直就是惡棍。您無需費心去理解那個人。」

他靜靜地等了一會兒，聽見懷裡傳來一聲細微又帶著鼻音的「嗯」。

雖然沒有完全接受，但現在這樣就夠了。菲約爾德緊緊抱著她，這時，馬車慢慢停了下來。

過了一會兒，布琳小心翼翼地說：「皇女殿下，皇后殿下來接您了。」

這一刻，莉莉卡跳了起來，驚訝得撞到馬車頂。

「啊？哦哦？」

聲音自己竄出喉嚨。

「我們該怎麼辦？」布琳哀怨地問道。

「還能怎麼辦？只能下車了吧？」

莉莉卡渾身顫抖，菲約爾德撫著她的背想安慰她，但似乎沒有用。

『她會生氣的。』

她會生氣的，我該怎麼辦？自己去找那個人，她會生氣的。如果媽媽說我背叛了她怎麼辦？啊，該怎麼做才好？

莉莉卡顫抖地打開馬車門，拉烏布迅速拉出踏板。她慢慢走下馬車，對面的馬車比她乘坐的大上許多，也更豪華。

任誰都能看出這是貴族的馬車。馬車門大大地敞開，彷彿在邀請她進入。媽媽就坐在裡面，雖然臉部被窗簾遮住了，看不清楚，但可以看到華麗的裙襬。

莉莉卡緊緊閉上眼睛，走上了馬車。她無法直視媽媽，所以目光固定在禮服上。鮮豔的綠色禮服上繡著精緻的金色刺繡。

「莉莉。」

「對不起，媽媽，是我錯了。」她一口氣說出口。

馬車內的空氣比外面溫暖多了。出乎意料的是，只有這種感覺格外鮮明。

叫喚她名字的聲音中沒有怒氣，莉莉卡輕輕抬起頭，望向媽媽。

媽媽美麗的臉龐上滿是擔憂。

「妳沒事吧？」

莉莉卡一再說著，將臉埋進媽媽的裙襬中。她甚至沒想到滿是眼淚、鼻水的臉頰會碰上光滑冰涼的絲綢，以為剛才已經流光的眼淚又溢出眼眶。她感受到從未有過的安心感，同時悲傷如洪水般湧上。

「對不起，對不起，對不起。」

「啊，莉莉，對不起，媽媽應該早點告訴妳的。」

「不、不是，嗚！呼……那個人，嗚！太——」

莉莉卡哽咽著，話不成章，繼續哭著。露迪婭輕撫著女兒的背，忍住怒氣，嚥下不斷湧上的憤怒。

她在前世也找到了丈夫，他過著幸福生活的樣子多麼刺眼。

她歷盡艱辛從底層往上爬，才終於找到了丈夫，一切如今還是栩栩如生。當她叫人把他們帶來的時候，他們臉色蒼白，一臉哀求。孩子們還在大喊著他們什麼都不知道。

她因為遭受到不公產生的所有憤怒和怨恨一口氣傾瀉而出，所以她殺了他們，沒有留下任何活口。

她激底、緩慢地將他們折磨至死，故事中的魔女也不可能做得像她那麼絕情。

但即使這樣結束了一切，她也一點都不快樂。

後來喝醉酒後，她笑著詳細地告訴莉莉卡自己是如何殺死他們的，女兒卻只是臉色蒼白，緊緊閉上了嘴。看著這樣的女兒，她的怒意又湧上心頭，想對莉莉卡動手，但周圍的侍從們跑來擋在莉莉卡面前。

「幸虧妳是伯爵夫人。」

她還記得自己曾被人這樣嘲諷，現在想起來仍糟糕透頂。

所以這次，露迪婭希望莉莉卡不要知道，她希望莉莉卡認為他只是死了，忘記他，但沒想到事情會變成這樣。

她忍住差點吐出的嘆息，因為在這時嘆氣的話，莉莉卡不知道會怎麼想。

想到自己或許越來越像一個媽媽了，露迪婭緊緊抱住莉莉卡。

她曾想過激烈的話語，想問莉莉卡為什麼去找他？為什麼想見不記得的爸爸？那麼喜歡他就去和他一起生活，妳是怎麼和我一起生活到現在的？

但只是隱約想著，看到哭泣、心痛的女兒莉莉卡，她更感到懊悔和悲傷。

啊，這一次。

「妳不需要道歉。不，妳沒告訴媽媽就自己去找他的確不對，但……」

莉莉卡或許也需要自己做個了結。認為孩子不懂或會忘記的這種想法，其實只是「希望如此」的自我安慰。

露迪婭這麼想，慢慢摸著莉莉卡圓滾滾的腦袋說：「第一次的婚姻被宣告無效了。在我和陛下結婚的前一天，獲得了無效批准。」

莉莉卡聽到這句話，驚訝地抬起頭。

媽媽勾起微笑，但臉色又馬上沉了下來，「但我很擔心妳，所以馬上就讓妳被登記為養女了。」

「啊⋯⋯」

莉莉卡點了點頭。雖然媽媽說得很迂迴，但如果婚姻無效，莉莉卡就會變成私生女。

「所以妳戶籍上的父親，只有皇帝陛下。」

意思是──那種人不是妳父親。但莉莉卡莫名感覺到臉頰發燙。

露迪婭用手帕幫莉莉卡擦擦臉，繼續說：「但我們不能放過犯下那種罪行的人。很可恨，對吧？所以我打算讓他自己承擔後果。」

看到手帕下的女兒露出疑惑的表情，露迪婭輕輕一笑，「他之前讓我們承擔的那些債務，我會讓他自己拿回去。」

「啊。」

「他躲了這麼久，再加上利息，想還清債務應該會很辛苦。」

「原來是這樣。」

「如果妳想用其他方法，就告訴我吧。」

莉莉卡點了點頭，露迪婭對這種溫和的解決方式十分滿意。即使沒有領地，他也將露迪婭作為「勳爵」的房產和土地都拿去抵押，甚至去借高利貸，負債纍纍，而至今為止，利息一直都在穩定增加。

『大概一輩子也還不清吧。』

債務會世代相傳，就算今後的三代子孫將所有錢財都交出來，也還不清這筆債。那間漂亮的雜貨店和房子，應該會先遭到查封充公。

那家的孩子和莉莉卡年齡相仿，代表那女人即使知道他已婚的事，仍長期與他保有關係。如果那女人「不知情」，露迪婭或許會覺得好一點。

露迪婭小聲地說：「若要還債，那間房子和店面都得賣掉。即使如此，還是會留下一大筆債務。他們會不會也像我們一樣，搬到貧民區呢？」

她說著這個相對溫和的結局時，觀察著女兒的表情，發現她的臉色難以捉摸。

「怎麼了……？妳覺得太過分了嗎？」

她出於擔憂而問道，莉莉卡則搖了搖頭，「不是，那個，嗯……」

她輕聲說：「我感覺好多了。」

莉莉卡悄聲說完，露迪婭笑了。

她感覺像自己變成了壞孩子，卻很開心。

她緊緊抱住莉莉卡，「這樣的莉莉卡是世界上最可愛的。」

由於兩地的距離要搭馬車一天，一行人踏上回程前，太陽就下山了，因此原本打算去城裡的旅館，但顯然會引起不必要的騷動，所以決定在馬車裡度過一晚。

雖然馬車也能在晚上行駛，但因為看不清楚路面，很危險，馬車輪胎也可能脫落或彈起，更有可能會發生在馬車旅行中常發生的意外。

這裡離首都不遠，治安應該不錯，而且媽媽也帶了護衛騎士。

當然，布琳和拉烏布也做好了過夜的準備，所以一行人很快就架設好了簡陋的營地，用力拉開馬車座椅的下面部分就會變成床。露迪婭和莉莉卡睡在露迪婭的馬車裡，菲約爾德則睡在來時乘坐的馬車。

在篝火的照明下，露迪婭仔細打量著菲約爾德。她的目光過於露骨，像在舔舐，連十分習慣受人注視的菲約爾德也不禁垂下目光。

不，老實說，如果她不是莉莉卡的媽媽，她可能會表現得更無恥一些，但現在沒有辦法。平時莉莉卡應該會介入其中，但現在莉莉卡的臉因為哭泣而水腫，正在用冷毛巾敷臉。而且這種情況也不需要她介入。

『一年後他會死。』

這個時候，他應該到處傳出飲酒和女人的醜聞，現在卻也很老實。

況且，巴拉特公爵家說他的死是「突發意外」，卻也傳出了上吊自殺或頭部遭到槍擊的可怕傳言。

『我本以為他死了也無所謂，但現在和他扯上太多關係了。』

該提醒他一下嗎？還是說，他的死不是意外……

露迪婭好奇地看著目光游移的菲約爾德，他的皮膚白皙，頭髮是耀眼的銀色，反射著篝火的光。

但無論如何，他與莉莉卡有許多關聯，還跟著莉莉卡來到這種地方。露迪婭決定給他一些忠告。

「巴拉特小公爵。」

「是的，殿下。」

菲約爾德恭敬地回答後，露迪婭對他露出微笑，「你要小心自己的身體，尤其是明年。」

菲約爾德直望著露迪婭，露出巴拉特家的微笑，然後低下頭，「感謝您的忠告。」

『啊，我果然還是不喜歡他。』

就在她這樣想的時候，靠在馬車上的拉烏布轉頭看去，菲約爾德也是，兩人幾乎同時望向陰暗處，露迪婭也跟著轉頭看去，有一個人慢慢走出陰暗處，所有人都跳了起來。

「為什麼不進城？」

皺著眉頭這麼說的，是阿爾泰爾斯。

露迪婭一臉疑惑地調整肩上的披肩，問道：「參見陛下。」

除了露迪婭和莉莉卡，其他人都跪了下來。

「我在洗澡時想到了一些事要和莉莉卡說。」

「啊，真是的，我的天啊。」

露迪婭傻眼地看著阿爾泰爾斯。在森林中，他穿著黑色睡褲，光著上身，只披了一件長袍。那件長袍華麗到令人看不見腰帶，他的頭髮上還帶著水珠，看來他是真的洗到一半就跑出來了。

露迪婭按著太陽穴，而莉莉卡拿著冷毛巾，有些膽怯地說：「您有話想對我說嗎……？」

她沒有告訴阿爾泰爾斯這件事，感到良心不安。他曾讓她稱他為「父皇陛下」，她也曾試著輕聲叫過……但如果他知道自己去找親生父親，會不會非常生氣？

但那雙藍眼睛裡沒有半點憤怒。

「過來。」

呢？」

阿爾泰爾斯伸出手。

露迪婭本想說些什麼，但忍了下來。他不是說過嗎？說「在契約期間，她就是我女兒」。

莉莉卡猶豫地握住他的手後，阿爾泰爾斯說：「我們去走走吧。」然後立刻邁開步伐。

起初，莉莉卡幾乎小跑著跟上他的步伐。因為這裡既暗又沒有光，看不清前方，她好幾次都差點被石頭絆倒。

夜晚的樹木在低語，月影很快就漸行漸遠，轉眼間來到篝火光線無法觸及的地方。

阿爾泰爾斯伸出手，類似在狩獵節看到的螢火就出現在空中，明亮得足以照亮腳下。

「臉真腫。」阿爾泰爾斯輕笑著問：「被罵了嗎？」

莉莉卡瞪大眼睛，然後努力搖頭。

「是嗎？」

阿爾泰爾斯簡短地說了一句，然後抱起她。

「哎呀。」

阿爾泰爾斯像在思考，摸了摸下巴，然後放下莉莉卡。

「為什麼要道歉？」

阿爾泰爾斯小心翼翼地說：「對不起。」

「我……我自作主張去見他……」

「妳很想見他是吧？」

莉莉卡點了點頭。

在她低吟著思考該找什麼藉口時，阿爾泰爾斯用力推了一下她的頭，說：「如果妳想見他，當然可以去見他。這次妳乖乖帶上了布琳和拉烏布，連巴拉特都帶來了，所以我給妳滿分十分中的七分。」

他揉亂她的頭髮後收回手。

莉莉卡整理著自己的頭髮，抬起頭來，「我可以去見他嗎？」

這唐突的問題可能會讓他覺得很無禮，但她不經意脫口而出。

「她可以去見他嗎？」

聽到阿爾泰爾斯這麼說，莉莉卡皺了皺眉。阿爾泰爾斯像在取笑她，輕戳了一下她的臉頰。

「那我就不知道了。」

「看妳哭得一塌糊塗，好像不太行？」

「那是、那是因為⋯⋯」

「莉莉卡・納拉・塔卡爾。」

聽到他用全名稱呼她，莉莉卡不由自主地挺直背脊，挺起胸膛，「是。」

「妳的情緒是妳自己的。」

「⋯⋯」

他注視著四處飛舞的螢火，說道：「妳的感受、心思都是妳自己的，妳是一個純粹的人類，而人類是無法完全理解另一個人的。」

他看向莉莉卡。雖然他的話聽起來很冷酷，但莉莉卡知道並非如此。

看到莉莉卡微張著嘴，露出茫然的表情，阿爾泰爾斯抱起雙臂，別開視線。

「不管別人怎麼說，妳感受到的感情都沒有對錯。妳雖然年幼，但也是一個人類，所以不要因為這種事生氣。」阿爾泰爾斯微微一笑，「不過，憑著感情和想法行事，責任也全在於自己。所以，妳覺得怎麼樣呢？」

他沒有生氣，說話溫柔，像在安撫她。

只是這樣，孩子的心就馬上放鬆下來，任性的情緒又湧上心頭。

她的眼淚湧入眼眶，一眨眼，淚水就掉了下來，顫抖著嘴唇開口：「我很難過，也很心痛。」

阿爾泰爾斯單膝跪下，張開雙臂。莉莉卡躊躇了一下，然後踏出一步上前，撲進他的懷抱。她抱著他的脖子，再次大哭起來，再這樣下去或許會哭到脫水。

即使這麼心想，她還是哭了。她哭著思考阿爾泰爾斯說的話。

也許人與人之間無法完全理解對方，但正因為如此，感受到自己得到了理解、得到了安慰時，才會如此高興。

被如此堅定的雙臂抱著，能確信對方不會推開自己，是一件令人非常安心的事。

她一哭再哭，直到悲傷全部消失，被抱在懷中的安心感與細微的幸福感填滿心底。

『好幸福……』

『陛下。』

她微微張開嘴。感覺還不夠，心中浮現了想要呼喚的另一個稱呼。

她剛才還覺得悲慘到站不起來，現在卻感到很幸福，這都是因為有很多珍惜她的人。

菲約爾德、布琳、拉烏布、阿提爾、媽媽，還有……還有……

遇到這種事後才這麼說，真不知羞恥——或許對方會這麼說，但是……

莉莉卡抱住他的雙臂加重了力道。

阿爾泰爾斯似乎察覺到她不哭了，便接著說：「妳媽媽當時露出了很可怕的表情，大聲命令人去準備馬車。」

話題突然一轉，莉莉卡抬頭，眨著眼睛。

阿爾泰爾斯毫不在意似地繼續緩聲說：「她說『莉莉卡去見那個混帳了，我得去見莉莉卡』就跑出去了，我心想著『原來是這樣』。」他和莉莉卡對視著，微微一笑：「如果妳被罵了該怎麼辦？我覺得安慰妳也許是父親的職責，所以就趕過來了，但妳應該沒事。」

莉莉卡驚訝地縮起肩膀，指尖顫抖。她不是因為害怕而縮起肩膀或發抖。

──試著叫我父皇陛下看看。

就像那時候一樣，她的指尖不禁因為滿溢的好感而縮了縮。

阿爾泰爾斯凝視著莉莉卡。

這個孩子習慣給予，卻不習慣接受呢。她臉上帶著想要接受，卻又擔心接受後會不會有問題的表情。畢竟她一無所知地被生父拋棄，會這樣也無可厚非。

她看似完全沒有戒心，在這種時候卻會莫名展現出像小貓一樣的戒心，真有趣。

阿爾泰爾斯心想，比起揮手打她的人，她更戒備那些給她零食的人，真是可憐。

他眨了眨眼。

『覺得她可憐？我嗎？』

他第一次覺得某個人很可憐。

『真有趣。』

或許是因為莉莉卡是魔法師，但露迪婭也在他心中激起了各種感情。這是他第一次執著於一個人類，觸碰到她會心情愉悅，宛如炙熱嘆息的熱氣惹人喜愛──

「！」

浮現的思緒讓他更加驚慌，心跳聲在腦袋裡迴盪。

「陛下？您還好嗎？」莉莉卡立刻拋下剛才的困惑，帶著擔憂的語氣問道。

阿爾泰爾斯低聲發出像壞人的笑聲，回頭看向莉莉卡。

他露出爽朗的笑容，「那我們該怎麼做呢？」

「什麼？」

「要不要適當地扔出誘餌看看？」

「誘餌？」

看到莉莉卡越來越不解，阿爾泰爾斯說：「我和妳媽媽簽訂了契約，這次要不要和妳簽訂契約？」

莉莉卡張著小嘴。她從未想過會聽到阿爾泰爾斯說出「契約」這個詞。

媽媽曾多次叮嚀過她「這件事一定要保密」，皇帝也沒有透漏過這件事，所以莉莉卡以為他不曉得自己知道契約的事。

看著驚訝得瞪大雙眼的莉莉卡，阿爾泰爾斯說：「她會作為皇后八年，那麼現在是不是還剩下六年？我希望妳在剩下的時間裡，能成為出色的皇女殿下。」

莉莉卡眨了眨眼。雖然那是媽媽的工作，但她也覺得自己也有一份看不見的附帶契約，所以很努力成為優秀的皇女殿下。

我們正式簽訂契約吧。阿爾泰爾斯這麼說。

莉莉卡不自覺地先辯解起來：「我現在也很努力——」

「我知道，但這有點不同吧？因為口頭約定的話，我很難主張權利。」

「權利？」

「對。」

雖然有些疑惑，莉莉卡還是明白了。所謂的附帶契約意味著莉莉卡可以「隨心所欲」，此外作為皇女，他們也無法強制她做東做西。

「如果簽訂契約⋯⋯」

「契約期間為六年，終止或續約都需雙方同意。至於契約的代價，我想想，每年十箱金子和一箱寶石怎麼樣？」他說完後笑著問：「太小氣了嗎？」

但聽到這句話的莉莉卡與他不同，她驚訝得眼珠都快掉出來了。

因為金幣不容易清點，所以會使用金箱，而金箱是秤重的。金箱並不大，因為太大就會太重，搬運也很困難。

一箱金子重十公斤,十箱則是一百公斤。她算得眼睛直打轉。

莉莉卡從未想過這麼大筆的金額,還有一箱寶石——老實說,她不知道那是多少。

阿爾泰爾斯的話讓莉莉卡快速在腦中計算。她不太了解,但他會安排艱難的工作給她嗎?

但每年居然能得到十箱金子。

能得到這麼多,意味著工作伴隨著相應的風險。回報必須與付出相當才行,人人都想做賺錢的生意,付出金錢時,會希望得到超過所付金額的回報。

『六年就是,天啊,六百公斤的金子……』

「那、那麼多……」

「多嗎?跟工作內容相比,沒有多少啊。」

阿爾泰爾斯挑起眉毛,不懂她在說什麼。

莉莉卡結巴地說:「我、我不想結婚。」

「我也不能當間諜,還有會背叛朋友的事……」

她吞吞吐吐地說著,讓阿爾泰爾斯大笑出聲,「妳說的到底是哪個國家的皇女啊?」

莉莉卡的臉頰泛紅,「但是,我收下這麼多錢……」

「那些並不多。好吧,那妳不用做真的不願意做的事情,這條件怎麼樣?」

「這條件對我來說太有利了吧。」

這金額太誘人了。莉莉卡一路走來都告訴自己不能貪心,但有了那麼多錢,就能隨意裝潢家裡了。光是一塊平平的玻璃就得花掉一枚金幣,如果建造一座玻璃溫室,就要花掉阿爾泰爾斯提出的一年金額,所以她曾想,那種事還是只在書上看看就好,但是……

她曾讀過一本書,裡頭說蓋房子是最大的樂趣。

『而且他說了,真的不喜歡的事情就不用做。』

「好啊。」

她腹部用力，鼓足勇氣，簽訂這份荒唐的契約。

「您能在契約上寫清楚嗎？說明我不用做真的不喜歡的事情。」

「當然。」

「我答應您。」莉莉卡像個膽大的商人堅定地說。

阿爾泰爾斯的回答讓莉莉卡瞪大了眼睛。但她的眼睛很腫，看起來很滑稽，不過阿爾泰爾斯拚命忍住笑意。

「很好。」阿爾泰爾斯咧嘴一笑，「那妳現在試著叫一聲爸爸。」

「但是……」

「妳先去洗澡睡覺吧。」

回到皇宮時，阿提爾就在白龍室等著她。他本來想碎念一番，但看到她的臉，原本要說的話又吞回肚子裡。

他握起拳頭敲了一下她的頭，然後嘆了口氣。

內心傷痕累累的莉莉卡身形搖晃地洗完澡，早早就倒上床。

柔軟的寢具由布琳熨燙過，暖呼呼的。她拉起那床大而輕盈，半是鵝毛半是空氣的被子。她一開始覺得這些寢具太過奢侈而不敢觸碰，現在卻會因為睡在馬車裡的床而腰痠背痛。

人非常容易習慣奢侈。

最後兩人達成了共識，不是稱他為「爸爸」，而是「父親大人」。想起這件事，讓她很難為情，嘴角卻不自覺地上揚……

莉莉卡再也無法思考，嘻嘻笑著進入了夢鄉。

露迪婭和阿爾泰爾斯則不然。契約的事情不是什麼祕密，隱瞞不說也不曉得會招來什麼後果，所以阿爾泰爾斯坦率地向露迪婭透露了這件事。

「契約請妳過目。」

聽到阿爾泰爾斯的話，露迪婭噘起嘴，「您有什麼企圖？」

「反正她是『皇女殿下』啊。隨著年齡增長，『皇女殿下』這個角色更是必不可少，但也不能讓她無薪工作吧？」

「我不會讓莉莉卡做任何事情的。」

「但是她是皇女，只要像真正的皇女一樣生活就好了──我是這麼說的。她也很努力，但應該也很難完全接受。」阿爾泰爾斯直視著露迪婭，「若當作這是工作，她應該會比較放心。」

阿爾泰爾斯說得沒錯，因此露迪婭無法反駁，只能咬著嘴唇。眼前這個男人討厭死了，讓她心情很複雜。

「啊，她說不喜歡，所以我妥協了，讓她稱我為『父親大人』啊。」阿爾泰爾斯勾起笑容，「我說過她可以不做真的不喜歡的事，所以她如果真的不願意就不會這樣稱呼他時的表情，又噘起嘴。但看到女兒這樣稱呼他時的表情，露迪婭也覺得這樣也不錯，如果簽訂契約，莉莉卡就能在約定的時間內安全地享樂。

「……」

她終於擠出一句話：「您老是要她叫您爸爸。」

「當然，有很多人會隨意扭曲、破壞契約條款，但阿爾泰爾斯是龍，他不會那麼做。

『畢竟，他也說過莉莉卡就像真正的女兒。』

或許乾脆正式簽訂契約比較好。

最終，露迪婭舉起雙手投降。暫時別尋覓莉莉卡的父親人選了。

『因為現在莉莉的爸爸是他。』

太好了。不知為何，心裡有一絲她無法察覺的安心感，露迪婭把手放在胸口，輕嘆了口氣。

第二天，莉莉卡在露迪婭多次確認過的契約書上簽名。

簽名之後，感覺有些事情變了。

只是正式簽約了，就感覺到內心深處發生了變化。

莉莉卡收好契約書，遲疑地問：「我可以跟布琳和拉烏布說這件事嗎？」

露迪婭和阿爾泰爾斯對視了一眼，阿爾泰爾斯點了點頭，「他們兩個可以。」

「如果他們願意立下亡者誓言，就可以告訴他們。」

「我太太的興趣真是可怕呢。」

「請說我很謹慎。」

「妳就喜歡這種的。」

莉莉卡聽完後點了點頭，鄭重地帶著契約回去，之後讓所有侍從離開，只留下兩位親信。

「我有件事想跟你們說，但陛下——不，是父親大人。」

她說到這裡，輕輕一笑。看來簽訂書面契約果然是最好的，要稱呼阿爾泰爾斯為父親大人也沒有那麼困難了。

看著笑著的丈夫，露迪婭也無奈地輕笑出來。

莉莉卡清了清喉嚨，重新開口：

「這件事也關係到父親大人和媽媽，所以他們希望你們立下亡者誓言。我不太懂，但那應該是個很可怕的誓言。」莉莉卡歪著頭說：「不過我覺得你們也不是非知道不可。你們想怎麼做？」

「我願意立誓。」

「我會立誓的。」

兩人毫不猶豫地回答。

莉莉卡從懷裡取出契約書，向他們解釋情況。兩人一點也不驚訝地聽她解釋。

說完所有事情後，年幼的皇女殿下用說著「怎麼樣？」的表情看著他們。

拉烏布平靜地說：「無論您去哪裡，我都會跟隨您。」

相比之下，布琳的表情十分複雜。她看著契約書一會兒，最後勾起笑容，「我會忠心地侍奉您，直到契約結束。」

兩人的答案都令人高興。因為要是他們說要拋棄一切跟著她，莉莉卡應該也會很為難。

「那麼，你們發誓不會將在這裡聽到的話說出去吧。」

布琳先朗聲說道：「我在這裡聽到的一切將會被死者吞噬，化為沉默。在我開口打破沉默的那天，張開的嘴會啃食我。」

「我將在此聽到的一切獻給死者。當我拉下祭壇上的祭品時，死者將會襲擊我。」拉烏布也接著說。

『有相似之處但又不同呢。』

立下誓言後，氣氛變得很嚴肅，莉莉卡偷偷看了兩人一眼。但很快，布琳笑道：「很有沃爾夫家的風格，很古典呢。」氣氛緩和下來。

菲約爾德似乎整理好了思緒，對莉莉卡說：「我打算回去了。」

「快走吧。」

正一起度過茶點時間的阿提爾，故意粗魯地用手拿起餅乾。這些點心是由主廚細心製作的，先將每片餅乾烤成花瓣的形狀，再用鮮奶油黏成一朵花。

莉莉卡對阿提爾皺起眉，然後問菲約爾德：「你確定沒問題嗎？」

「是，我的身體已經恢復了，我也不能永遠待在這裡，需要做個了結。與莉莉卡開心地待在一起，一起去見了她的親生父親後，菲約爾德想了很多，過去模糊不清的想法都想清楚了。

「我要回巴拉特。」菲約爾德再次說道。

莉莉卡靜靜地看著他，點了點頭，「好。」

「是。」菲約爾德乾脆俐落地回答完，看向阿提爾，「沒有對手的話，您肯定會很無趣吧。」

這句話來得突然，但阿提爾立刻就理解了，面露不悅，「不，我覺得很好啊。」

「看著龍在花蔭下沉睡也是一件樂事。」

菲約爾德的話讓阿提爾「哈」地笑了一聲，「龍吐出一口氣，花叢就會被燒光吧。」

「嗯，那也挺有趣的。」

菲約爾德這麼說完，放下杯子站起身，接著以流暢的動作鞠躬，「能否准許我離席？」

今天的茶會主人是莉莉卡，莉莉卡立刻回答：「准許。」

菲約爾德微微一笑，離開了茶會現場。他的態度彷彿毫不留戀，又讓阿提爾感到不悅。

「真是個討厭的傢伙。」

莉莉卡疑惑地要求解釋⋯「我大概能猜到你們剛才說的那段話是什麼意思，但不太確定對不對。」

「不問這種事才算風雅。」

「但是，現在只剩阿提爾和我了啊？」

聽到莉莉卡這樣說，阿提爾咬了咬唇，深嘆了口氣，「好吧，真拿妳沒辦法。既然妹妹都提出請求了，我就只好告訴妳了。通常我是不會解釋的喔！通常。」

「拜託您了。」

莉莉卡誇張地低下頭，阿提爾就咧嘴笑了。

「簡單來說，巴拉特是貴族派的首領，所以說……真是討人厭，現在想一想也是。但是他說的是沉睡的龍？不是死去的龍。」

「簡單來說，他不想成為皇帝，但他想成為足以壓制皇帝的強大貴族。就是這樣。啊，該死的，真是討厭。」

如果是現在的巴拉特公爵……大概會說「如果將龍的屍體埋在花蔭下，會開出什麼花呢？」，但菲約爾德卻說是「沉睡的龍」。

「那麼，阿提爾轉著叉子說：「雖然他這麼說，但也不知道他的真心。總之，現在的巴拉特公爵是極為強硬的人，如果她兒子是溫和派，那會很有趣吧？順利的話，會兩敗俱傷……咳！不是，是可能會從內部瓦解。」

阿提爾說的話大概就是「你認為有可能嗎？」的意思。

他原本想說得更犀利，但是看到站在莉莉卡身後的布琳眼神微微一變，阿提爾迅速改口。

莉莉卡說了句「是這樣啊」，然後陷入沉思。

政治問題很複雜，只看表面無法了解實際狀況——但可以知道菲約爾德有其他想法。他離開宅邸時，曾明確地說過「想毀了一切」。

他渴望的似乎是巴拉特的毀滅。而且，他也是巴拉特的一份子，因此這就像是放火燒毀自己家，最後跳進火海，結束巴拉特家的一切。

契約皇后的女兒

422

『這樣算……變好了嗎？』

然而，他果然也不會有「那麼現在起要和塔卡爾好好相處才行，哈哈！」的想法。

她輕嘆了口氣。

阿提爾看著莉莉卡開口：「妳不難過嗎？」

「什麼？」

「那傢伙啊。他太厚臉皮了，居然就這樣走了，都不曉得妳多努力救他。還有我。」

「啊！哈哈。」

阿提爾睜大了眼睛，勾起假笑，「是嗎？」

他只這麼說，讓莉莉卡很高興。

莉莉卡笑了。她有點尷尬，但仍一臉自信地微微仰起下巴說：「我知道菲約爾德也會為我這麼做的。」

「笑什麼？」阿提爾問道。

莉莉卡回答：「如果是以前，你應該會說『沒那回事，妳只會吃虧而已』，笨蛋』。」

阿提爾聞言，露出無言以對的表情，隨後又伸手拍了一下她圓圓的頭，「妳想對哥哥說什麼都隨便妳。」

他沒有否認自己不會說那種話，這就是阿提爾的坦率。

天氣逐漸變冷，窗戶玻璃上的霜花開始繪出美麗的圖案。壁爐中的火焰猛烈燃燒著，一如往常，桑達爾家的人們最先開始穿上厚重的衣物。

然後，在降下初雪的日子，印露家的人抵達了。

「唔唔，真的好冷。」

派伊全身發抖，而莉莉卡四處張望。

雖然陽光像冬日一樣冰冷，但透過窗戶仍帶來了溫暖。掛在壁爐上的水壺冒著蒸氣，室內暖得恰到好處。

莉莉卡責備派伊：「天啊，你戴著圍巾還覺得冷？你還穿著羊毛衣呢。」

這麼說的莉莉卡與正在發抖的派伊相比，穿得輕便許多。

「這種時候才容易感冒啊。」

聽到阿提爾這麼說，派伊瞇起眼睛，「等您之後得了重感冒會後悔的。」

「桑達爾家很怕冷。」

「我不曾感冒過。」

塔卡爾的血脈是龍的血脈，這個體內帶著火焰的種族很少感冒，反倒很怕熱。派伊後來悄悄告訴莉莉卡這件事。

他們三人會這樣聚在一起，是因為印露家的人抵達皇宮了，中途會來拜訪莉莉卡問候。畢竟是老師跟學生，開始上課時會正式彼此問候，但抵達皇宮時，也需要先問候一下。一般貴族的學生會到門口迎接、問候，但莉莉卡是皇女，照慣例會是對方來向她問候。

因此，阿提爾和派伊都緊緊跟在她身旁，大驚小怪地說著「哇！是印露家的人耶，印露家」。他們一直待在白龍室，說一定要看看對方的長相。

『這樣可以嗎？』

當她這樣擔心時，一位侍女來告知：「蒂拉來了。」

帶著這兩個人，老師會不會很驚訝？

「蒂拉」是指皇族的老師，原本古語是叫「阿爾蒂拉」——意指建立高塔的人，但前面的「阿爾」被省略後，只稱為「蒂拉」。如今不僅是皇族的老師，學術成就卓越的人也會被稱為「蒂拉」。

「請進。」

莉莉卡說著，從座位上跳起來，其他兩人也一樣。

她輕輕地拍了一下後面的裙襬，然後整齊地合攏雙手。

侍從打開門後，「精靈」走了進來。莉莉卡瞪大了眼睛，為了不失禮貌，她努力讓自己的表情看起來很平靜。

『天啊。』

那是一位純白的人。從還帶點稚氣的樣子來看，似乎不是成年人。

那頭雪白美麗的頭髮被編成一條整齊的辮子，不是因為年紀大而變白，而是像高高堆起的雪原一樣白得發亮。

他的皮膚白皙透明，感覺十分脆弱。

還有他的眼睛，瞳色像有著浪潮。莉莉卡不禁直對上他的眼瞳，然後發現他的眼睛反射出周圍的光。不像鏡子一樣只是反射，十分單薄，而是像一潭結冰的清澈湖水，周圍的光彩在他的眼中閃爍，只反射出冰冷透明的光。

『哇……』

美麗的神祕眼瞳令莉莉卡不自覺地發出讚嘆聲。

他的衣著也非常獨特，那應該是印露家的傳統服裝——她如此心想。他穿著一件塞滿棉花、類似長袍的外套，繫著腰帶，但有一隻袖子沒有穿入手臂，懸垂下來。懸垂著的袖子似乎是用來裝飾的，很長。

果然是雪精靈。

莉莉卡大感驚嘆時，來人輕柔地打招呼⋯「初次見面，皇女殿下，我叫索內希哈亞・印露，我的朋友們都叫我哈亞。」

他的聲音也令人吃驚。

莉莉卡以為他的聲音會像精靈一樣清亮,但完全不是。那道聲音像暴風雪一樣強烈,具有男子氣概。

原來如此,莉莉卡十分驚嘆。

他的聲音帶著威嚴,很適合教導孩子,而且很有力,年紀或許比外表看起來年長——莉莉卡這樣心想,行了一個屈膝禮。

他的名字非常特別,因此她反覆在口中練習了幾遍後,流利地開口:「初次見面,索內希哈亞‧印露大人,我叫莉莉卡‧納拉‧塔卡爾,今後請多指教。」

哈亞溫柔地微笑著。莉莉卡挺直腰桿,向他介紹阿提爾和菲約爾德,三人就依序相互問候。

第一次見面就這樣結束了。

莉莉卡說:「您剛到,一定很累了,我就不留您了。」

對方回答:「感謝您的體諒。」然後就此告辭。

哈亞一離開,三人相互看了看彼此。時間流逝,直到感覺哈亞完全離開了白龍室,他們才同時開口:

「看到了吧?他的眼睛?眼睛顏色會變化!」

「對吧?不是錯覺吧?眼睛顏色莫名地閃閃發光——」

「頭髮也是雪白的,閃閃發亮,顏色非常美麗。」

他們興奮地討論一番後,同時嘆了一口氣。稍微冷靜下來後三人坐下,茶和點心這才端上來。

派伊問阿提爾:「您感覺怎麼樣?」

「什麼感覺?」

「聽說印露家是最接近塔卡爾的家族,您有感覺到什麼嗎⋯⋯?」

「那都是多久以前的事了。」

阿提爾哼笑一聲。

莉莉卡好奇地問：「為什麼印露家會是最接近塔卡爾的呢？」

派伊解釋：「之前說過印露家的祖先是雪精靈對吧？所以他們原本是沒有實體的，據說是從龍那裡得到血和肉，才組成了身體。」

莉莉卡瞪大了眼。她隨時都很歡迎這種神奇的故事。

看到莉莉卡的臉，派伊興奮地補道：「原本龍的東西都是火焰，理應會被燒掉，但印露是雪精靈，火焰和雪能夠和諧共處，所以能夠承受住。」

「原來如此⋯⋯但我覺得印露好像真的是那樣，他的氣質有一部分感覺非常──不像人類。」

莉莉卡雙眼發光地說完，派伊也點了點頭，「桑達爾家族也是歷史悠久的家族，但與印露家不同，感覺果然不一樣啊。」

該說是貴族中的貴族嗎？也許是與世隔絕的這一點更引人做出這種想像。

派伊對莉莉卡調皮地一笑，「真羨慕您，皇女殿下。」

莉莉卡勾起了笑，挽著阿提爾的手臂說：「你要對阿提爾要好一點喔。」

「是，那當然。」

派伊輕笑著回答，和阿提爾偷偷對視一眼。

那天之後──莉莉卡見過生父回來之後，她就變了。她開始稱呼陛下為「父親大人」，行動也變得更理直氣壯。

該說是變得更像「真正的皇女」了嗎？雖然之前兩人也覺得她就像「皇女殿下」，但和現在相比，感覺以前遜色許多。

『她去見生父是對的嗎？』

雖然這個問題應該沒有正確答案，但阿提爾學到了「不能只是逃避問題」。她用閃閃發亮的眼睛看著他，像在說「我做得很好吧？」。阿提爾感到有趣，就伸手捏了捏她的臉頰。

阿提爾看向莉莉卡。

「看看妳這傢伙。」

莉莉卡不甘示弱，開始搔阿提爾的腰側。而派伊看著這對兄妹嬉鬧，悠閒地喝茶。

『好想菲莉啊。』

如果是自己捏她的臉頰，菲莉大概會用拳頭打他的側腹吧。就算身體虛弱的妹妹這樣撒嬌，派伊也甘之如飴。

哈亞整理著衣服。

他帶來的衣服都與首都的流行沾不上邊，印露家的人本就是這樣。他換上單薄的衣服，打開陽臺。寒風撫過臉頰，很舒服。

哈亞吐了口氣，對著黑暗說：「初次見面，偉大的龍，穿越海洋的引導者，被背叛的火焰，變成人類的存在。我是索內希哈亞・印露。」

「取名方式還是一樣骯髒呢。」

宛如黑暗在光芒中消散，阿爾泰爾斯從黑暗中現身。他站在陽臺欄杆上，帶著傲慢的眼神俯瞰哈亞。

哈亞微微一笑，「現在變成傳統固定下來了。」

他們取名不會賦予意義和含義，只是將文字排列出來。

這就是印露的命名方式。

「雖然不知道如今是吹起了什麼風，但別做無謂的事。」

「不會有人那麼愚蠢，在龍面前做那種事的。」

「啊，是嗎？我倒是知道。」

阿爾泰爾斯數著指頭笑了，那是掠食者的笑容。

即使知道對方不會傷害自己，哈亞還是感到退縮。

「我很熟識那些無恥又愚蠢的傢伙，索內希哈亞·印露。」

「是。」

阿爾泰爾斯看著老實回答的哈亞，嘆了口氣，在欄杆上蹲下身子。

「真是讓人厭煩。」

「因為是人類嘛。代代相傳反而會變得更頑強。」

「也會變脆弱。」

「……」

哈亞默默地垂下眼。

阿爾泰爾斯伸出手，放上他的頭頂，「嗯，適可而止吧。」

「是、是。」

哈亞慌張地回答後，阿爾泰爾斯輕笑一聲並站起身，順勢跳了下去。

哈亞沒有看向下方，反倒雙腿不停發抖，直接跪在陽臺上。

冷風劃過臉頰，渾身顫抖。

『啊啊。』

這點寒冷明明不算什麼才對。為了留下血脈，他拚命努力，但每年出生的孩子都越來越虛弱，漸漸變得無法忍受寒冷，所以當莉莉卡皇女出現時，所有人都倒抽了一口氣。

這是沒出現在「預言書」中的事。

當皇后寄來「請成為莉莉卡皇女的蒂拉」的信時，所有人都看著彼此。

也許時機已經成熟了。

──不，還不是時候。

他們一往一往地討論著，回信一再被推遲。當事情逼近到眼前時才感到害怕，這或許就是人心。

在這之中，露迪婭皇后最近又寄來第二封信，上頭寫著「知道心之女王嗎？」。

看到這封信後，索內希哈亞決定前往首都。家主印露公爵沒有說什麼，只默默地看著他。

──我去。

公爵默默地點了點頭，哈亞這才得以離開印露家。

他也聽說了關於神器魔法少女的事。或許時機真的到了。

印露的詛咒與龍的詛咒，得以解除的那一刻。

休息了幾天後，哈亞晉見了露迪婭皇后。皇后召他到會客室，說是想輕鬆地交談。哈亞一見到皇后就倒抽了一口氣。

感覺像看到一團光坐在那裡。金髮太過耀眼，彷彿刺痛了眼睛。對於見慣了印露公爵領那蒼白陽光的印露族人來說，這光芒太耀眼了。

契約皇后的女兒

430

這般容貌果真足以成為龍的伴侶。

她的外表甚至令哈亞如此心想。會寄信給印露也算大膽⋯⋯坐下後，露迪婭親自倒茶，周圍沒有留下任何侍從。這是謹慎還是毫不在乎，哈亞難以判斷。

倒完茶後，露迪婭微微一笑，「謝謝你願意成為莉莉卡皇女的蒂拉。」

「不敢當，這對我來說是一項太過重大的任務。」

「教育的事就全權交給你了。」

這句話出乎意料，但哈亞恭敬地回答：「遵命。」

從溫暖的茶杯傳遞至指尖的熱氣十分舒服，露迪婭看著這樣的哈亞說：「我有事想問來自智者家族的你。」

「智者這個稱呼是過獎了，但如果是我能回答的事，我會盡力回答。」

露迪婭看著恭敬回答的哈亞，鮮紅的雙唇露出迷人的微笑：「跟我說說你對龍的所有了解吧。」

——下集待續

高寶書版集團
gobooks.com.tw

CP013
契約皇后的女兒 2
엄마가 계약결혼 했다

作　　　者	시야 (Siya)
譯　　　者	朱紹慈
責 任 編 輯	陳凱筠、廖家平
設　　　計	單宇
排　　　版	彭立瑋
企　　　劃	黃子晏

發 行 人	朱凱蕾
出　　版	三日月書版股份有限公司 Mikazuki Publishing Co., Ltd.
地　　址	臺北市內湖區洲子街88號3樓
網　　址	www.gobooks.com.tw
電　　話	(02) 27992788
電　　郵	readers@gobooks.com.tw（讀者服務部）
傳　　真	出版部 (02) 27990909　行銷部 (02) 27993088
郵 政 劃 撥	19394552
戶　　名	英屬維京群島商高寶國際有限公司臺灣分公司
發　　行	英屬維京群島商高寶國際有限公司台灣分公司 / Printed in Taiwan Global Group Holdings, Ltd.
法 律 顧 問	永然聯合法律事務所
初 版 日 期	2024年7月

Copyright © 2022by 시야 (Siya)
All rights reserved.
Complex Chinese Copyright © 2024 by Global Group Holding. Ltd
Complex Chinese translation Copyright is arranged with Paragraph
through Eric Yang Agency.

國家圖書館出版品預行編目(CIP)資料

契約皇后的女兒 / 시야著；朱紹慈譯. -- 初版. -- 臺北
市：三日月書版股份有限公司出版：英屬維京群島商
高寶國際有限公司台灣分公司發行, 2024.07
　　面；　公分. --

譯自：엄마가 계약결혼 했다
ISBN 978-626-7391-17-4 (第2冊：平裝)

862.59　　　　　　　　113006227

凡本著作任何圖片、文字及其他內容，
未經本公司同意授權者，
均不得擅自重製、仿製或以其他方法加以侵害，
如一經查獲，必定追究到底，絕不寬貸。

版權所有　翻印必究